文學新象 095

埃及三部曲 III

首相的正義

LE JUGE D'EGYPTE III: LA JUSTICE DU VIZIR

克里斯提昂・賈克◎著
顏湘如◎譯

高寶書版集團

文學新象 095

首相的正義
LE JUGE D'EGYPTE III: LA JUSTICE DU VIZIR

作　　者：克里斯提昂．賈克（Christian Jacq）
譯　　者：顏湘如
總 編 輯：林秀禎
編　　輯：李國祥
出 版 者：英屬維京群島商高寶國際有限公司台灣分公司
Global Group Holdings, Ltd.
地　　址：台北市內湖區洲子街88號3樓
網　　址：gobooks.com.tw
電　　話：(02) 27992788
E-mail：readers@gobooks.com.tw（讀者服務部）
pr@gobooks.com.tw（公關諮詢部）
電　　傳：出版部（02）27990909　行銷部（02）27993088
郵政劃撥：19394552
戶　　名：英屬維京群島商高寶國際有限公司台灣分公司
香港總經銷：全力圖書有限公司
地　　址：香港新界葵涌打磚坪街58-76號和豐工業中心1樓8室
電　　話：(852) 2494-7282
傳　　真：(852) 2494-7609
發　　行：希代多媒體書版股份有限公司/Printed in Taiwan
出版日期：2007 年 12 月
版　　次：二版一刷

國家圖書館出版品預行編目資料

埃及三部曲. Ⅲ, 首相的正義／克里斯提昂・賈克(Christian Jacq)著 ; 顏湘如譯 -- 二版. -- 臺北市：高寶國際出版：希代多媒體發行, 2007.12
面； 公分.—(文學新象； TN095)
譯自：la justice du vizir

ISBN 978-986-185-129-7(平裝)

876.57　　96022422

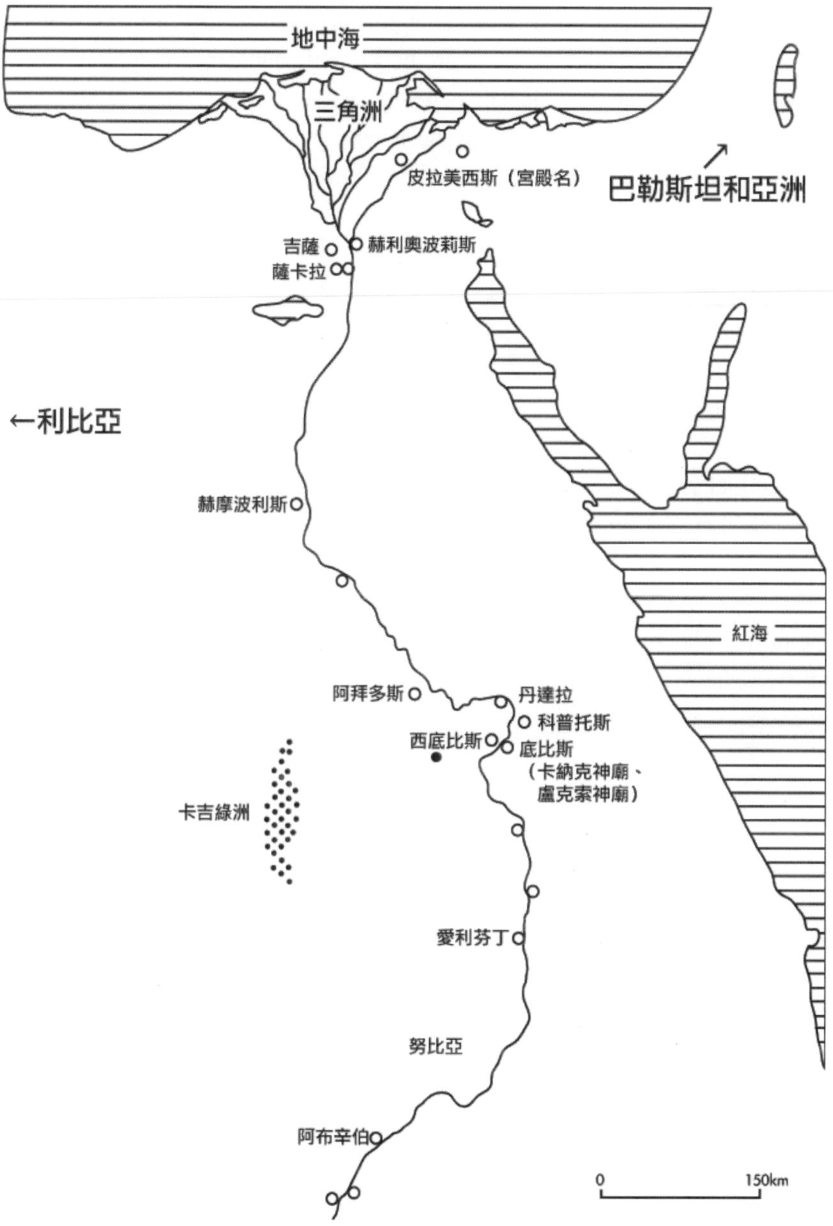
地中海
三角洲
皮拉美西斯（宮殿名）
巴勒斯坦和亞洲
吉薩
赫利奧波莉斯
薩卡拉
←利比亞
赫摩波利斯
紅海
阿拜多斯
丹達拉
科普托斯
西底比斯
底比斯
（卡納克神廟、
盧克索神廟）
卡吉綠洲
愛利芬丁
努比亞
阿布辛伯
0
150km

Ce roman se déroule à l'époque du pharaon Ramsès II(1279-1211), l'une des plus glorieuses de l'histoire de l'Égypte ancienne.Phare de la civilisation ,le pays dispose alors de richesses considérables et il voit s'édifier de magnifiques monuments,comme la grande salle à conlonnes de karnak ou le temple double d'Abou Simbel,en Nubie,illustrant l'union du pharaon et de la grande épouse royale Néfertari.

Tant spirituelle que matérielle,cette prospérite repose sur le respect de Maât, à la fois une déesse et un concept qui englobe l'éternelle harmonie de l'univers,l'exigence de justice pour le puissant comme pour le faible et la rectitude individuelle qui permet à chacun de traverser le fleuve de l'existence en tenant ferme gouvernail de sa proper vie.

"La lumière dans le ciel est mise en harmonie pour Pharaon,disent les Textes des Pyramides, Maât est ce qui apporté à Pharaon,elle est ce qu'il voit et ce qu'il entend."Et une inscription du temple de Kanais, datant de Séthi Ier,le père de Ramsès,précise:La force d'un pharaon, c'est la justice."

C'est cette dernière,précisément,qui constitue ,aux yeux des Égyptiens ,le bien le plus précieux sur lequel se bâtissent la cohérence et le bonheur d'une société, mais un bien fragile menacé par l'avidité, l'ambition et le mensonge d'individus ténébreux dont le seul but est est d'obtenir le pouvoir à n' importe quell prix.

Aussi cette trilogie romanesque est-elle consacrée à l'histoire d'un petit juge de province, loin d'imaginer que sa nomination à Memphis,la grande cité du Delta,le placerait au coeur d'une affaire d'Etat susceptible d'entrainer l' Égypte vers.

Refusant de céder aux pressions et de transinger avec son idéal,le jeune magistrat sera plongé dans une tourmente où il se battra sans faiblir avec l'aide d'un ami fidele et de la femme aimée ,un médecin aux dons exceptionneles.

À travers la fiction ,le lecteur découvrira le système judiciaire égyptien ,certains des secrets médicaux des pharaons et de multiples aspect d'une culture dont plusieurs aspects sont d'une surprenante modernité.

"Jamais le mal ne mènera son entreprise à bon port", affirme le sage Ptah-hotep; c'est animé de cette pensée que le juge d'Égypté, menacé par de redoutables adversaires, part à la recherché de la vérité.

Christian Jacq

〈克里斯提昂・賈克唯一致中文版讀者序〉

這部小說乃是以法老拉美西斯二世時期為背景，這也是埃及歷史上最光輝燦爛的時期之一。埃及既為世界文明之燈塔，自然擁有極為可觀的資源，歷代以來更留下了許多偉大的建築，例如卡納克神廟的柱子大廳，或是位於努比亞，為了紀念法老與皇后奈菲爾塔莉的結合所建造的阿布辛伯雙重神廟，都是最佳例證。

埃及無論是精神上或物質上的蓬勃發展，皆源自於對瑪特的尊敬；瑪特不僅是女神，也是一個概念，這個概念闡述了宇宙永恆的和諧、不分貧賤富貴的司法正義，還有每個人必須秉持正直不變的原則，方能掌穩人生的舵槳渡過生命之河。金字塔文獻中寫道：「天上的光因法老而呈現和諧，而為法老帶來和諧的則是瑪特，祂是法老眼中所見、耳中所聞。」拉美西斯的父親塞提一世所建的卡奈神廟中，有一句銘文是這麼寫的：「司法正義是法老的力量。」事實上，在埃及人民的眼中，社會和諧民生樂利都建築在最寶貴的司法之上，然而這項為人民求福祉的制度也十分脆弱，因為總有一些人為達目的不擇手段，不惜以貪婪的欲望、野心與謊言而戕害司法。

《埃及三部曲》所描述的便是一個鄉下小法官的故事。他接受任命前往三角洲地區的大城孟斐斯，卻不料從此一步步走向一個欲將埃及推向險惡深淵的陰謀核心。

由於不願向強權低頭，也不願違背自己的理想，這名年輕的法官將捲入一場風暴之中，並在忠誠的友人與心愛的妻子——一名天賦異秉的醫生——的支持下奮戰不懈。

透過這部小說，讀者將了解埃及司法的運作、法老的某些醫療祕密，以及埃及文化的多種風貌，也想必會因其中部分風貌現代化的程度而咋舌吧。

「罪惡永遠無法獲得善終。」先哲普塔赫台如是說。書中的這名埃及法官也正是為了這個信念，而不畏強敵環伺，勇往直前追求真理。

第一章

背叛的收穫真大。身材渾圓、臉頰紅潤的亞洛，懶洋洋地喝下了第三杯白酒，一邊慶幸著自己的選擇。當初在帕札爾手下當書記官時，工作量大，賺的錢卻少得可憐。而自從他投效了帕札爾的頭號敵人美鋒之後，生活便大大改善了。每次只要透露一點有關帕札爾的習性，他就會獲得一筆報酬。除此之外，他還希望藉由美鋒的支持以及美鋒手下所做的偽證，得以與妻子離婚並獲得女兒的監護權。

亞洛是因為頭痛，天還沒亮就醒了過來，此時夜色還籠罩著孟斐斯，這個位於三角洲與尼羅河谷交界處，整個埃及的經濟重鎮。

原本應該靜悄悄的巷道，卻傳來了窸窸窣窣的聲音。

亞洛放下了酒杯。背叛帕札爾之後，他酒喝得越來越兇，倒也不是感到愧疚，而是直到此時才買得起好酒，而越喝酒癮也就越大了。

聽到聲響後，他推開木窗板，朝外頭瞄了一眼。

一個人也沒有。

他嘟噥了一聲，但隨即想到了這即將展開的美好的一天。多虧美鋒幫忙，他終於能搬到市中心附近的高級住宅區了。從今晚開始，他將擁有一棟五房的屋子，屋外還有一個小花園；而明天他也將成為稅務局的審查員，正式聽命於美鋒。

美中不足的是：儘管美鋒獲得了不少有用的資訊，卻還是整不垮帕札爾，他背後就像有神明護佑似的。不過，他的好運總有結束的一天。

屋外，有人在冷笑。

亞洛有點不安，他把耳朵貼在面街的大門上傾聽著。突然間，他明白了：又是那群小鬼拿著赭石在屋牆上塗鴉。

他一氣之下，馬上打開了門。

映入眼簾的卻是一隻咧著嘴的鬣狗，口水垂在嘴角，雙眼充滿血絲地杵在那裡。鬣狗長嘯了一聲，猶如陰間使者的笑聲，跟著便朝亞洛的頸子撲了上去。

* * *

通常鬣狗只會待在沙漠中，以腐屍為食，很少接近人煙密集的地區。然而，突然間卻有十來隻鬣狗一反常態，侵入孟斐斯近郊，並殺害了深受鄰居厭惡的酒鬼亞洛。事發後，居民們拖著棍棒趕跑了這群不速之客，但每個人心裡莫不以為這是王權即將衰敗的惡兆。在孟斐斯港口、兵工廠內、碼頭上、軍營裡，在無花果樹區、鱷魚牆區、醫學院區、市場上、手工藝坊中，到處都流傳著：「鬣狗之年到了！」

國勢會衰退，漲水量會不足，土地會貧瘠，果樹會枯死，蔬果、衣服與香脂也會大量缺乏；貝都因人將進攻三角洲地區，法老的寶座也將岌岌可危。在鬣狗之年，一切和諧都將出現裂縫，邪惡的勢力很快便會趁虛而入。

民間都謠傳著拉美西斯大帝已經無力阻擋災厄。雖然九個月後的再生儀式將重新賦予君王力量，使他克服逆境，但九個月不會太長了點嗎？至於新任的首相帕札爾，既年輕又缺乏經驗，卻在鬣狗之年就任，前途恐怕也不樂觀。

假如法老再無能力保護子民，他們將雙雙墜入險惡的黑暗深淵，誰也不能倖免。

＊　＊　＊

在這一月底的冬令時節，矗立著左塞王金字塔與其巨大天梯的薩卡拉，掃過了一陣冷冽寒風。布拉尼墓穴中的禮拜堂，靜坐著兩個人，在厚重衣物的遮蔽下，很難辨識得出原來是帕札爾和奈菲莉，他們倆正默念著刻在一方美麗的石灰岩上的一段文字：

留在人間並行經此墓的人啊，愛好生命且痛恨死亡的人啊，請頌念我的名使我重生，請為我念出奉獻的語句吧。

布拉尼是帕札爾和奈菲莉的心靈導師，卻遭人謀殺身亡。是誰那麼殘忍將貝殼針刺入他的頸項，使他無法成為卡納克神廟的大祭司，甚至還嫁禍給帕札爾呢？雖然調查工作少有進展，但這對夫妻仍發誓不計任何代價都要找出真兇。

禮拜堂旁忽然出現了一個瘦巴巴的人，他的兩道眉毛又濃又黑，在鼻子上方連成一線，嘴脣很薄，手指極長，雙腳則骨瘦如柴。此人正是木乃伊工匠裘伊，他大半輩子都在為人處理屍體，使其轉變成奧塞利斯。

「你想看你墳墓的地點嗎？」他問帕札爾。

「帶我去吧。」

首相帕札爾身形瘦長，髮色棕褐，前額又高又寬，綠色的眼珠略帶淺褐；他受拉美西斯大帝之託，肩負了拯救埃及的重任。「帕札爾」這個名字的意思是「能預見未來的先知」；他原是鄉下的小法官，後來調任孟斐斯。由於他不肯妥協的個性，使得一件慘案曝了光，最後法老更親自為他解開了該案之謎。

有幾名陰謀分子為了從吉薩的司芬克斯兩爪間的入口，進入全國的能量與精神中心大金字塔內部，於是殺了看守雕像的榮譽警衛，並且盜走了齊阿普斯金棺內的寶物，以及象徵著法老權力的眾神遺囑。假如在預定於明年元旦，也就是七月二十日所舉行的再生儀式當天，法老無法向祭司、朝臣與人民出示該遺囑，他將不得不讓位，由黑暗的勢力接掌埃及。

拉美西斯之所以信任帕札爾，乃是由於他即使前途與性命受到威脅，卻依然堅持不妥協。而帕札爾被任命為首相後，不僅身兼最高法官、掌璽官、情報總長、法老的工程總長等職，最重要的還要竭盡全力拯救埃及脫離魔掌。

此時，走在墓園的小徑上，他看著身旁日益美麗的妻子奈菲莉；她的雙眼藍如夏日晴空，頭髮近乎金黃，臉龐的線條清晰柔和，簡直就是幸福與喜悅的化身。若沒有她，他早就向命運屈服了。

經過一連串艱辛考驗之後而成為宮廷御醫長的奈菲莉，一向熱衷於醫道。她從精通醫術與感應能力的恩師布拉尼那兒，學到了辨識病痛與病因的能力。她頸子上所戴的綠松石，也是老師送給她的避邪之物。

其實帕札爾和奈菲莉對高官厚祿都沒什麼興趣，他們最大的願望就是退隱底比斯地區的小村落，每天享受上埃及陽光底下的悠閒生活。然而眾神卻另有安排；因為他們是唯一知道法老祕密的人，自然要奮戰到底了。

「就是這裡。石匠們明天就會開工。」裘伊指著一處空地說。地點距某位前任首相的墓地不遠。

帕札爾點點頭。以他目前的身分地位，第一件事要做的就是挖鑿自己的墓穴，做為夫妻倆死後的棲身之所。

看著裘伊拖著疲憊的腳步緩緩離開後，帕札爾帶點沉重地說：

「我們也許永遠也不會被埋在這裡。法老的敵人已經明白表示要捐棄傳統，他們想毀滅的是整個國家，而不是一個人。」

他二人一起走向階梯金字塔的露天大內庭。再生儀式之際，法老將必須在這裡向眾人揮舞那份早已失蹤的眾神遺囑。

帕札爾依然認為老師的死和整宗陰謀有關，因此找出兇手將有助於追蹤竊賊，甚至可能連帶化解所有的危機。可惜他的摯友蘇提因為婚姻外遇問題，被判充軍一年而無法幫他。雖然他有心救蘇提脫困，但他身為法官絕不能有所偏袒，否則便會遭到撤職。

薩卡拉的廣大內庭展現了金字塔時期無與倫比的偉大氣象。無數的法老曾在此展開心靈探險之旅，南北埃及也在此融合，組成了一個燦爛強盛的王國，並持續至今。帕札爾輕輕摟著奈菲莉，兩人都為高聳於眼前的宏偉建築感到目眩神迷。

突然身後響起了一陣腳步聲。

他二人聞聲轉過身去，只見來人中等身材，臉很圓，骨架很粗，滿頭黑髮，手腳臃腫，快步走來顯得十分緊張。夫妻倆不敢置信地交換了一個眼神。

的確是他，他們的死敵，陰謀的主使者：美鋒。

因為擅於精打細算，工作又認真，美鋒由原來一名小小的造紙商，竄升為穀倉總管，最後甚至晉升為白色雙院院長，掌握全國的經濟大權。這一路走來，他一直假意親近帕札爾，以便控制其行動。但是當帕札爾意外地當上了首相，美鋒也扯下了友善的面具。帕札爾永遠忘不了他冷笑著威脅的模樣，「什麼神明、神廟、永恆的住所、宗教儀式……全都是落伍、可笑的玩意。你根本不知道我們已經進入了新的世界。你的世界很快就要毀滅，因為支撐的梁柱已經被我侵蝕了！」

帕札爾暫時並不打算逮捕美鋒；他必須先破壞美鋒所設下的陷阱，瓦解他的陰謀網路，找出眾神遺囑。美鋒真的已經腐蝕了國家棟梁嗎？或只是吹噓而已？

「我們之間實在有點誤會。」美鋒虛情假意地說：「當初我言語上冒犯了你，真是對不起。親愛的帕札爾，請原諒我的衝動，我對你其實是非常尊敬而仰慕的。我考慮了一下，發現我們其實有基本上的共識。埃及的確需要一位好首相，而你就是最適當的人選。」

「你這番諂媚有何用意？」

「既然合作能避免許多不快，那麼何必互相殘殺呢？拉美西斯的統治是非結束不可了。你我就一起邁向新的里程吧。」

冬日的藍天下，薩卡拉大內庭上空，有一隻獵鷹盤旋著。

「你的道歉只不過是虛偽做作，」奈菲莉插嘴道：「你不用寄望我們會和你合作。」

美鋒眼中燃燒著怒火，「帕札爾，這是你最後的機會了，你不投降就是自取滅亡。」

「你馬上離開這裡，你這種陰險小人不配到此光明聖地來。」

在盛怒之下，美鋒轉身就走。而帕札爾和奈菲莉則手牽著手，望著獵鷹往南飛去。

第二章

埃及所有的顯要都聚集在首相的法庭上。

這是一間白牆圍繞、內部寬敞的柱子大廳，最裡邊的高臺是帕札爾的座位，而階梯上四十根覆著皮革的棍子，則是執法的表徵。十來名戴著假髮、穿著短纏腰布的書記官，以右手搭著左肩的姿勢護衛著這些寶貴物事。

皇太后圖雅坐在第一排鍍金木椅上。六十歲的太后，身材瘦削，神情高傲，眼光銳利，穿著一件滾了金邊的亞麻連身長裙，並戴著一頂由人髮編成無數小辮子、辮長及腰的假髮。她身旁坐的是為她醫好眼疾的奈菲莉。

奈菲莉穿戴的也都是符合御醫長身分的行頭：亞麻長裝外披著一件豹皮、編了辮子的假髮、頸間一條光玉髓項鏈、手腕與腳踝則有天青石鏈。她右手上拿著官印，左手托著文具盒。

這兩個女人一直互相敬重；太后更曾經為奈菲莉打敗敵人，使她得以登上醫學界的龍頭寶座。

奈菲莉後面是警察總長，也是帕札爾忠心不二的夥伴凱姆。他曾經因為遭誣賴犯了偷竊罪而受劓刑，如今戴著一個木製的假鼻。到孟斐斯擔任警察之後，和這個缺乏經驗的年輕法官帕札爾結為好友，矛盾的是帕札爾熱愛司法正義，而他卻早已不信這一套了。

無論如何，在經過了許多波折後，他還是應帕札爾之邀負起了統帥警力維護秩序的責任。此時，他緊緊握著警察總長的象牙權杖，杖上還掛著刻有眼睛與獅首的護身符，心中不無驕傲。

他身邊牽著名為「殺手」的狒狒警察；這隻力大無窮的大猩猩由於立下不少功勞，才剛剛獲得升遷。牠的主要任務就是保護最近屢屢受到襲擊的帕札爾。

前首相巴吉坐得離狒狒有段距離，依然是佝僂著背。他高大、嚴肅、臉長鼻尖、臉色蒼白，由於性格剛毅受人敬畏，如今已經退休安享晚年，不過依然充當著繼任首相的顧問。

一根柱子後面，美鋒的妻子西莉克斯正微笑招呼著周遭的人。稚氣未脫的她總是為體重而煩惱，因此做了幾次美容手術希望能挽住丈夫的心。由於嗜吃甜食，使得她經常偏頭疼，但自從丈夫向首相宣戰以後，她便不敢再去找奈菲莉了。

為此，她偷偷地在太陽穴塗上以刺柏、松汁與月桂漿果調成的香脂，不過表面上則光鮮依舊：胸前一串藍色的陶瓷項鏈，手腕上的精緻手鏈，則是由紅布製成蓮花花冠形狀，並由金色細線串連而成。

至於美鋒，雖然找的都是孟斐斯的頂尖裁縫，但每回穿的卻不是緊繃的上衣就是鬆垮的纏腰布。尤其在此緊張萬分的時刻，他更顧不得什麼優雅從容了，只是憂心地等著首相到來。沒有人知道帕札爾如此鄭重其事，究竟所為何來。

首相出現時，大家都安靜了下來。只見他全身裹著厚厚的、硬挺的長袍，只有雙肩裸露在外；上了漿的衣服，似乎為了更加突顯首相職務的艱難。除了簡單隆重的穿著之外，帕札爾頭上戴的也是一頂中規中矩的短假髮。

他將瑪特女神（※註1）的小雕像掛到細金鏈上，便正式開庭了。

「讓我們明辨是非，濟弱扶傾。」

帕札爾以每一位法官都必須恪守的至理名言，做為開場白。

通常會有四十名書記官分站兩列，警察便帶領被告、原告、證人穿過其間的中央通道，走進法庭。今天，首相卻只是坐在矮背椅上，盯著面前的四十根刑棍看了好久。最後才說：

「埃及正面臨前所未見的危機，黑暗的勢力正試圖吞噬我們的國家。因此我必須伸張正義，懲罰那些已經確認的罪人。」

西莉克斯緊張地抓著丈夫的手臂；首相真的敢和權大勢大的美鋒正面衝突嗎？更何況他手中毫無證據。只聽得帕札爾繼續又說：

「吉薩的司芬克斯有五名榮譽衛兵遭到謀殺，這是牙醫咯達希、化學家謝奇和運輸商戴尼斯所共同參與的一項陰謀。由於他們的種種惡行已經罪證確鑿，理應判處死刑。」

聽到這裡，一名書記官舉手道：

「但是……他們已經死了。」

「不錯，但他們並未被判刑。他們個人的命運影響不了司法的判決，死亡並不能免除罪犯的死刑。」

眾人雖感訝異，卻不得不承認首相的說辭確實有法可循。接下來宣讀起訴狀，一一道出他們三人的罪行，但美鋒的姓名則始終未提。

宣讀完畢，沒有人提出異議，也沒有人為被告辯駁。首相於是宣判：

「三名被告將遭冥世的蛇火吞噬。屍體不得埋於墓園中，不得享受祭祀與奠酒，並將遭受獄府門官的刀刑。他們將再一次死於飢渴。」

西莉克斯不由得全身發抖，美鋒則不為所動。

凱姆心中對司法的懷疑稍稍動搖了，而狒狒卻睜大了眼睛，彷彿對這次被告死後的追判十分滿意。

至於奈菲莉則像是深深感受到那一字一句的震撼力而心神激盪。

「所有的法老、所有的元首若是大赦罪犯，都將失去王位與權勢。」

首相最後以一句古老的格言總結。

＊註：1瑪特是正義女神，也就是「正直的人」、「指引正確方向的人」。瑪特通常以端坐並手持鴕鳥羽毛的女子形象為表徵，祂也是歷史遠比人類更長久的宇宙法則的化身。

第三章

帕札爾出現在宮門前時，日出已經將近一小時了。見到首相，法老的侍衛均紛紛行禮致敬。

他走進一道長廊，兩邊牆上繪著蓮花、紙莎草與虞美人等等精緻壁畫，接著穿過一個有魚池裝點的柱子廳，最後才到達法老的辦公室。法老的私人祕書一見到他便招呼道：「法老在等你呢。」

首相每天早上都要向國王做報告。報告的地點十分清新宜人：一間寬敞明亮的廳室，從窗戶可望見尼羅河與花園，地板瓷磚有著藍色蓮花圖樣，鍍金的小圓桌上擺著一束束的花。另外在一張小桌上，則放著攤開的紙張與書寫用具。

國王正面對著東方沉思。他中等身材，十分健壯，髮色幾近赤紅，寬寬的額頭下一副鷹勾鼻，十足威嚴的模樣。興建卡納克與阿拜多斯神廟的明君塞提一世，很早便將王位傳給拉美西斯，而拉美西斯也因為與赫梯人締結和平盟約，使人民享受著安和樂利的生活，諸國無不稱羨。

「帕札爾，你總算來了！開庭結果如何？」

「死去的罪犯都被宣判了。」

「美鋒呢？」

「很緊張，內心多少受到震撼，不過表現得很堅強。我很想照例說：『一切都在掌控中，沒有問題。』但我不能說謊。」

拉美西斯似乎有點不安。他穿著一件樣式簡單的白色纏腰布，全身的飾品只有手腕上的金鐲與天青石手鐲，鐲子前半部並裝飾著兩個野鴨頭。

「結論是什麼，帕札爾？」

「關於我的恩師布拉尼的謀殺案，毫無明確的證據，但凱姆應該可以幫我找出一些線索。」

「西莉克斯夫人呢？」

「她是頭號嫌疑犯。」

「別忘了陰謀分子中有一名女子。」

「我沒有忘記，陛下。已經死了三人，其餘同謀的身分還有待確認。」

「很明顯就是美鋒與西莉克斯了。」

「很可能，但沒有證據。」

「美鋒不是自己承認了嗎？」

「是的，不過他有很強的後盾。」

「你有什麼發現嗎？」

「我與各行政單位的負責人日以繼夜地努力；我看了幾十名職員的書面報告，也聽了高層書記官、部會首長與小職員的口頭報告。結果卻比我想像的還要不樂觀。」

「你說說看。」

「美鋒收買了不少人。威脅、利誘、矇騙……無所不用其極。他和其他同夥計畫得很明確：控制國家經濟，挑戰並摧毀傳統價值。」

「用什麼方法呢？」

「我還不知道。現在逮捕美鋒將會犯了策略上的錯誤，因為我還沒有把握能讓這個魔頭無路可退、無計可施。」

「七月新年的第一天，也就是索提斯星出現在巨蟹宮，預示尼羅河氾濫期即將開始之際，朕若無法向人民展示眾神遺囑，便將被迫讓位給美鋒。只剩下短短幾個月，你能來得及毀滅他的勢力嗎？」

「這也只有神明知道了。」

「帕札爾，神明創立君主政權，正是要國王興建廟宇宣揚其名，要使人民幸福安樂，不懷嫉妒。神給了我們一樣最珍貴的寶藏，那就是我所擁有、並有責任予以發揚的：光明。人生來並不平等，因此法老便成了弱勢人民的支柱。只要埃及不斷興建廟宇，儲藏足夠的光明能量，那麼國土必定豐沃，國運必定昌隆，嬰孩能在母親懷中安枕，寡婦有了保障，運河得到完善的維護，正義也得以伸張。我們的生命其實無關緊要，重要的是要維續這份和諧。」

「我早已將生死置之度外了。」

拉美西斯雙手搭著帕札爾的肩膀，微笑道：

「儘管首相的工作繁重，但朕相信並沒有選錯人。現在朕只有你一個朋友了。記得某位先王曾這麼寫道：『不要相信任何人，你絕不會有任何真正親密的人。通常，背叛你的就是你為他付出最多的人，偷襲你的就是因你致富的窮人，而製造混亂的則是受你拉拔過的人。千萬提防你的親信與手下。你只能靠自己。災難臨頭之日，誰也不會伸出援手。』（※註1）」

「該文不是也寫了：能受擁戴的君主便能持續發揚自己與埃及的偉大光芒？」

「你倒是熟知先賢的訓示！朕並未使你致富啊，朕只是將一副一般人不願接受的重擔加諸於你；你要記住：美鋒可是比沙漠毒蛇還要危險的。他竟能夠使朕的親信全無警戒、毫不懷疑，並像蛀蟲一樣侵蝕整個體系。他甚至能假意與你親近以便知己知彼；今後，他對你的怨恨將日甚一日，也將使你永無寧日。他將會躲在暗處，利用那些背叛變節的人為武器，出其不意地攻擊。你還願意迎戰嗎？」

「一言既出，駟馬難追。」

「萬一失敗了，你和奈菲莉都將遭到美鋒的毒手。」

「現在就投降未免太懦弱了，我們一定會堅持到最後。」

拉美西斯大帝坐在一張鍍金的木椅上，面向著旭日，緩緩問道：

「那麼你有什麼計畫？」

「等。」

這個回答顯然令國王十分震驚，「我們的時間已經不多了。」

「這樣美鋒會以為我已經一籌莫展，他才可能逐步脫去其他面具，我也才能做適當的反擊。為了讓他相信我走錯方向，我決定先把精力集中在次要的問題上。」

「很冒險的策略。」國王猶豫地說。

「我如果有了助手，風險就會小得多了。」

「你說的是誰？」

「我的朋友蘇提。」

「他可以信任嗎？」

「他因為外遇而被判到努比亞充軍一年。這是依法判決的。」

「那麼朕也無能為力了。」

「他若是逃走的話，是否能讓我們的士兵專心守護邊界，而不必追捕逃犯？」

「換句話說，你要朕下令邊關將士堅守城牆，以防努比亞族人來犯。」

「陛下，人心難測啊，尤其是那些風沙游人。以陛下的英明，想必已直覺即將發生叛變了。」

「可是到時候若沒有叛變……」

「那是努比亞人見到我軍嚴密防守，而膽怯退縮了。」

「你就替朕下詔吧，帕札爾首相，但絕不可主動協助你的朋友逃脫。」

「他只有聽天由命了。」

※註：1節錄自《梅利卡雷教誨集》。

第四章

利比亞的金髮女子豹子在田中找到一處牧羊人的小屋，做為藏身之處。這個男人已經跟了她兩個小時了。此人身材高大，頂著一個圓滾滾的肚子，全身髒兮兮的；他大半輩子都在泥土中打滾，以摘紙莎草維生。他暗中窺伺著豹子裸浴的情景，並慢慢地爬了過去。

豹子先前能成功地逃離，都多虧了她隨時提高警覺，然而抵禦夜寒所不可或缺的披肩，卻仍中途遺失了。當初蘇提為了協助帕札爾調查，娶了塔佩妮，而豹子卻又明目張膽地與他同居，才會在受審之後被逐出埃及，但她並不向命運屈服。她下定決心絕不丟下愛人不管，她要到努比亞去救他出獄，然後兩人重新過日子。她少不了蘇提的精力與火熱的愛撫，更無法容忍他投向另一個女人的懷抱。

漫漫長路也嚇阻不了豹子；她利用自己的美色讓各貨船船主答應讓她搭便船，就這樣一站過了一站，最後終於到達愛利芬丁與第一道瀑布。至此，成群的岩石阻斷了航程，石堆的另一側則有一彎細水流向農田，豹子這才跳入水中，讓自己紓解一下。

她並不打算甩掉跟蹤她的人，因為他對此地瞭若指掌，無論她躲到哪裡，他都很快就會發現。她也不擔心會遭到強暴；遇到蘇提之前，她可也是一名盜匪，曾經和埃及士兵有無數次的遭遇戰呢。更何況野性難馴的她，也愛極了狂烈而醉人的性愛。只可惜這個摘草工人實在太討人厭，而她所剩的時間也不多了。

當工人悄悄潛入小屋時，豹子正赤著身子躺在地上，沉睡著。見到她披散在肩膀的金黃髮絲，豐滿的乳房與隱藏在濃密的金色陰毛中的性器，他再也按捺不住，衝了過去，不料卻一腳踩進了平放在地面的活結裡，重重地摔了一跤。而豹子也身手矯健地翻身坐到工人背上，緊掐他的脖子。一等他昏死過去，她立刻脫去他的外衣以便夜裡有衣物禦寒，然後便朝著大南部繼續前進。

*　*　*

努比亞中心查魯堡壘的指揮官，一手推開了廚子剛剛端上來那碗稀稀的湯水並罵道：

「沒用的傢伙，關禁閉一個月。」

隨後喝了一杯棕櫚酒，怒氣才稍稍平息。離埃及這麼遠，實在很難吃到什麼像樣的食物，不過這樣的職務卻又有助於升官，並能獲得豐厚的退休金。在這片耕作困難、尼羅河偶爾氾濫的貧瘠荒漠裡，他負責管理一些被判充軍一至三年的罪犯。通常他對他們還算寬厚，只編派一些不耗費精力的簡單工作，而這些可憐的傢伙大多也不是什麼十惡不赦的罪人，剛好可以趁著苦役期間反省反省。

可是蘇提的情況卻大不相同。他倔強、不服從命令，因此指揮官便將他調到最前線，負責監督努比亞人的一舉一動，若有叛變情勢立即回報。如此一來，讓他成為誘敵的釣餌，也算是給他一個下馬威。當然了，假使敵軍果真來襲，指揮官還是會馬上出兵相救的，因為他可不希望罪犯有什麼損傷，而使自己的優良紀錄留下汙點。

忽然，副官拿了一份孟斐斯送來的文件，說道：「特別件。」

「首相的封印！」指揮官吃驚之餘，截斷了線，撕開了封印。而副官則靜待長官指示。

「努比亞方面似乎有所動作，上級要求我們提高警覺，加強防衛。」

「也就是說要緊閉所有城門，不許任何人離開囉？」
「立刻下達命令。」
「那犯人蘇提呢？」
指揮官遲疑了一下，反問道：「你說呢？」
「士兵都很討厭這傢伙，他只會惹麻煩。就把他留在那裡，也許對我們會有幫助。」
「要是出了什麼事……」
「報告上就說是不幸的意外事件。」

* * *

蘇提的外型俊美，長長的臉，眼神直爽，還留著一頭烏黑的長髮，一舉手一投足無不流露出強健、迷人而優雅的氣質。自從逃出了孟斐斯的書記官學校後，他便過著夢寐以求的冒險生活，結識了不少美麗女子，更因為識破了一名將軍叛國的事實，並協助拜把兄弟帕札爾經辦無數案件，而成了英雄。他雖然年紀輕輕，卻已有多次出生入死的經驗；曾經有一次在亞洲與一頭黑熊惡戰，身受重傷，若非奈菲莉精湛的醫術，他早已撒手人寰了。

此時坐在尼羅河中央一塊岩石上，身上鏈著鏈子的他，只能遙望著神祕、令人難以捉摸的南方，以防勇猛的努比亞戰士隨時出現。由於四周空氣清晰透徹，堡壘的衛兵很容易就能聽到他示警的叫聲。

不過蘇提是不會出聲的，他才不想讓指揮官和他的爪牙稱心如意。雖然他一點也不想死，但他也不打算自取其辱。他想起了當初叛國賊亞舍將軍正打算帶著黃金潛逃時，卻因為他的出現而前功盡棄，那真是個美妙的時刻。

後來，他和豹子把那一大筆黃金藏了起來，準備好好地過下半輩子。沒想到如今他被鏈在這裡，而豹子也遭到永遠驅離的命運。現在回到家鄉的她，想必早已投入其他男人懷中，把他忘得一乾二淨了。

至於帕札爾，首相的身分更讓他綁手綁腳的；只要他一出面做出不當的干涉，就會遭受懲罰，更遑論下令釋放了。蘇提之所以淪落至此，也是為了進行調查，才娶了美麗熱情的塔佩妮！他原以為輕而易舉就能解除婚約，誰知這名織造廠主人竟如此難纏，告他通姦；不僅害他要充軍一年，等他回到埃及，還得為她工作以負擔贍養費呢。

蘇提氣憤地捶打岩石，拉扯繩鏈。每一次他都希望鏈子會忽然斷裂，然而這座沒有牆壁柵欄的監獄卻比銅牆鐵壁還要牢固。

一想到女人，想到他的幸與不幸……不，他還是不後悔！也許帶著努比亞戰士進犯的是一個乳峰堅挺渾圓的女子，也許她會對他一見鍾情，也許她會放了他……無論如何，在經歷了這麼多冒險、戰鬥與勝利之後，卻這樣死去，太不值得了。

中天的太陽開始往天邊下降。已經好久沒有士兵幫他帶來吃喝的了。他趴在石頭上，用雙手捧起河水解渴，幸好他手腳靈活抓到了一條魚，總算不致於餓死。只不過，他們為什麼改變態度了呢？

隔天，他不得不接受他們已經放棄他的事實。士兵們都躲在堡壘中，該不會是懷疑努比亞人即將來襲吧？因為偶爾在飲酒狂歡之後，久未作戰的戰士會突發奇想，侵犯埃及並展開大屠殺。

天啊，他就在敵人來犯的路線上！

他一定要在敵人到達前弄斷鏈子，逃離此地，可是他手邊連塊堅硬的石頭也沒有。此時的他腦中一片茫然，怒火攻心，不禁大聲嚎叫了起來。

當傍晚的夕陽染紅了尼羅河水時，眼尖的蘇提突然發現河岸的灌木叢中，似乎有異樣。

有人正在窺伺著他。

第五章

美鋒在左腳的紅斑與四周的水泡上，抹了一種以金合歡花和蛋白調成的藥膏，並且喝了幾滴蘆薈汁，不過對其療效卻不抱太大希望。這位主掌雙院的重要人物根本沒有時間進行治療，自然也不願承認自己的腎臟與肝臟都壞了。

他的最佳治療方式就是不停地忙碌。他有用之不竭的精力，有十足的自信，有多得讓聽者筋疲力盡的話，他簡直就像一股來勢洶洶的洪流。再過幾個月，就能達成他們的最後目標，獲得最高權力了，一點病痛又怎麼阻擋得了他勝利的步伐。不錯，是死了三個夥伴，但還有其他人呀！中途失敗的人都是能力不夠，甚至是愚蠢的，這樣的人不是遲早都要除掉的嗎？看看他自己，打從計畫開始實行至今，他就從未犯過錯。每個人都以為他是法老忠心的下屬，以為他的努力都是為了拉美西斯所統治的埃及，以為他工作的心力可媲美昔日為了神廟而自我奉獻的大聖賢。

他對書記官亞洛的死，也絲毫不感到難過，因為亞洛也差不多沒有利用價值了。那群鬣狗倒是為他卸下了一大負擔。

美鋒想起自己竟能在眾人不知不覺中，編織這麼一張牢固的網，不由得面露微笑。即使精明如帕札爾，現在想要反擊也太遲了。

他將金合歡葉搗爛之後，加入牛油，塗抹在粗肥的腳趾上，有止疼與消除疲勞的作用。這些天來，美鋒不斷地穿梭於各省的省府與大城之間，聯絡並安撫同黨，讓他們相信革命很快就要爆發，而他也會讓他們獲得夢想不到的財富與權勢。他以三寸不爛之舌針對人性貪婪的弱點下手，絕不會有人不動心的。

美鋒嘴裡嚼著兩片使口氣清新的糖錠，是以乳香、芳香的油莎草、篤薅香脂與腓尼基蘆葦混合蜂蜜而成的，味道十分甘甜。他心滿意足地看著自己在孟斐斯的豪華住宅。寬敞的房子座落於花園中央，四周並有高牆圍起；石門的過梁上裝飾著棕櫚葉；屋前整齊地排列著又高又細的柱子，形狀正像他賴以起家的紙莎草；門廳與幾間會客室的富麗堂皇，更使得訪客瞠目結舌；此外還有裝設了幾十個衣櫃的衣帽間、石材製成的廁所、十間房間、兩個廚房、一間麵包店、一口井、幾座穀倉、幾個馬廄；至於大庭園裡的水池四周，則種滿了棕櫚、無花果、棗樹、酪梨、石榴與檉柳。

這樣的華宅只有有錢人才住得起。他真為自己的成功感到驕傲；他原來只不過是個小小的職員，一個暴發戶，受盡高官顯貴的蔑視，而如今他們卻不得不對他俯首稱臣。唯有物質上的財富，才能造就永久的幸福與至高無上的功勳。神廟、神祇、宗教儀式全都是虛幻縹緲的空談。因此美鋒與其同謀才會決定使埃及脫離過去，走上以經濟為主要依歸的康莊大道。在這方面，沒有人強得過他，拉美西斯和帕札爾除了挨打認輸之外，毫無還擊的能力。

美鋒從木板洞中拿出了一只以河泥封口的酒罈，由於酒罈外表塗上了黏土，因此更能保存啤酒的新鮮風味。拔去乾泥塞後，他將一根連接了濾網的導管，插入容器中，濾掉雜質以後，便是有助消化的清涼飲料了。

此時他忽然很想見見妻子。那個原本笨拙、甚至於醜陋的鄉下姑娘，在他的努力之下，不也改頭換面成了孟斐斯的貴婦？她所佩帶的珠寶，更是招致了不少羨慕與嫉妒的眼光。不錯，那些美容手術的確花了他不少錢，不過看到西莉克斯容貌的轉變，身上的贅肉也不見了，他依然十分滿意。儘管妻子的情緒變幻無常，甚至偶爾還會歇斯底里到需要解夢師的分析與安撫，然而她畢竟稚氣未脫，對他還是言聽計從的。從今以後所有的宴會與官方聚會，他都會帶著這只美麗的花瓶出席，她只須打扮得豔光照人，會上一句話也不能說。

她用胡蘆巴油和雪花石膏粉按摩身子後，又在臉上塗抹一種含有蜂蜜、紅色天然含水蘇打與北方鹽的面霜。嘴唇上，擦了紅色的赭石顏料，眼睛四周則撲上了綠色眼影。美鋒不由得讚嘆道：「親愛的，妳好美。」

「把我最美的假髮拿給我，好嗎？」

美鋒於是扭轉貝殼鈕，打開了用黎巴嫩雪松製成的古箱，從裡面拿出一頂以人髮編造的假髮，而西莉克斯則推開化妝箱的滑動箱蓋，取出了一條珍珠手鏈和一柄金合歡木梳。

「妳今天早上覺得怎麼樣？」美鋒一邊幫她調整假髮，一邊問道。

「我的腸胃還是不太舒服。我還繼續在喝角豆果莢啤酒加油和蜂蜜的藥水。」

「如果情況惡化，就去看醫生。」

「奈菲莉會醫好我的。」

「不要再說奈菲莉了！」

「她是個很好的醫生。」

「她和帕札爾一樣都是我們的敵人，他們都不會有善終。」

「你不能放過她嗎？就算是為了我嘛。」

「再說吧。妳猜我帶了什麼給妳。」

「是個驚喜！」

「是專供妳柔細肌膚使用的刺柏油。」

她高興得抱住丈夫的脖子親個不停，然後問道：

「你今天要留在家裡嗎？」

「可惜不行。」

「你要是能跟兒子女兒說說話，他們會很高興的。」

「要他們聽家庭教師的話，這才是最重要的。他們很快就會成為朝廷的重要支柱了。」

「你難道不怕……」

「不怕，西莉克斯，我什麼都不怕，因為誰也動不了我，誰也不知道我最厲害的武器是什麼。」

一個僕人走進來，打斷了他們的談話，「主人，有人找你。」

「誰？」

「孟莫西。」

前警察總長，如今已由凱姆取代其位的孟莫西。曾經為了除掉帕札爾，而以謀殺罪誣陷他，並將他送往苦役牢營的孟莫西。雖然他並未參與陰謀，卻幫了這些野心家不小的忙。美鋒原以為他將永遠被困在黎巴嫩的比布羅，當個造船工人，沒想到竟會在此出現。他吩咐下人道：

「請他到花園旁的蓮花廳，奉上啤酒，我馬上就來。」

西莉克斯則有點擔心地問：

「他想要做什麼？我不喜歡他。」

「放心吧。」

「明天，你還是要出遠門？」

「非去不可。」

「那我怎麼辦？」

「繼續打扮得漂漂亮亮的，沒有我允許，不許和任何人說話。」

「我還想再跟你生個孩子。」

「妳會的。」

* * *

五十來歲的孟莫西，頭頂又禿又紅，鼻子很尖，一生起氣來，濃濃的鼻音就會變得尖銳異常。身材肥胖的他性格十分狡猾，前些年雖曾官運亨通紅極一時，但卻全是踩著別人一路上來的。他用心良苦，絲毫不敢大意，不料竟落得如此悽慘的下場。帕札爾不僅瓦解了他的人脈網絡，還披露了他的無能。如今這個頭號敵人坐上了首相的位子，孟莫西重拾往日光彩的機會就更加渺茫了。現在他只剩下美鋒這最後一線希望。

「你不是被褫奪了埃及的居留權嗎？」

「我的確是非法入境。」

「為什麼要冒這樣的危險？」

「因為我還有一些關係，而帕札爾卻是孤軍奮戰。」

「你要我怎麼做？」

「我是來幫你的。」

美鋒有些不解，孟莫西便提醒道：

「當初帕札爾被捕的時候，他一再否認殺害布拉尼。我從來都不以為他有罪，而且我還發現我被人利用了，不過這樣的情勢卻對我有利。事發之前有人向我告密，所以我才能在當場適時地逮捕帕札爾。我後來回想了一下。這個告密的人如果不是你或你的同謀，還會有誰？喀達希、戴尼斯和謝奇都死了，你卻沒事。」

「你怎麼知道他們和我是一夥兒的？」

「有些人漏了口風，還說你就是國家未來的主人。我跟你一樣怨恨帕札爾，而且我也許還握有幾樣不太有利的證據呢。」

「什麼證據？」

「帕札爾一口咬定說他是收到了寫有：『布拉尼有危險。快來。』的字條，才趕到老師家的。假設我並沒有毀掉這份證物，而又有人認出了字條上的筆跡怎麼辦？再假設我還保留著凶器，而這根貝殼針也剛好是你親愛的人所有，又該怎麼辦？」

美鋒想了一想，「你想怎麼樣？」

「替我在城裡租一間房子，讓我能對付帕札爾，你將來成立自己的政府之後，替我安插個位置。」

「就這樣？」

「我相信你就是我的未來。」

「你的要求倒還算合情合理。」

孟莫西向美鋒深深一鞠躬。現在他只須專心報仇就行了。

第六章

孟斐斯中央醫院緊急徵調奈菲莉進行一項困難的手術，帕札爾只得親自餵食綠猴小淘氣了。雖然這隻小畜生老是找僕人的麻煩，又常到廚房偷東西吃，但帕札爾卻對牠極為寬容。因為當初第一次遇見奈菲莉時，要不是小淘氣把水濺到他的愛犬勇士身上，他又怎麼鼓得起勇氣與奈菲莉攀談呢？

勇士將右前爪攀在帕札爾的手腕上。這隻高大、長尾、毛色土黃的狗，一雙耳朵平常總是低垂著，但一到用餐時便會豎得筆直。牠的頸子上還掛了一個白與粉紅相間的皮製項圈，寫著：「勇士，帕札爾的伙伴。」小淘氣嗑著棕櫚籽的時候，勇士則盡情享用著蔬菜泥。幸好，如今牠們倆已經達成了協議：一天之內，勇士願意讓小淘氣拉個十幾次的尾巴，不過一旦牠睡上了帕札爾的那張舊草席，小淘氣就不能再吵牠。說到這張草席，這可是帕札爾初抵孟斐斯時唯一寶貴的物品，草席既可以當床、桌子，又能鋪在地上，甚至可以裹屍，相當實用。帕札爾曾經發誓，無論如何都會保留著席子。如今既然勇士寧願選擇它而放棄舒適的軟墊，想必也會好好地保護它才是。

在柔和的冬陽下甦醒的幾十株樹木與花圃裡的花，點綴得首相官邸彷彿正直人士死後所居住的天堂。帕札爾朝小徑走了幾步，露溼的地面散發出一陣陣香氣，直滲入心脾。忽然，手肘有點溼溼熱熱的感覺，原來是他忠心的驢子北風正在跟他打招呼呢。這頭驢子不但眼神溫和、聰明絕頂，而且方向感之好連帕札爾都自嘆弗如。自從帕札爾供牠吃住之後，牠再也無須背負重物做苦工了。

驢子忽地抬起頭來。大門那邊似乎出現了不速之客，牠立刻快步跑去，帕札爾也跟在後面。是警察總長和狒狒警察來了。凱姆一向不喜奢華，無論冷熱天都是那麼一件短短的纏腰布，跟一般平民並無兩樣。腰間插著一個木製刀鞘，鞘中的匕首是帕札爾送他的禮物：銅製的刀刃，刀柄則由琥珀混合金銀而成，並鑲嵌著一些天青石與天河石材質的玫瑰花飾。不過，凱姆卻偏愛他出席正式場合所須佩帶的象牙權杖。他還是跟以前一樣受不了辦公室的束縛，因此仍繼續出外執行勤務。

狒狒此時顯得很平靜；其實牠一發起怒來，就連猛獅也抵擋不住。往昔只有一頭體型、力道都不相上下的猩猩，膽敢與牠決一死戰。那是一名神祕刺客為了想除掉狒狒警察以便有機會攻擊帕札爾，而使出的撒手鐧。狒狒警察最後雖然打敗了對手，卻也身負重傷；多虧奈菲莉的照顧，牠才能在短期內復原，這使得狒狒心裡萬分感激。

「目前毫無危險。最近並沒有人監視你。」凱姆說。

「我真是欠你一條命。」

「我也欠你啊，首相。我們的命運是相連的，所以無須再浪費口沫說道謝的話了。獵物已回籠，我確認過了。」

北風彷彿猜到了主人的心思，立刻朝正確的方向出發。牠以優雅的碎步，跑在孟斐斯的街道上，身後幾公尺處跟著狒狒、帕札爾與凱姆。狒狒所經之處，路人無不噤若寒蟬，牠頂著大大的頭，背後一大片毛茸茸，肩上披著一件紅色短斗篷，大步向前走來，眼光則四下掃射。

到了孟斐斯最大的織造廠前，只見一片歡愉熱鬧的景象，織布女工在門前閒聊天，搬運工送來了亞麻線團，正由一名女監工仔細地檢查著。北風在一堆草料前停了下來，而狒狒則跟著首相與警察總長，進入一間極為通風的織布機房。

他們往工廠負責人塔佩妮的辦公室走去。三十多歲的塔佩妮雖然個子矮小，黑髮綠眼，一副迷人的模樣，性格卻很剛強，管理工廠也全然鐵腕作風，是個事業至上的女強人。

見到這三名訪客，她有點不知所措，結巴問道：

「你們……你們想見我？」

「我相信妳一定可以幫我們。」帕札爾沉穩地說。

此時此刻，工廠裡已經宣揚得沸沸揚揚了：埃及首相與警察總長親自拜訪塔佩妮！她是即日就要高陞了？或者是犯了重罪呢？既然凱姆也來了，後者的機率恐怕高一點吧。

「提醒妳一點，」帕札爾繼續說道：「我的恩師布拉尼是被一根貝殼針殺死的。依據妳所提供的訊息，我做了幾個假設，可惜都毫無所獲。不過，妳曾表示握有關鍵性的線索，現在總該坦白以告了吧？」

「那是我誇口的。」

「謀殺司芬克斯衛兵的陰謀者之中，有一名女子，她的手段之兇狠絕決，絕不下其他同黨。」

狒狒以血紅的雙眼瞪著美麗的女廠主，神情似乎越來越焦躁不安。

「塔佩妮女士，假設這名女子也是個使針高手，並奉命殺害我的恩師，使他的調查無疾而終，妳以為如何？」

「這與我無關。」

「我希望妳把祕密說出來。」

「不！」她近乎歇斯底里地大喊：「我害你的朋友蘇提被判刑，所以你想報復。是他自己做錯事，我只不過行使我的權利而已。不要威脅我，否則我會去告你的。出去！」

「妳應該注意一下妳的措詞。」凱姆說：「妳可是在跟埃及的首相說話呢。」

塔佩妮全身發抖，果然降低了聲量：「你根本沒有證據可以指控我。」

「我們總會找到的，塔佩妮女士，妳自己多保重了。」

＊　＊　＊

「首相還滿意吧？」

「相當滿意，凱姆。」

「我們這是一腳踢翻了螞蟻窩……」

「她非常緊張，因為她很在意自己的社會地位，而我們的來訪對於她的聲譽卻有負面影響。」

「這麼說，她會有所行動囉。」

「很快了。」

「你覺得她有罪？」

「以惡毒與慳吝而言，罪證確鑿。」

「那麼你以為美鋒的妻子西莉克斯更可疑嗎？」

「她就像個大孩子，很可能因為任性行事而成為罪犯。再說，西莉克斯也是個使針的高手。」

「可是她看起來很膽小。」凱姆頗不以為然。

「她對丈夫卻是言聽計從，美鋒若要求她當誘餌，她一定會順從的。司芬克斯的衛兵長很可能就是在黑夜中看到她出現，才會一時喪失心智。」

「可是殺人罪……」

「在尚未得到證據之前，我不會輕下斷言。」

「你要是永遠找不到證據呢？」

「我們要有信心，凱姆。」

「你隱瞞著一個重要的事實。」

「我不得不這麼做，但不要懷疑，我們的確是為了拯救埃及而奮鬥。」

「跟著你做事實在很麻煩。」

「其實我只希望有奈菲莉、勇士和北風陪著，在鄉下過平靜的日子。」

「你只好耐心等等了，帕札爾首相。」

* * *

塔佩妮開始坐立不安了。她知道帕札爾有多固執，也知道他追求真理的執著，以及他和蘇提之間深厚的友誼。也許她對丈夫做的確實過分了點，可是她既然嫁給了蘇提，就不能容忍他在外面拈花惹草。他敢和那個利比亞女人胡搞，就要付出代價。

在可能遭受首相制裁的威脅下，塔佩妮必須盡快找到靠山，一刻也不能遲疑。

於是塔佩妮跑到財政部的辦公處。她詢問了門口的警衛之後，等了約半個小時，卻見到門口來了一頂空轎子；轎椅椅背很高，前面有一個擱腳凳，兩側則有大大的靠手，後方還撐著一把陽傘。二十幾名轎夫在轎夫長雄渾的命令聲中，飛快地前進；他們只接短程的生意，而且價格還不低呢。

此時，美鋒從雙院的大門走出來，快步走向轎子。塔佩妮立刻擋住他的去路，說道：「我要跟你談談。」

「塔佩妮女士！妳的工廠出了什麼事嗎？」

「首相想找我麻煩。」

「他總以為自己是正義的使者。」美鋒不屑地說。

「他指控我殺人。」

「妳？」

「他懷疑我殺了他的老師布拉尼。」

「有什麼證據？」

「沒有，可是他恐嚇我。」

「只要妳問心無愧就沒什麼好怕。」

「帕札爾、凱姆和那隻狒狒警察，讓我好害怕。我需要你的幫助。」

「我要怎麼……」

「你是個有錢有勢的人，大家都在謠傳說你還會繼續往上爬。我希望加入你的陣營。」

「怎麼加入法？」

「現在整個織造業都在我的掌控下，精美的布料可是貴婦們最不可或缺的，就連你的夫人也不例外。我知道如何進行買賣最為有利，而且這筆利潤絕不容忽視。」

「營業額夠大嗎？」

「以你的能力，絕對很快就能擴增了。另外，我一定幫你毀掉那個該死的帕札爾。」

「有詳細的計畫嗎？」

「還沒有，不過一切包在我身上。」

「那好，塔佩妮女士，我會保護妳的。」

第七章

聽令於陰謀者，並因種種罪行而致富的暗影吞噬者（※註1）是個完美主義者。他既然答應要除掉帕札爾，不論失敗多少次，他還是會堅持到最後成功為止。不過，已經注意了他許久的警察總長，卻相信他終究會失敗。事實上，他獨自行動，沒有同夥，身分也許永遠也不會暴露。加上他所獲得的金子報酬，他很快就能在鄉下擁有一棟豪華大宅，享受平靜的退休生活了。

如今暗影吞噬者和雇主已經完全斷了聯繫，因為先前死了三人，而美鋒與西莉克斯卻又難以接近。回想起上一回西莉克斯來傳達指令，要他讓帕札爾半身不遂時，倒是毫無懼色；尤其當他逞其獸欲之際，她既沒有發抖，也沒有大聲呼救。他們夫妻倆很快就要登上埃及的王位了，因此暗影吞噬者覺得有必要盡快獻上與他們誓不兩立的敵人——帕札爾——的人頭。

前幾次的失敗讓他學乖了，這次他不再正面攻擊，因為凱姆和他的狒狒實在太難纏了；狒狒對於危險的氣息特別敏感，而凱姆則是寸步不離地保護著帕札爾。因此他決定設下陷阱，採取迂迴戰術。

午夜時分，他從高牆攀上了孟斐斯中央醫院的屋頂，然後再利用梯子潛進建築物內。他穿過一道充滿膏藥香味的走廊，走向幾個置放了危險物質的實驗室。室內存放的包括蟾蜍和蝙蝠的唾液、糞便與尿液，蛇、蠍與胡蜂的毒液，以及其他由植物萃取以製造特效藥的有毒物質。

實驗室的守衛並未對暗影吞噬者的行動造成影響；他將守衛擊昏後，順利奪走了一只毒藥瓶，和一條關在簍子裡的黑色蝰蛇。

奈菲莉大感吃驚，顧不得檢視實驗室的損失，便急著詢問守衛的情形。幸好他傷得不重；他連攻擊者的影子都還沒看到，頸肩處就被重重一擊，昏死過去了。

「失竊的情形如何？」她問醫院的院長。

「幾乎沒有損失……只丟了一隻關在簍子裡的黑蛭。」

「有毒物質呢？」

「很難說。醫院剛剛到了一批藥，今天上午才要清點。小偷倒是什麼都沒打破。」

「今晚開始加強守衛，我會通知警察總長。」

奈菲莉想到丈夫曾多次險遭殺害，不由得憂心忡忡，這個不尋常的意外事件，會不會暗示著另一個謀殺意圖呢？

＊　＊　＊

首相帶著沉重的心情，在凱姆與狒狒的陪同下，來到了國庫門口。這是他就任以來，第一次前來檢視國庫所儲備的貴金屬。其實他天未亮就被醫院派來的人吵醒，根本還來不及和奈菲莉說什麼，她便匆匆忙忙趕到醫院去了。之後，他也睡不著了，乾脆洗個熱水澡，也好準備出發到孟斐斯市中心的國庫。這一帶有層層的警力戒護，閒雜人等是不能隨意進出的。

帕札爾在登記簿上蓋了章。國庫的門房是個上了年紀、做事小心謹慎的人，他雖然認得首相，卻還是仔細地比對了章印，看看與當初任命新首相時，宮廷所交給他的印鑑是否相符。比對完後，他問首相：「你想看什麼？」

「所有的庫藏。」

「那很費時間的。」

「但卻是我的職責。」

「謹遵吩咐。」

帕札爾先從來自努比亞與東方沙漠礦區的金條與銀條看起。偌大的建築中，每一間儲藏室都按順序編了號碼，一切顯得井井有條。

有一批金屬馬上就要送到卡納克神廟去，供工匠裝飾兩扇大門之用。

一陣眼花撩亂過後，帕札爾突然發現裡面幾乎是半空的。

「現在的儲藏量是有史以來最低的。」國庫管理員說道。

「為什麼？」

「上級的命令。」

「誰下的命令？」

「白色雙院。」

「公文讓我看看。」

果然，管理員在行政作業上完全沒有疏失；這幾個月來，金條、銀條與大量的稀有礦物，都在美鋒的命令下，定期運出了國庫。

看情形是不能再繼續觀望下去了。

＊　＊　＊

帕札爾往不遠處的雙院快步走去。雙院的建築共分兩樓，辦公室之間還有一些小園子隔開。跟平常一樣，裡面一片鬧哄哄的忙碌景象；自從美鋒坐鎮埃及的經濟總部以來，對手底下的書記官們一向就是嚴刑峻罰，毫不寬貸。

廣大的圍場裡，養著供神廟專用的肥牛，這些牲畜都是農民繳來的稅，有專人為牠們進行檢查。有一座倉庫四周圍著磚牆，並有士兵守護，會計人員就在裡面秤金條的重量，然後再收入箱中。雙院內部指令的傳達更是從早到晚運作不息；有幾名腳程飛快的年輕人，便專門負責到處傳送緊急文件。另有總務人員負責工具與裝備、製造麵包與啤酒、接待以及運送香脂、大工地所需用品、護身符與儀式用品等等。此外，還有一個書記官文具臺、蘆葦筆、紙莎草紙、黏土與木製書板的專責部門。

經過各個柱子廳時，帕札爾注意到數十名職員都埋首寫著記錄與報告。美鋒一步步地蠶食各政府機關，如今整個體系都已在他的控制之下了，他才從暗裡現身出來。

工作小組的組長見到首相紛紛行禮致敬，但他們手下的人卻仍繼續做事，他們對大老闆的畏懼似乎尤甚於首相呢。一名總管帶著來客走到六柱大廳門口，裡頭美鋒正一邊來回踱步，一邊口述指令讓三名書記官速記。

帕札爾打量著他這位公開的敵人。他的全身上下、他所說的每一字每一句，無不顯露出他對權勢的野心與欲望，他對自己、對未來的勝利充滿了信心。他一看到帕札爾，立刻停了下來，冷冷地遣退書記官，並要他們隨手關上木門。

「你的來訪使我感到無比的榮幸。」

「虛偽的客套話就免了吧。」

「你參觀過我的行政機關了嗎？在這裡最重要的就是努力工作。你大可撤我的職，重新任命院長，不過整個行政運作將會戛然而止，而第一個受害的人就是你。因為想重整這部龐大的機器，使它恢復正常運轉，至少需要一年的時間，而今距離重新選定法老的日期卻只有幾個月了。放棄了吧，帕札爾，我勸你還是投降的好。」

「你為什麼搬光了儲藏在國庫裡的貴金屬？」

美鋒得意地笑了笑，「你該不會去檢查過了吧？」

「那是我的職責。」

「你真是太盡職了。」

「我要你解釋清楚。」

「我是為了埃及的利益著想！為了與利比亞、巴勒斯坦、敘利亞、赫梯、黎巴嫩等等附庸國與友邦，維持友好關係以維續和平，當然得滿足他們的需求。而這些國家的元首最喜歡收受贈禮，尤其是我們沙漠所產的金子。」

「可是數量實在多得太不尋常了。」

「有時候總得表現得慷慨一點嘛。」

「從現在起，沒有我的允許，不准再從國庫調出任何金屬了。」

「悉聽尊便……不過，之前的程序可是完全合法的。我知道你心裡一定在想：我該不會是利用合法的程序中飽私囊吧？我承認，這個想法確實很犀利。我呢，也就暫時不公布答案，不過可以確定的是，你根本找不到任何證據。」

※註1：埃及人對殺手、刺客的說法。

第八章

被鏈在尼羅河中央石塊上的蘇提，注視著河岸的灌木叢，那裡躲著一個努比亞人，也正在窺伺著他。蘇提這個誘餌實在太誘人了，因此努比亞人自然也更加小心，他唯恐有陷阱，便一動也不敢動。

過了一會兒，努比亞人動了起來；他還是決定行動了。他和其他族人一樣，極諳水性，於是打算從水裡突襲他的獵物。

蘇提感到一股絕望的憤怒，不禁猛扯繩鏈，鏈子發出吱吱嘎嘎的聲響，但並沒有斷。他竟然就要如此窩囊地死在這裡了，連自衛的能力都沒有。他身子轉來轉去，想知道敵人會從什麼地方冒出來，然而河水籠罩在漆黑的夜色裡，根本什麼也看不見。

突然一個瘦長的身影出現在他身邊。他頭一低，奮力衝了過去，把整條鏈子繃得緊緊的。來人躲過了他的攻擊，但腳下一滑跌進了水裡，當他再度浮出水面時，低低怒罵了一聲：「別動，笨蛋！」

這個聲音……蘇提就算到了陰曹地府也忘不了！

「是妳……豹子？」

「還有誰會來救你？」

她向他靠了過來，身上一絲不掛，金黃色長髮披垂在肩上。浸潤在月光下的她更顯得嬌豔而性感。

她用雙手環抱住蘇提，吻了吻他的脣說：「我好想你，蘇提。」

「我被鏈住了。」

「至少你沒有背著我胡搞。」

話才說完，她便向情人撲了上去，蘇提當然抵擋不住這突來的熱情。在努比亞的天空底下，在尼羅河狂野的澎湃聲中，他們倆再度恣意交歡。

激情過後，她滿足地趴在蘇提身上，蘇提則輕撫著她的金髮。

「幸好你的男性雄風絲毫不減，不然，我可能就不要你了。」

「妳是怎麼來的？」

「搭船、坐車、走小路、騎驢……我就知道一定會成功。」

「一路上有麻煩嗎？」

「偶爾會遇到一些強姦犯和強盜。不過倒也沒什麼大危險，埃及還算是個平靜的國家。」

「我們要盡快離開這裡。」

「我覺得在這裡很好啊。」

「要是現在有一群努比亞人朝我們猛衝過來，妳就不會這麼說了。」

豹子於是站起身來，跳入水中，回來的時候手裡多了兩塊鋒利的石塊。她用力切割著鏈環，力道又狠又準，而蘇提則猛敲著緊扣在手腕上的環節。

經過一番努力之後，他們終於割斷了鏈子。恢復自由的蘇提，高興得一把抱起了豹子，豹子的雙腳勾纏在情人的腰際，再次激起了他的欲望。媾合之際，不料腳下打滑竟滑落河中，兩人不禁放聲大笑。

滾上了河岸，他們的身子仍緊密結合在一起。擁抱著彼此的同時，心蕩神馳的欲念不由得又激發起體內一股新的力量。纏綿了一夜，直到天破曉時的寒意才讓他們冷靜下來。

「該走了。」蘇提忽然嚴肅地說。

「上哪去？」

「往南。」

「那是個陌生的地方，又有野獸和努比亞人……」

「我們要遠離這個堡壘和埃及士兵。他們一旦發現我逃走了，一定會派出巡邏隊，還會通知他們的密探。我們得先躲起來，避避風頭。」

「我們的金子怎麼辦？」

「放心，會拿回來的。」

「恐怕不容易。」

「只要我們同心，一定會成功的。」

「你要是再背著我和那個塔佩妮鬼混，我就殺了你。」

「先殺了她吧，那麼我就解脫了。」

「這次的婚姻你要負全部責任！誰叫你聽信那個毫無義氣的帕札爾的話，我們才會淪落至此！」

「我會把這筆帳算清楚的。」

「那也得逃得出沙漠才行。」

「我不怕。妳有水嗎？」

「有兩大袋，掛在一棵桯柳上。」

他們走進了一條狹窄的小徑，兩邊矗立著焦黑的岩石和險峻的懸崖。豹子沿著乾河床前進，河床上長了幾叢小草，剛好可以果腹。一路上，腳底下沙石滾燙，頭頂上則盤旋著幾隻白頸禿鷹。

走了兩天下來，一個人影也沒見到，到了第三天中午，忽然傳來一陣馬蹄聲，兩人趕緊躲到一堆被風侵蝕成球形的花崗岩背後。這時候，出現了兩名努比亞騎士，其中一匹馬的尾巴上，以繩子拖著的一個赤裸小男孩，早已經跑得上氣不接下氣。兩名騎士停下馬來，揚起了漫天的紅沙。接著，其中一人割斷小男孩的喉嚨，另一人則割下男孩的睪丸，然後才高興地扔下屍體，朝營區揚長而去。

豹子兩眼睜得斗大，只聽蘇提說：

「親愛的，妳看我們的未來有多艱險，這些努比亞強盜一點同情心也沒有。」

「只要不被他們抓到就好了。」

「躲在這裡可真不安全，我們還是走遠一點吧。」

黑色岩石之間的荒野有幾棵零落的棕櫚，他們胡亂吃了點棕櫚的嫩枝後，忽見遠處颳起了一陣強風，風沙很快便阻斷了視線。他們迷失了方向，只得蹲坐在地，緊摟著對方，等待著風暴平息。

* * *

蘇提覺得被搔得癢癢的，便醒了過來。他清了清塞滿鼻子和耳朵的沙粒。但豹子卻動也不動。

「起來吧，暴風過去了。」

她還是不動。

「豹子！」蘇提慌張地抱起她，而她卻還是全身癱軟無力。「妳快醒醒，我求求妳！」

「你應該還是有點愛我吧？」她突然精神奕奕地問。

「妳竟然開我玩笑！」

「當我們成為愛情的奴隸，而愛人卻又可能不忠的時候，就得考驗考驗對方。」

「沒水了。」

於是，豹子往前走，希望能在沙地上找到一點溼意。傍晚時，她終於殺死了一隻嚙齒動物。她在地上插了兩根棕櫚葉脈，然後用兩邊的膝蓋固定住，再以兩手在葉脈間用力搓著一根很乾的木棍；這個動作重複幾次後，掉落的木屑便可用來生火了。煮熟後的肉分量雖然不多，卻也足以讓他們稍稍恢復力氣。

可是太陽一升起，那簡陋的一餐以及夜裡的涼爽舒適，很快就被拋到腦後去了，他們必須盡快找到水井，否則非死不可。但該從何找起呢？眼前根本看不到一點綠洲的影子，甚至連幾棵草、幾叢荊棘都沒有，又哪來的水呢？

「現在只有一樣東西能救我們。」豹子說：「坐下來，靜靜地等吧。再往前走也沒有用。」

蘇提點頭同意。他並不怕沙漠，也不怕太陽，更不怕死在這片火海當中，至少他已是自由之身。陽光在岩石上跳躍，時間在酷熱下融解了，這燠熱難耐的剎那彷彿定格成了永恆。身邊有著金髮美女的陪伴，不也和得到山裡的金子一樣，都是難能可貴的幸福嗎？

「那邊，在你的右手邊。」豹子小聲地說。

蘇提緩緩回過頭去。看到了，牠就在一座山丘頂上窺探著，神情驕傲卻又膽怯。

那是一隻公劍羚，體重至少有兩百公斤，頭上那一對長長的角，足以刺穿獅子而綽綽有餘。生長在沙漠裡的羚羊一向很耐得住酷熱，即使日正當中，也能悠遊於沙地之中。

「跟著牠。」豹子做了決定。

一陣微風輕輕撩起了劍羚黑色的尾巴。這種長角羚羊代表了主宰暴風雨的塞托神，也是大自然過剩的精力之化身；牠們呼吸的速度，會隨著環境溫度的升高漸漸加快，儘管再稀薄的空氣，牠們都能善盡其用，以利血液新陳代謝。那隻高大的羚羊用蹄子在沙地上畫了一個十字的字樣以後，便循著山脊線離去。蘇提二人則沿著同樣的路線，遠遠地跟在後面。

劍羚畫在地上的是一個「×」記號，也就是象形文字裡「通過」的意思；難道牠在指點他們離開這片荒漠的方法嗎？脫隊的羚羊踩著堅定的腳步，避開了一圈圈的流沙，往南而去。

蘇提實在不得不佩服豹子。她不抱怨，也不喊苦，只是秉持著野獸般的毅力求生存。

太陽快下山時，劍羚忽然加快了腳步，消失在一座巨大的沙丘背後。蘇提幫著豹子爬上沙丘斜坡，可是腳下一用力，沙就開始滑動塌陷。她跌倒，他扶她起身，又換自己跌倒。兩人就這樣帶著滿腹的怒氣和痠痛的四肢，仆仆跌跌地爬上了丘頂。

沙漠一片赭紅；熱氣不再來自天上，而是從沙石中散發出來。微溫的風則使得嘴唇與喉嚨更加感到灼熱。

劍羚不見了。

「劍羚是不會累的。」豹子說：「我們根本不可能追上牠。牠要是發現草木的蹤跡，甚至可以連續幾天不眠不休地前進呢。」

蘇提盯著遠方的某一點，疑惑地說：

「我好像看到……不，一定是幻覺。」

豹子順著他的視線看過去，眼睛為之一亮，「來，我們走。」

儘管一雙腿疼痛難當，卻還是聽著使喚地往前走；要是蘇提看錯了，那他們在渴死之前也只得喝自己的尿液了。

「是劍羚的足印！」

一連串的蹦跳後，劍羚又慢了下來，一步一步地往蘇提所見到的海市蜃樓走去。這回輪到豹子開始懷抱希望了，因為她彷彿看到了一個深綠色的小點。

於是他們忘記了疲憊，跟隨著劍羚的腳印走。那個綠點越變越大，越變越大，最後變成了小小的金合歡樹林。

劍羚找了一處最大的樹蔭乘涼。牠打量著來者，而他們也欣賞著牠淺褐色的毛，和黑白相間的臉。蘇提知道牠絕不會因危險而退縮，他們若對牠產生威脅，牠馬上可以用角戳穿他們。

「你看羊鬚……是溼的！」

劍羚剛剛喝過水。牠正在咀嚼金合歡的莢果，有一些果實沒有消化掉，會完整地排出羊體外，因此牠所到之處，又能長出新的植物了。

「土質很鬆軟。」蘇提注意到。

他們非常緩慢地走過劍羚面前，進入樹林中，想不到裡面比外表還要寬闊得多。就在兩棵棕櫚棗椰樹之間，有幾塊扁平石頭整齊地圍著一口井。

蘇提和豹子興奮地緊緊相擁了一會兒，才取水止渴。

「真是天堂啊。」蘇提讚嘆道。

第九章

帕札爾前一任的首相巴吉所住的巷弄內，正籠罩在一片愁雲之中。巴吉一向是個死硬派，對一切讒言都無動於衷。他曾擔任過土地測量工作，因此做事精準無比，對待屬下更是冷酷、嚴厲，絕不通融。由於他對繁重的工作感到不勝負荷，便請求拉美西斯解除他的職務，讓他在市區的小屋安享餘年。

其實，法老很早就注意到帕札爾在法官任內的表現，以及他與某些顯要之間的衝突，因此便把希望寄託在這個全力追求真理的年輕法官身上，但願他能拆穿陰謀，拯救埃及，而巴吉在自己心有餘而力不足的情形下，也同意了法老的選擇。因為帕札爾無論在進行調查或克盡法官職守方面，都表現得無懈可擊，的確值得他鼎力支持。

巴吉的妻子有一頭深色的頭髮，長相極不討喜。她一見丈夫的病情加重，便急忙通知左鄰右舍。通常，巴吉都起得很早，獨自在大城市裡散步，直到快吃午飯了才回來。可是今天早上，他直抱怨說腰好痛。他相信疼痛只是暫時的，並不打算請醫生，不過由於妻子非常堅持，他最後還是讓步了。

附近的居民一聽到消息紛紛聚攏，七嘴八舌地提供祕方，並詛咒那些導致前首相生病的惡魔。突然間，大夥兒都靜了下來，原來是御醫長奈菲莉來了。她穿著一襲亞麻連身長裙，全身散發著一種聖潔的美，身旁只帶了一隻馱著醫藥箱的驢子北風；北風往前直走，穿過人群朝巴吉的住家而去。牠找到目的地後停了下來。由於奈菲莉越來越得民心，因此有許多家庭主婦上前說了許多讚美的話，但奈菲莉趕著進屋，便也沒有多說，只是微笑回應。

巴吉的妻子似乎很失望。她本希望來的是個男醫生，而不是這麼一個迷人的女子。

「妳實在不必親自跑一趟的。」

「巴吉先生曾經在我丈夫有困難的時候幫了很大的忙，我一直很感激他的。」

奈菲莉走進了雙層的小白屋；首先穿過一個幽暗而毫無裝飾的門廳，然後隨著女主人走上狹窄的樓梯到二樓去。巴吉在房裡休息，室內通風不佳，牆壁也很久沒有重新上漆了。

「是妳！」他一見到奈菲莉，不由得失聲驚呼：「妳實在不該浪費寶貴的時間……」

「不久以前，我不是醫好過你嗎？」

「妳甚至救了我的命。要不是妳，我的血管毛病可能已經要了我的命了。」

「可是你現在卻不信任我了？」

「當然不是。」

巴吉直起了身子，靠在牆上，然後對妻子說：「妳先出去一下。」

「醫生要幫我檢查了。」

「需不需要什麼？」

女主人這才拖著沉重而帶點敵意的腳步離開。

* * *

奈菲莉為病人量了幾處的脈搏，並且以手腕上的手鐘計算器官的反應時間與其適當的節律。

她又聽了聽心跳的聲音，檢視冷熱循環是否運作正常。巴吉則一直保持著安詳而近乎冷漠的態度。

「診斷結果如何?」

「等一下。」

奈菲莉接著拿出一條堅實的細線,線端繫著一小塊花崗石,隨後便利用這個占攏檢查病人身體的各個部位。有兩次,石塊不斷地繞著大圈。

「妳老實說。」前首相要求道。

「這種病我知道,我會幫你醫治。你的腳是不是經常腫脹?」

「沒錯。每次我都會用溫鹽水浸泡。」

「會比較舒服嗎?」

「最近效果比較小了。」

「你的肝又肥大了起來,血液也變得黏稠。飲食過於油膩,是吧?」

「我太太已經習慣這種烹飪手法,現在想改也難了。」

「你要多喝點菊苣,還有用瀉根、無花果汁、葡萄汁、酪梨與埃及無花果所製成的藥水。要盡量增加排尿量。」

「我已經忘了這個藥方了。我相信我還有其他的病,是吧?」

「試試看能不能站起來。」

巴吉使勁地站了起來,奈菲莉則將一張特製木椅移到他身邊;這張椅子由幾根橫木做為支架,中心略為凹陷的座位,乃是由魚刺繩編成的。巴吉動作僵硬地坐下來,全身的重量卻壓得椅子嘎嘎作響。他一坐定,奈菲莉又拿起了占攏。

「你這是腎臟病變最初的病徵;你要開始喝用水、啤酒酵母加新鮮棗汁的混合飲料,每天喝四次；盛裝的容器用普通的陶土罐就可以，罐口要以乾泥封住再蓋上一塊布。這個藥方很簡單，但是很有效，要是沒有馬上生效，而你又有排尿的困難，要立刻通知我。」

「這次的治療又得靠妳了。」

「不見得，如果你隱瞞了什麼，我恐怕也無能為力。」

「為什麼這麼說？」

「我感覺得到你內心有很深的焦慮，我必須知道原因。」

「妳真是個了不起的醫生，奈菲莉。」

「你願意透露嗎？」

巴吉遲疑了一下，才說：

「妳也知道我有兩個孩子。我兒子很讓我煩惱，不過他對熟磚的鑑定工作似乎還挺有興趣的。至於我女兒……」他垂下雙眼，繼續又說：「我女兒只在神廟裡待了很短的時間，因為她覺得那些儀式很無聊。她後來到農場上當了統計員，農場主人對她的表現很滿意。」

「你對她的要求很嚴格嗎？」

「不，他們能夠幸福快樂才是最重要的。所以何不尊重他們的選擇呢？女兒想建立家庭，我也很鼓勵她。」

「那麼又是什麼使你不快呢？」

「真是愚蠢之至！可悲呀！我女兒聽信讒言，竟然上法庭要求提早分家。我除了這棟房子，還能給她什麼呢？」

「這一點我幫不了你，不過我知道有個人一定有辦法。」

勇士不斷討著要吃點心，帕札爾最後只得向牠屈服。一旁的巴吉則安坐在舒適的座位上，頭頂上還特別撐著一把陽傘，因為他一向怕日曬。

「你的花園實在太大了，雖然有園丁認真地照顧，總是很麻煩！我還是喜歡城裡的小屋。」

「不過狗和驢子喜歡寬廣的空間。」

「剛開始當首相，情況如何？」

「工作真是艱苦。」

「就職典禮上，你應該就有所警惕了：這是一項比膽汁還要苦澀的職務。你還年輕，不用急，你多的是時間學習。」

帕札爾真想告訴他這個想法實在是大錯特錯，但他換了個說法：

「我越無法掌控情勢，國家就越容易陷入動盪不安。」

「你未免太悲觀了吧？」

「國庫裡有超過半數的貴金屬已經遭到侵吞了。」帕札爾老實地說。

「超過半數……不可能！我最後幾次檢查時，並未發現這種情形。」

「美鋒運用了所有的行政資源，以合法掩護非法，將國庫的大半庫存都運到國外去了。」

「用什麼理由呢？」

「維繫我國與鄰國、附庸國之間的和平。」

「他果然是老奸巨猾，我早該多防著他一點的。」

「他一副力爭上游、工作認真、滿腔熱忱的模樣……所有的上級官員都被他蒙蔽了。誰想得到他是如此虛偽呢？」

「真是一次莫大的教訓。」巴吉顯得十分沮喪。

「至少，我們已經知道危險的所在。」

「你說得對，」巴吉也有同感，「雖然你的老師布拉尼是無人能取代的，不過我也許可以幫上一點忙。」

「我先前太過於自負，以為自己當了首相，很快就能掌控全局，可是美鋒卻設了許多道關卡，我恐怕並沒有什麼實質的權力。」

「如果你的屬下也都這麼想，那麼你的地位也就岌岌可危了。你是首相，你要主導一切。」

「但我的所有決定，都被美鋒的爪牙們封鎖了。」

「你要繞過障礙。」

「怎麼繞法？」

「每個部門都有一個經驗豐富的重要人物，但職位卻不一定是最高的。找出這個人做為倚靠，如此一來，你就能對行政機關的一切作業瞭若指掌了。」巴吉給了他幾個人名，吩咐了些細節之後，又叮嚀道：「你向法老說明時，一定要特別謹慎，拉美西斯是非常聰明的，任誰也騙不了他。」

「若遇到困難，希望能多聽聽你的意見。」

「雖然我的家不像你這裡這麼豪華，但還是歡迎你隨時來找我。」

「心意可比外表重要多了。你的身子好點了嗎？」

「你的妻子是個了不起的醫生，只可惜我這個病人有時候並不聽話。」

「你要好好保重。」

「我有點累，我想也該告辭了。」

「送你回去之前，我想向你坦承一件事：我見過你女兒了。」

「這麼說，你知道……」

「奈菲莉要我出面，我當然是義不容辭。」

巴吉似乎不太高興，帕札爾連忙解釋：

「這絕不是特權。你是前任首相，理應受到程度上的尊重。我有責任為你解決這個問題。」

「我女兒有什麼反應？」

「不用開庭了。你可以保留你的房子，而她則以我做為保人，貸款來蓋她自己的房子。她既然已經如願以償，你們一家人便能再度和睦相處。你呢，就等著當外公吧。」

巴吉嚴肅的神情在倏忽間消失無蹤，他難掩內心的激動，「你一下子給了我太多好消息了，帕札爾首相。」

「這跟你對我的幫助比較起來，實在太微不足道了。」

第十章

孟斐斯的大市集每天都是人聲鼎沸，有人做買賣，有人談是非。市集上的商家有不少饒舌婦人，利用生意之便，也同時東家長西家短地說個沒完。偶爾會有人扯開嗓門起爭執，不過最終還是都能完成交易，皆大歡喜。

警察總長帶著狒狒警察也晃到市集廣場上來了；殺手一出現，竊賊便不敢輕舉妄動，而凱姆則是豎起了耳朵，希望能從市井小民的交談中知道人心向背。此外，他還會悄悄地用術語詢問線民。

這天，凱姆來到一個醃製品的攤販前，想買一隻風乾後綑紮醃入罐中的鵝。但是坐在草席上的商販卻低著頭不理他。

「你生病了嗎？」凱姆問道。

「比生病更糟。」

「被偷了？」

「你看看我的商品就知道了。」

地上擺的土罐是用埃及中部所產的黏土製成的，不但裝飾著美麗的花環，亮麗藍色的外表更是吸引人。這種土罐用來保存食物，效果極佳。凱姆看了一下標籤：有水，有酒，就是沒有肉。

「貨沒有送來。」商販坦承：「真是慘到家了。」

「原因呢？」

「不知道。反正運輸商就是空著船來。我從來沒碰過這種倒楣事！」

「有其他類似的情形嗎？」

「所有的同行都一樣！有人已經銷掉了一部分存貨，但是就是沒有人進得了新貨。」

「也許只是時間延誤罷了。」

「要是明天再沒有貨，我保證一定會發生暴動。」

凱姆不敢輕忽這次的事件，因為富人需要肉品辦宴會，貧人也需要魚乾過日子。因此他親自到肉罐集中儲藏的倉庫去。

倉庫的負責人兩手後背，盯著尼羅河水。凱姆問道：

「怎麼回事？」

「已經八天沒有貨船進港了。」

「而你竟沒有向上級報告！」

「我當然有。」

「向誰？」

「我的直屬長官：醃貨官。」

「哪裡可以找到他？」

「他的工作坊，就在普塔赫神廟屠宰場附近。」

* * *

通常，屠宰場的屠夫都要為掛在長竿上的鵝鴨拔毛、清內臟，再進行醃漬，然後存放到貼了標籤的大土罐裡。今天卻人人一面喝啤酒一面聊天。凱姆見狀便問道：

「你們為什麼不做事？」

「我們有鴨有鵝也有土罐，可是沒有鹽。」其中一人回答：「我們什麼都不知道，你去找負責人吧。」

醃貨官是個又矮又胖的人，頭頂幾乎都禿了，他正在和助理玩骰子。一見到警察總長和狒狒，他自然無心玩樂，只是顫抖著嗓子說：「這不是我的錯。」

「我說了是你的錯嗎？」

「可是你人都來了……」

「你為什麼不把鹽發給屠夫？」

「因為沒有鹽可發。」

「把話說清楚。」

「本來鹽的來源有兩地：尼羅河谷地和綠洲地區。經過炎熱的夏天之後，塞托神的涎沫在河流附近的地面凝結成了固體，整片地白茫茫的。因為這種鹽含有一種成分可能使神廟的石材著火，所以很快就被收藏了起來。在孟斐斯，我們也用綠洲來的鹽，因為我們製造很多醃製品。可是現在呢，什麼都沒了……」

「為什麼？」

「因為存放尼羅河鹽的倉庫已經被查封，綠洲的沙漠商隊也不再來了。」

* * *

凱姆得知消息之後，立刻便趕往帕札爾家，不料首相辦公室卻擠滿了十幾名怒氣沖天的高級官員。他們每個人都搶著說話，一個比一個大聲，其實說話的聲音早已經淹沒在嘈雜的噪音之下了。最後，在帕札爾的喝令下，這才一個一個輪流發言。

「現在加工過和未加工的皮革竟然同價！工匠們威脅說，你要是再不出面調整價格，他們就要罷工了。」

「送到哈朵爾女神廟供農民耕作用的鋤頭，要不是瑕疵品就是不夠堅固。不但如此，價格還漲了兩倍，從原來的兩德班（※註1）漲為四德班。」

「現在連最普通的鞋子也要三德班，等於是原來價格的三倍，其他貴重的物品就更不用說了。」

「一頭母羊，從五德班漲為十德班；一頭肥牛，從一百漲為兩百！要是再這麼飆漲下去，大家都不要吃東西了。」

「牛腿的價格漲得太離譜了，連有錢人都買不起。」

「青銅器和銅器也就不用說了！要不了多久，非得要用整個衣櫥才能換到一個容器。」

帕札爾站起來安撫道：「請各位冷靜下來。」

「首相，這波物價的漲幅實在太離譜了！」

「我知道，但是因誰而起的呢？」

官員們面面相覷，其中最激動的一人才說：「這……是你啊！」

「下達的命令公文上蓋了我的章嗎？」

「沒有，可是有雙院的章啊！總不可能首相和經濟部長意見不一致吧？這可是前所未聞的。」

帕札爾明白這些官員的看法。美鋒設下的圈套果然厲害：人為的通貨膨脹導致民間怨聲載道，進而使首相成為眾矢之的。

「我犯了錯，但我會立刻糾正過來。你們馬上列出一張標準價目表，由我正式核准。若有人擅自提高商品價位，將會受到懲罰。」

「是不是應該……調整一下德班的價值？」

「不需要。」

「那樣商家會抱怨的！因為這次的錯誤已經使他們賺了不少錢。」

「我覺得這對商機並無影響。請各位動作快點，明天我就派使者前往各都市鄉鎮宣布我的決定。」

官員於是一一行禮退下。凱姆看著偌大的辦公室，以及那些被紙軸和書板壓得搖搖欲墜的書架，說道：「我沒猜錯的話，我們是僥倖逃過一劫了。」

「我昨晚就得到了消息。」帕札爾說：「我花了一整晚的時間，才想出圍堵這道洪流的方法。美鋒想讓每個人都不高興，以證明我的政策錯誤，而法老也已無力治理國家。我們雖然躲過了這次的災難，但他還會再接再厲，並圖利某幾個特定的行業。他的目的就在於分化，使貧富對立，散布仇恨的情緒，再利用這股負面的力量紮穩他自己的根，因此我們隨時都必須提高警覺。你帶了好消息來嗎？」

「恐怕要讓你失望了。」

「又發生了什麼事？」

「鹽缺貨了。」

帕札爾不禁蒼白了臉。沒有鹽，人民就會沒有醃製品、沒有肉、沒有魚乾等等日常食品。他不解地說：「可是收成很豐碩啊。」

「倉庫的大門都貼上了封條。」

「我們這就去拆。」

＊　＊　＊

封條是白色雙院貼上去的，帕札爾在凱姆與兩名書記官的見證下，拆下了封條。書記官立刻將此行動記錄下來，註明了日期，並由首相簽名確認。鹽官親自為他們打開了門。

「好潮溼！」

「這些鹽採收與儲存的過程都有缺失。」凱姆說：「全都被腐水浸溼了。」

「馬上派人前來進行過濾。」帕札爾下令道。

「已經太遲了。」

帕札爾盛怒之下，向鹽官質問道：「是誰糟蹋了這些鹽的？」

「我不知道。美鋒檢查以後，認為這些鹽不適合食用或醃漬食物用，記錄上都寫得詳詳細細的，完全符合規定。」

鹽官感覺到狒狒鋒利的眼光盯在自己身上，因而不停地顫抖，但他的確什麼都不知道。

＊　＊　＊

負責和綠洲地區來往貿易的部門，是外交部底下的一個附屬機關；雖然打從早期就位於埃及的領土上，但這些偏遠地區對谷地的居民而言，依然十分神祕而陌生。無論如何，綠洲卻是天然含水蘇打與高級鹽的主要產區，而前者更是維護公共衛生與製造木乃伊的必備物質。一直以來，總有大批的驢隊馱負著這些珍貴的重物，穿梭在沙漠小徑間。

管理綠洲行政工作的人，從前是驅逐貝都因搶匪的游擊隊員，他方方正正的臉上布滿了日晒的紋路，胸膛厚實，是個很能體認努力與危險代價的人。

他看到狒狒的出現，不免有點擔心地說：

「把這隻野獸拴起來，否則牠一發起脾氣怎麼得了？」

「殺手可是宣誓過的警察。」凱姆回答道：「他只會找罪犯的麻煩。」

綠洲區官一聽不禁勃然大怒，「從來沒有人敢懷疑我的忠誠。」

「你還沒有向埃及首相行禮呢。」

區官不得不以僵硬的姿勢勉強地敬了個禮。只聽首相問道：

「你的倉庫裡有多少鹽？」

「很少。綠洲的驢隊已經好幾個星期沒有運鹽到這裡和底比斯了。」

「你不覺得驚訝嗎？」

「我自己也下令中止一切交易。」

「你自己做的決定？」

「我是接獲了一道命令。」

「是美鋒？」

「是的。」

「為了什麼？」

「為了壓低物價。綠洲人民一口就回絕了，他們相信雙院最終一定會改變立場，結果情勢就陷入了僵局。他們對我的要求毫無回應，幸好我們還有谷地的鹽，運氣還不錯。」

「運氣還不錯。」帕札爾心驚之餘，重覆著區官的最後一句話。

＊　＊　＊

暗影吞噬者剃了光頭，戴著一頂假髮遮去半個額頭，外面又罩了一件寬大的長袍，完全變了個樣。他用長繩牽著兩隻驢子，來到帕札爾住處通往廚房的門邊。

他向總管推銷一些新鮮的乾酪、用瓦罐盛裝的鹹乳酪和加了明礬的凝乳。總管起先有點懷疑，後來發現產品似乎不錯。正當他彎身想看個仔細時，暗影吞噬者立刻將他擊昏，然後拖到宅院裡頭去。

他終於要展開行動了。

※註1：一個「德班」相當於九十一克的銅，這是用來計算貨品價值的標準值。

第十一章

暗影吞噬者手上有一張首相官邸的平面圖。向來謹慎的他早已打聽清楚，這個時間，僕人們都在廚房裡為園丁張羅吃的。加上狒狒和凱姆也陪帕札爾進城去了，此時行動可以說是風險最小。

這名刺客雖然對大自然並無特別的好感，但一看到庭園中花木扶疏的景象，卻也不禁為之著迷。長百肘、寬二百肘（※註1）的園中，有幾片梯田、幾塊由灌溉渠隔開的方田、一個菜園、一口井、一個戲水池、一座避風亭、一排修剪成錐形的灌木叢緊挨著尼羅河、雙排棕櫚、一條林蔭小徑、一個棚架、幾方以矢車菊與曼德拉草為主的花壇、一個葡萄園、幾株無花果樹、埃及無花果樹、檉柳、棕櫚棗椰、酪梨樹，以及一些由亞洲進口、賞心悅目且芳香宜人的稀有樹種。不過，刺客並未逗留太久，他蹲低了身子，沿著藍色蓮花池慢慢向房子靠近。

不一會兒，他停了下來傾聽四下的動靜；狗和驢子都在屋子另一側吃東西，沒有聽到有人接近。根據圖上顯示，他現在所在之處就在客房外。他跨過矮窗，溜進一間長方形的房間，裡面有一張床和幾個置物箱。他的左手緊緊握著一個籃子的籃柄，籃中黑色的　蛇正動得厲害。

出了房間，果然是一間美麗的四柱廳，牆上彩繪著十幾種顏色絢麗的鳥在園中嬉戲的景象。暗影吞噬者決定，將來他的房子也要這樣裝潢。

突然間，他僵住了。

他聽見右手邊的浴室傳來細微的人聲，原來有一名女僕正在為奈菲莉沖水淋浴。奈菲莉聽著僕人叨叨訴說家裡的問題，偶爾則開口安慰她兩句。暗影吞噬者倒很希望能見見這位美麗動人的女主人，不過還是任務重要。於是他往回走，打開了一個大房間的房門，裡頭幾張小圓桌上擺著插滿了蜀葵、矢車菊和百合的花瓶。兩張床的床頭都有鍍金的木製床頭櫃，帕札爾和奈菲莉就睡在這裡。

工作完成後，暗影吞噬者穿過四柱廳，經過浴室，進到一間長形房間，裡面全是大小不一的瓶瓶罐罐。

這裡是奈菲莉的私人實驗室。

每個藥罐上都標著她的名字，並註明了相關的適應症。他很快便找到了他的目標。

女人的說話聲和沖水聲，再度從毗鄰的浴室傳來。這時他發現牆壁左上方的角落裡，有一個還沒有填好的洞，由於心裡按捺不住，他便爬上一張矮凳探著頭看。

他看見她了。

奈菲莉直立著身子，女僕則站在高高架起的長磚椅上，將溫度恰到好處的水往女主人身上沖淋，淋浴完畢，身材姣好的女主人便放鬆地躺在鋪有草席的長石椅上。女僕則一邊抱怨自己的丈夫和小孩，一邊用香脂輕輕地幫她按摩背部。暗影吞噬者滿意地欣賞著這一幕；他最後一次強暴的女人是那個肥嘟嘟的西莉克斯，她和奈菲莉一比可真是天差地別。忽然一個念頭閃過，他竟想衝進浴室扼死女僕，強姦這個誘人的首相夫人，但是時間太緊迫了。

女僕用食指，從那個以裸泳女孩雙手推著一隻鴨子為外形設計的盒子裡，挖了一點乳膏抹在奈菲莉的下腰部，以消除肌肉的疲勞與緊繃。暗影吞噬者終於壓抑住自己的欲望，離開了官邸。

* * *

近傍晚時分，帕札爾才回到家門口，就見到總管匆匆忙忙地跑來說：

「主人，我被人暗算了！今天早上，流動商販經過這裡的時候，其中有一個賣乳酪的。剛開始我有點提防，因為我不認識他，不過他的產品的確不錯，結果才一解除戒心，我就被他打昏了。」

「你告訴奈菲莉了嗎？」

「我不想驚動夫人，所以就自己查看了一下。」

「有什麼發現？」

「沒什麼值得擔心的。家裡面都沒有人看到他，他偷襲我之後就走了。他大概是想偷東西，後來卻發現難以得逞，也就知難而退了。」

「你現在覺得怎麼樣？」

「頭還有點昏昏的。」

「去休息吧。」

帕札爾可不像總管這麼樂觀。如果偷襲總管的人，就是曾經三番兩次行刺他不成的神祕殺手，那麼他很可能進過屋內了。他想做什麼呢？

經過一整天的勞累，氣都還喘不過來的帕札爾，現在只想趕快見到奈菲莉。他快步走過園中的主要小徑，頭頂上無花果與棕櫚的濃密枝葉，在風中搖曳著悅耳的沙沙聲。在這個園子裡，井水、椰棗與無花果都是那麼甘甜，而無花果樹梢的窸窣每每令人聯想到蜂蜜的甜美滋味，酪梨的形狀又美得像顆心。上帝對他何其寵幸啊！不但賜給他這美妙的一切，還讓他一見鍾情並深愛不已的妻子能夠一起分享。

奈菲莉正坐在一棵石榴樹下，彈著七弦的小豎琴；這棵樹也和她一樣，長年盛開著美麗的枝葉，只要有一朵花掉落，便馬上有另一朵綻放開來。她以尖細的嗓音唱著一首古老的歌曲，述說的是一對永遠忠貞而幸福的愛侶。帕札爾走向她，在她頸子最敏感的部位吻了一下。她全身微微顫抖地說：「我愛你，帕札爾。」

「我更愛妳。」

「那你就錯了。」

話才說完，兩人便熱情地擁吻了起來。

「你臉色不太好。」奈菲莉忽然發現。

「感冒和咳嗽的症狀又開始了。」

「那是因為你工作壓力太大，操勞過度。」

「最近的情況實在糟透了，兩次大災難總算都有驚無險地度過了。」

「是美鋒？」

「除了他還有誰？」帕札爾嘆了口氣說：「他拉抬物價，想製造人民的恐慌，而且還中止了鹽的交易。」

「所以總管才一直買不到醃鵝和魚乾囉？」

「孟斐斯已經沒有存貨了。」

「大家一定會要你負責的。」

「理所當然。」

「你打算怎麼辦？」

「馬上讓一切恢復正常。」

「價格方面，下一道政令就行了……可是鹽呢？」

「並不是所有庫藏的鹽都受潮了，不久，綠洲的驢隊就會再度出發。除此之外，我還開了法老在三角洲、孟斐斯與底比斯的糧倉。醃製品缺貨不會缺太久的，不過為了安撫民心，這幾天我還是讓皇家穀倉官比照荒年賑災的模式，免費發糧。」

「商人們呢？」

「他們會得到布匹做為補償。」

「這麼說是平安無事了。」

「直到美鋒下次的動作之前，是沒事了。不過他絕不會善罷甘休的。」

「他難道都沒有犯錯？」

「他可以推託說是為了雙院的利益，也就是法老的利益著想；因為抬高食品價格，並強迫商人降低鹽價，都能使國庫獲利。」

「可是卻苦了人民了。」

「美鋒才不在乎。他寧可和有錢人勾結，這樣奪權的時候就會增加許多有力的靠山。在我看來，這些都只是小插曲，想藉機試試我的反應能力。既然他有比我更強的經濟後盾，下次的出擊恐怕就不那麼簡單了。」

「別這麼悲觀；你只是太累，才會暫時感到絕望。如果有個好醫生就能使你痊癒了。」

「妳有什麼妙方嗎？」

「到按摩室去。」

帕札爾乖乖跟在後面，好像頭一次來似的。他洗了手腳，脫掉官服和纏腰布之後，便躺到石椅上去。奈菲莉的手輕輕地推拿，減輕了他背部的痠痛與頸子的僵硬。側轉過身後，帕札爾定定地看著妻子，她輕薄的亞麻長衣掩不住玲瓏的曲線，全身更散發著香氣。他情不自禁地將她拉進懷裡，說道：

「我不能騙妳，也不能有所隱瞞。今天早上，總管被一個冒牌的乳酪商販偷襲了。事後，總管找不到他，家裡也沒有人看見他。」

「很可能。」

「是那個曾經向你行刺，凱姆也一直找不到行蹤的人？」

奈菲莉想起那名神祕的刺客曾經在魚肉裡下毒，企圖毒殺帕札爾，便立刻決定，「今晚的菜單要更動一下。」

見妻子如此冷靜，帕札爾深感佩服，由心底升起的那股欲望，使他忘記了煩憂與危險。他故意問道：

「我們房裡的花換過了嗎？」

「你想去看看嗎？」

「求之不得。」

他們經由中間的走道從按摩室直接進入房間，帕札爾緩緩地脫下奈菲莉的衣服，然後覆以無數的熱吻。他們每回做愛，他總會細細注視著她柔軟的嘴唇、細長的脖子、尖挺渾圓的乳峰、優雅的臀部和修長的腿，叫他怎能不感謝上天賜給他如斯美眷?奈菲莉回應了他的熱情，兩人一起享受著愛神哈朵爾施予忠實信徒的那份喜悅。

大大的屋子裡，一片寂靜。帕札爾和奈菲莉手握著手，並躺在床上休息著。忽然，帕札爾好像聽到一個奇怪的聲音，便問：

「好像有木棍敲擊的聲音，妳沒有聽到嗎？」

奈菲莉側耳傾聽，那個聲音響了一下，又恢復了靜悄。她沉思著；有一些遙遠的回憶慢慢浮現腦海。

「在我右邊。」帕札爾說。

奈菲莉將油燈點亮。往帕札爾說的地方一看，是一個裝著纏腰布的衣箱。

就在帕札爾打算打開箱蓋時，那一幕清晰地閃過了奈菲莉的腦際。她立刻用右手抓住丈夫，拉著他退後。

「叫一個僕役來，順便要他帶一根木棍和一把刀子。我知道那個冒牌貨來做什麼了。」

她回想起當初接受考驗的每個片段：她必須抓住一條蛇，取出牠的毒液調配藥方。那條蛇的尾巴打在簍子上，發出的正是她剛剛所聽到、帕札爾形容的那個聲音。

才一會兒，帕札爾便帶著總管和一名園丁來了。

「小心點，」她提醒道：「箱子裡有一條被惹火了的蛇。」

總管以長棍的一端挑起箱蓋，果然有一條黑色蝰蛇探出頭來，還發出了嘶嘶的響聲。向來善於對付這種不速之客的園丁，一刀就把牠切成了兩截。

* * *

見帕札爾連打了好幾次噴嚏，還咳個不停，奈菲莉說：「我去幫你拿藥。」

廚子準備了極豐盛的晚餐，可是他們倆卻碰也沒碰，不過勇士倒是結結實實地吃了一頓烤羊排大餐。心滿意足的牠，趴在主人腳邊，下巴抵著交叉的前爪，正安安靜靜地休息著。

在奈菲莉的實驗室裡，擺滿了形形色色的藥瓶，有木製、象牙製、彩色玻璃製和雪花石膏製的，形狀也多不勝數：有石榴、蓮花、紙莎草、鴨子等等。她拿的瀉根藥水，可以減輕帕札爾的慢性充血症狀。

「明天起，」帕札爾說：「我會叫凱姆派幾個可靠的人來守護我們的房子。這樣的意外不會再發生了。」

奈菲莉倒了幾滴藥水在杯子裡，加水稀釋後，說：「把這杯喝了，一個小時後，再喝一杯。」

帕札爾若有所思地接過杯子說：

「這名刺客一定是受雇於美鋒，他會是潛入大金字塔的陰謀分子之一嗎？我不這麼想。這應該是陰謀之外的計畫。這麼說來，應該還有其他人了……」

就在這時候，勇士忽然齜牙咧嘴地咆叫起來。

他們夫妻倆不禁大吃一驚，勇士從來不會在他們面前如此放肆。帕札爾喝了一聲：「別叫了。」

可是勇士反而站起身來，而且叫得更大聲。

「你是怎麼了？」

只見勇士往上跳，朝帕札爾的手腕一咬。帕札爾詫異至極，連忙鬆開杯子，正準備揮出拳頭，奈菲莉立刻制止了他。她面無血色地說：「別打牠！我想我明白了……」

勇士舔著主人的腳，眼中充滿了對主人的愛。

奈菲莉則顫抖著聲音說：

「這不是瀉根藥水的味道。那個刺客把你常喝的藥水換成了從醫院偷來的毒藥。我拿藥醫治你，卻反而可能殺了你。」

※註1：約五千四百平方公尺。

第十二章

豹子正在烤一隻野兔，蘇提則忙著用金合歡木做一把簡單的弓箭應急。他的個性其實和他最喜歡的武器是一樣的：以直線射出，射程六十公尺，以拋物線方式射出，則可達一百五十公尺以外。打從青少年時期開始，蘇提就證明了自己天賦異秉，總是能正中又遠又小的紅心。

在這個清水充足、甜美的椰棗垂手可得，又時常有獵物前來飲水的小綠洲稱王，蘇提真是如魚得水般地自在。他喜歡沙漠，喜歡它的力量，喜歡它那股可以將人的思緒拉向永恆、噬人的火熱。他經常呆呆地看著日升日落，看著沙丘細不可辨的移動，以及隨風起舞的細沙。他獨自沉浸在寂靜之中，眼前這個專屬於太陽、廣漠而灼熱的國度，已經與他的心靈相通了。此時的蘇提彷彿超越了眾神，碰觸到了一切的極限，他真的有必要離開這一小片遭世人遺忘的土地嗎？

「我們什麼時候走？」豹子靠著他坐下並問道。

「也許不走了。」

「你想在這裡定居？」

「有何不可？」

「這是地獄啊，蘇提！」

「可是我們什麼也不缺，不是嗎？」

「那金子怎麼辦？」

「妳現在不快樂嗎？」

「這樣的快樂不夠，我要在大宅院裡過富裕的生活，還要有一大群僕人伺候我。我要你幫我倒上等的美酒，用香油幫我按摩雙腿，然後聽我為你唱戀曲。」

「還有什麼宅院比沙漠更大的呢？」

「可是這裡沒有花園、人工湖、樂隊、宴會廳……」

「全都是一些不必要的東西。」

「你說得倒好！要我苦哈哈地過日子，門都沒有！我救你出來可不是為了窩在這個鬼地方！」

「我們在這裡才能真正自由。妳看看四周：完全沒有煩人的人事物，沙漠呈現的是最真、最美的一面。為什麼要離開這麼美好的地方呢？」

「可憐的蘇提，關了這些日子，你真的衰弱了。」

「不要蔑視我說的話，我是愛上沙漠了。」

「那我呢？我算什麼？」

「妳啊，妳是個在逃的利比亞女人，埃及的宿敵。」

「你沒心腸！霸道！」

她邊罵邊用拳頭捶他，蘇提回手抓住她的雙腕，將她壓倒在地。她雖奮力抵抗，力氣畢竟不敵。

「要嘛，妳就當我的沙漠之奴，否則我就拋棄妳。」

「你沒有權利這樣對我，我寧可死也不聽你擺布。」

他們兩人一直是赤裸著身體，酷熱難當的時刻，就躲到棕櫚樹蔭下乘涼；而欲望一升上來，他們依然一次又一次地享受雲雨激情。

「你還想著那個爛貨，你那個合法妻子塔佩妮！」豹子又憤憤地說。

「偶爾的確會想，我承認。」

「你心裡就是對我不忠。」

「妳錯了！塔佩妮要是在我手裡，我馬上把她交給沙漠的惡魔。」

豹子一聽，忽然皺起眉頭，憂心地問：「你看到過惡魔？」

「夜裡妳睡覺的時候，我會注視著大沙丘的頂端，牠們就在那裡出現的。有一個是獅身蛇頭，一個獅身鷹頭，還長了翅膀，另一個尖嘴大耳，還有一條分叉的尾巴（※註1）。沒有箭射得到牠們，沒有繩索套得住牠們，也沒有狗追得上牠們。」

「你在開我玩笑。」

「這些惡魔會保護我們的，因為我們跟牠們是同類：兇狠而難以馴服。」

「那是你在做夢，根本沒有惡魔的存在。」

「那怎麼又會有妳存在？」

「走開，你好重！」

「妳確定嗎？」

他輕輕撫摩著豹子，卻聽她大喊一聲：「不要！」並用力將他推到一邊去。

一把斧頭擦過蘇提的太陽穴，砍進了地面，離他們倆剛才躺著的地方只有幾公分的差距。蘇提瞥見了攻擊他們的是一個魁梧的努比亞人，他又重新抓起斧柄，然後跳到他的獵物面前。

他們四目相交，眼中都有著置對方於死地的絕決；廢話無須多說。

努比亞人把斧頭掄得團團轉，他臉上帶著微笑，對自己的力量與機敏充滿自信，逼得對手一步步地往後退。

蘇提退到最後，撞上了一棵金合歡。努比亞人舉起斧頭正要進攻，不料竟被豹子攫住了脖子，但他也不把這個女子看在眼裡，手肘往後朝她的胸部一撞，就想撞開她。誰知豹子根本顧不了痛，便動手去摳敵人的眼睛。努比亞人痛得大叫，立刻拿起斧頭亂揮，不過豹子早已鬆手，翻身滾到一旁去了。

蘇提見有機可乘，低著頭朝努比亞人猛衝過去，一頭便將他撞倒在地。

豹子也連忙拿起木棍死命地抵住他的喉嚨，努比亞人舞動著雙臂想把她推開，卻沒有成功。蘇提在旁邊看著愛人單獨完成最後的勝利。他們的敵人終於因喉嚨碎裂，氣絕身亡。

「他只有一個人嗎？」豹子擔心地問。

「努比亞人通常是成群結隊的。」

「你摯愛的綠洲恐怕就快成戰場了。」

「妳真是個女魔頭，都是妳把他們引來，才破壞了我的平靜。」

「我們應該趕快拔營了吧？」

「要是他只有一個人呢？」

「你才說不可能的。你清醒一點，我們走吧。」

「往哪走？」

「往北。」

「那會被埃及士兵抓回去的，他們一定布下了天羅地網了。」

「你跟著我，就可以躲過他們，還能找回金子。」

說到金子，豹子不由得興奮地緊緊抱住愛人，繼續又說：「他們會以為你迷失在沙漠，甚至以為你死了，很快就會忘了你的。到時候，我們就能通過邊界，繞過堡壘，然後成為富翁！」

豹子想到即將展開的冒險，興奮之情轉為激動，現在也只有愛人的雙臂能讓她冷靜下來。蘇提原也打算有所回應的，卻無意間瞄見了沙丘頂上竟似有人影晃動。

「他的同伴來了。」他立刻小聲地說。

「有多少人？」

「不知道。他們正往這邊爬過來。」

「我們沿著劍羚的路線走。」話才說完，豹子就發現有好幾名努比亞人躲在圓丘頂的大岩石後面，便只好失望地說：「那就往南走吧！」

可是南邊也行不通了，因為敵人已經將綠洲團團圍住。

「我做了二十枝箭，可是還不夠。」蘇提忽然想到。

豹子沒有回答，卻沉著臉說：「我不想死。」

他將她抱入懷中，將自己的計畫告訴她：

「我爬到最高的樹梢上，盡可能殺多少算多少。不過，我會放一個人進來，妳再用斧頭砍死他，然後把他的箭袋拿給我。」

「不可能成功的。」

「我對妳有信心。」

蘇提居高臨下，把敵人的陣勢看得清清楚楚。

來者大約五十多人，有些手持木棍，有些則背著弓箭。想要逃出去是不可能的。但他會堅持到最後一刻，果真守不下去了，他也會保留最後一枝箭殺死豹子，以免她遭受強暴凌辱。

在努比亞人身後遠處的沙丘頂上，帶領他們來到綠洲的那隻劍羚，正與越來越猛烈的風搏鬥著；小丘吐出了幾道沙舌，向天席捲而去。一瞬間，羚羊不見了。

三名努比亞勇士怒吼了一聲，往前衝來。蘇提本能地拉滿了弓，連射三箭。每一箭都射穿了敵人的胸膛，那三人立刻應聲倒下。

隨後又有三人跟了上來。

蘇提又射中了其中兩人，另一人則怒氣沖沖地奔進了綠洲。他朝樹梢射了一箭，卻連蘇提的邊也沒碰著，這時豹子猛撲而上，兩人一起滾出了蘇提的視線之外。沒有人發出任何叫聲。

樹幹突然動了一下；有人正在往上爬。蘇提彎弓等著。

只見從金合歡的枝葉中探出了一隻手，手上提著裝滿了箭的箭袋。跟著是豹子顫抖的叫聲：「我拿到了！」

蘇提伸手把她拉到自己身邊，問道：「妳沒受傷吧？」

「我的動作比他快多了。」

他們都還來不及相互道賀，另一波攻擊又開始了。蘇提的弓雖然製作簡陋，卻影響不了他的準頭。不過，有一回卻射了兩箭才射中瞄準他的弓箭手。他覺得，「是風。」

剛剛生成的暴風已經使樹枝都開始扭曲變形了，天色轉為赤銅，空氣中也塵沙瀰漫。有一隻白鷺被困在風暴中，整個身子幾乎都貼在地面上了。

「我們下去吧。」蘇提說。

樹全都發出吱吱嘎嘎、劈劈啪啪的聲音，彷彿在痛苦中呻吟一般，還有幾株棕櫚被捲進一股黃色的旋風中，連根拔起。

蘇提一下地，就有一名努比亞人高舉著斧頭向他砍來。然而，沙漠旋風的力量實在驚人，那人只砍了一半就被風定住了。不過鋒利的斧刃還是劃傷了蘇提的左肩，而蘇提則握緊雙拳，使勁地往敵人的鼻子一揮。忽然間，一陣狂風將兩人吹隔了開來，那個努比亞人也在轉眼間消失了。

蘇提用力握著豹子的手。他們就算逃得過努比亞人的襲擊，恐怕也會喪生在沙漠狂怒的風暴中。

一陣陣猛烈異常的狂風沙，刺痛了他們的眼睛，也將他們定在原地。豹子放下斧頭，蘇提也放下了弓，他們蹲在一棵棕櫚樹下，眼前的樹幹卻已模糊難辨。無論是他們倆或是敵人，現在都已是動彈不得。

風狂嘯而過，腳底下的沙地漸漸下陷，仰頭望天也是一片迷濛。蘇提和豹子緊緊地靠在一起，沙粒打在他們身上，彷彿為他們蓋上了一層金黃色的裹屍布。此時，兩人只覺得已經身陷一片洶湧的怒海之中。

蘇提閉上雙眼，心裡想起了帕札爾，他的心靈夥伴。為什麼他不來救他呢？

※註：1這些沙漠神怪動物的畫像，最著名的是位於埃及中部貝尼哈桑的貴族墓園中的墓碑雕刻。

第十三章

凱姆走在孟斐斯的碼頭邊上，看著貨品卸下船，看著運往上埃及、三角洲與外國的食品裝上船。鹽已經恢復正常運送，人民的怒氣也得以平息。不過，凱姆卻還是擔心；民間仍流傳著一些謠言，說拉美西斯的健康日益衰敗，國運也日趨衰微。

凱姆實在生自己的氣：他怎麼就抓不到那個企圖殺害帕札爾的人呢？沒錯，現在官邸四周已經有警力日夜嚴加防備，刺客再也無法潛入，可是他手上卻一點線索也沒有。他的線民都沒有提供什麼重要的訊息。這名刺客單獨行動，沒有幫手，也沒有向任何人透露；直到目前為止，這樣的戰略確實對他有利。要到何時他才會露出破綻？又要到何時他才會留下重大的線索呢？

反觀狒狒警察，卻是一副處之泰然的樣子。不過，平靜之中，狒狒還是嚴密地監視著四周，任何動靜都逃不過牠的雙眼。到了負責木材運輸的松院前，殺手忽然停了下來。將狒狒的一舉一動都看在眼裡的凱姆，便也不推牠。

殺手紅通通的眼睛直盯著一個人看，只見那人匆匆忙忙地步上一艘巨大的貨船，船上的貨全都用篷布蓋著。那人身材高大，神情十分緊張，穿著一件紅色的羊毛外套。他一面訓斥船員，一面要他們加快動作。這樣的態度確實有點奇怪；船就要遠航了，他為何不舉行出航儀式，反而來找這些船員麻煩呢？

凱姆走進松院的主要建築，裡面的書記官正忙著在木製書板上編列貨品清單，並記錄船隻進出港的情形。凱姆有個朋友也在這裡，是三角洲地區的人，個性相當隨和。凱姆找他問道：「這艘船開往哪裡？」

「黎巴嫩。」

「船上載的是什麼？」

「水罐和羊皮袋。」

「那個急急忙忙的人是船長嗎？」

「你在說誰啊，凱姆？」

「穿著紅色羊毛外衣的那個人。」

「他是船主。」

「他老是這麼緊張嗎？」

「他這個人平常很謹慎從容的，大概是你的狒狒嚇著他了。」

「他屬誰管轄？」

「白色雙院。」

凱姆走出松院時，狒狒正大剌剌地站在舷梯下方，不讓船主下船。船主想冒著摔斷頸子的危險，從船舷跳下碼頭逃走，可是卻被狒狒一把拉住衣領，壓制在甲板上。

「你在怕什麼？」凱姆問道。

「牠會掐死我。」

「只要你照實回答就不用怕。」

「這艘船不是我的。放我走。」

「但你是船貨的貨主。為什麼到松院來裝運水罐和羊皮袋呢？」

「因為其他碼頭都被占滿了。」

「不對。」

狒狒用力擰了船主的耳朵，凱姆也警告他說：「殺手最痛恨說謊的人了。」

「篷布……掀開篷布！」

於是狒狒監視著船主，凱姆則上船去掀篷布。

這個發現的確太驚人了。

竟然全是松樹和雪松樹幹，還有金合歡與無花果木板。

凱姆真是太高興了，這一次，美鋒總算出岔了。

* * *

奈菲莉在陽臺上休息著，她已經漸漸從上次的驚嚇中恢復過來，只不過偶爾還是會做噩夢。她把實驗室裡的藥全部重新檢查了一次，以防刺客也在其他藥罐裡下了毒，結果發現他只在帕札爾的藥裡頭動了手腳。

帕札爾剛剛讓一名高明的理髮師細心地修過面。他走上陽臺，溫柔地親親妻子，問道：「今天早上覺得怎麼樣？」

「好多了！今天就回醫院去。」

「凱姆派人送口信來，說是有好消息告訴我。」

她伸手摟住丈夫的脖子說：「求求你，出外一定要有人保護。」

「放心，凱姆派狒狒來了。」

* * *

凱姆竟然失去了一貫的冷靜，不斷地敲著他的木鼻，顯得異常緊張。

「這回總算逮到美鋒了。」他說：「我當下就自做主張發了傳訊令。待會兒會有五名警察帶他到你的辦公室。」

「有確實的證據嗎？」

「這是我的調查記錄。」

帕札爾很清楚木材交易的法令。美鋒確實犯了大錯，應該受到嚴厲的懲罰。

可是他卻還是一副不屑的神情，似乎一點也不擔心地說：

「為什麼這麼勞師動眾的？據我所知，我可不是什麼江洋大盜。」

「坐下。」帕札爾說。

「不坐了，我還有工作要做呢。」

「凱姆扣住了一艘要開往黎巴嫩的貨船，租船的船主屬雙院管轄，也就是你底下的人。」

「我底下不只他一個人。」

「依照慣例，運往黎巴嫩的大多是雪花石膏瓶、盤子、亞麻織品、牛皮、紙莎草紙、繩索、濱豆、魚乾，以換取我們所缺乏的木材。」

「你到底想說什麼？」

「可是這艘船上載的卻是松樹和雪松幹，甚至還有我們自己的金合歡和無花果木板，這些全都是禁止出口的貨品！換句話說，你是想把我們花錢買來的木材再退回去，而讓我們沒有木材可以建造房屋、神廟大門前的橫梁以及棺木！」

美鋒仍是不慌不忙地回答道：「你太不了解整個情況了。那批木板是比布羅王所預定，要為大臣們製作棺木用的，他對我國的金合歡木與無花果木的品質，評價極高。如果拒絕給他這份禮物，不僅對他是重大的侮辱，也是政策上的錯誤，將對我國的經濟產生非常負面的影響。」

「那麼雪松和松樹幹呢？」

「像你這麼年輕的首相，對我們交易作業技術上的細節自然不熟悉。當初黎巴嫩方面保證會提供能抗菌防蟲的樹種，可是這些雪松和松樹卻無此種功效，因此我才下令退貨。這個情況已經由專家證實過，也有相關的資料供你參考。」

「你說的應該是白色雙院的專家吧？」

「他們可都是公認最優秀的專家。我可以去安排了嗎？」

「我可不是笨蛋，美鋒。你安排了這次和黎巴嫩的交易以從中獲利，同時可以得到我們最重要的經濟夥伴的支持。不過，你打錯如意算盤了。從此以後，木材的進口將由我全權處置。」

「隨你高興吧。你再這樣下去，遲早會因為責任過重而垮臺的。麻煩你幫我叫一頂轎子，我趕時間。」

* * *

「對不起，害你出糗了。」凱姆真是驚呆了。

「多虧了你，」帕札爾卻說：「我們削去了他一項權力。」

「他就像多頭怪獸似的……我們要剁掉幾個頭才能削弱他的勢力呢？」

「越多越好。我已經下令各省首長多種些樹木以供民眾休憩乘涼之用。此外，沒有我的允許，一棵樹也不准砍。」

「你有什麼想法？」

「讓深受謠言所擾的埃及民眾重拾信心，也向大家證明，我們的未來將如同樹葉般欣欣向榮。」

「你自己相信嗎？」

「難道你不信？」

「你是個不會說謊的人，首相。美鋒一直覬覦著王位，不是嗎？」

帕札爾沒有答腔，凱姆接著又說：「你就繼續保持沉默吧，我能了解，但是你阻止不了我的直覺感受。你正在打一場生死交關的硬仗，而且根本沒有贏的可能。這檔事打從一開始就錯了，我們一直都是綁手綁腳的，無法發揮。我不知道為什麼，但是我還是會留在你身邊。」

* * *

美鋒為自己的謹慎暗自慶幸不已，幸好他做了萬全的防範措施，也收買了不少人，因此無論什麼樣的攻訐都傷不了他半根寒毛。首相輸了，而且還會繼續輸下去。儘管有部分策略已遭識破，但那都只是微不足道的小失誤罷了。

美鋒身後跟了三名僕人，手上都抱著給西莉克斯的禮物：一種專供假髮之用且十分昂貴的芳香髮油；由雪花石膏粉、蜂蜜、紅色天然含水蘇打製成的化妝品，可以使皮膚變得細緻；大量的上等枯茗，治療消化不良與腹痛極為有效。

西莉克斯的貼身女僕一臉的氣惱。本來應該是西莉克斯自己要出來招呼丈夫，並為他按摩雙腳的。

「她人呢？」美鋒問道。

「夫人在床上休息。」

「她又有什麼毛病？」

「腸胃不舒服。」

「妳讓她吃了什麼？」

「她叫我準備的東西：一小塊蜜棗果醬夾心的金字塔蛋糕和一杯芫荽茶。治療也沒有效。」

房間裡剛剛做過煙熏療法，已經開了窗子通風，西莉克斯則滿臉蒼白，痛得蜷縮在床上。一看到丈夫進來，立刻撒起嬌來。

「妳又多吃了什麼？」美鋒不悅地問。

「沒有啊，只是一點點心……越來越痛了，親愛的。」

「明天晚上妳非下床不可，而且還要容光煥發。我請了幾位省長到家裡來，妳可別丟我的臉。」

「奈菲莉會醫好我的。」

「別再依賴這個女人了。」

「你答應過我……」

「我什麼也沒答應。帕札爾根本不低頭，還一直要纏鬥下去，這個不知死活的傢伙！要是去求他的妻子，不就等於向他示弱，絕對不行。」

「就算為了救我也不行？」

「妳的病沒有那麼嚴重，只不過是稍微不舒服。我立刻召幾個醫生來，妳現在只要專心想著，明晚該怎麼誘惑那些重要人物就好了。」

*　*　*

奈菲莉和一個皮膚黝黑、滿布皺紋的老人聊著。老人正滔滔不絕地介紹著一個陶土容器，她似乎頗感到興趣。

帕札爾走近之後才發現，那個老人原來是被誤判入牢營，後來又被他救出來的養蜂人。

老人見到他立刻起身行禮，「首相！真高興再見到你……要進這座官邸可真不容易。守衛盤問了我無數的問題，證明我的身分，還要檢查我的蜂蜜罐！」

「沙漠裡的蜜蜂怎麼樣了？」

「好極了，所以我才到這裡來。來嘗嘗這美味的神饌吧。」

傳說中，眾神常因人類的行為而感到苦惱，吃了蜂蜜之後，便能恢復愉快的心情。據說是拉神的眼淚落到凡間變成了蜜蜂，蜜蜂才又將植物轉變為這種可以食用的黃金。

蜂蜜的滋味讓帕札爾驚訝不已。

「收成從來沒有這麼好過。」養蜂人說：「不論是在質或量方面都一樣。」

「要供應給所有的醫院。」奈菲莉插嘴道：「這樣我們就能有豐富的儲量了。」具有鎮痛舒緩作用的蜂蜜，經常使用於眼科、婦科、血管與肺的治療，也是許多藥方的重要成分之一。護士使用的敷料也大多含有蜂蜜。

「但願御醫長不會太失望。」老人補充說了一句。

「你擔心什麼嗎？」帕札爾問道。

「消息傳得太快了；自從蜂蜜豐收的消息傳開之後，我和助手養蜂的沙漠地區，就不再像以前那麼平靜了。我們清除蜂巢、把蜜倒入罐中、以蠟封口，這整個過程都有人虎視眈眈地盯著。我擔心工作一結束，我們很可能會遭到搶劫。」

「沒有警察保護你們嗎？」

「人數不夠；我收成的蜂蜜實在是一筆可觀的財富，他們恐怕保護不了。」

這個情形美鋒當然不會不知道，讓醫院得不到這寶貴的藥材，將會引起重大的危機。

「我會通知凱姆，運輸方面一定不會有問題。」

「你知道今天什麼日子嗎？」奈菲莉問道。

帕札爾沒有回答。她便自問自答：「過兩天就是花園節了。」

而帕札爾的臉卻突然亮了起來，「妳真是哈朵爾女神的傳話天使，我們要讓大家快樂一下。」

* * *

花園節當天早上，訂了婚和新婚的男女都在花園裡種了一棵無花果樹。城裡和村莊裡的廣場上、河流邊，眾人互贈糕點、花束，並暢飲啤酒。美麗的女舞者相互抹上了香脂之後，便隨著笛子、豎琴與鈴鼓的樂曲起舞。青年男女傾訴著愛意，而年長者則閉上了眼睛。

當書記官將蜂蜜罐交給市鎮村里長時，大家無不同聲歡呼法老與首相之名。蜜蜂不正代表了埃及國王嗎？由於這種可食用的黃金，對大部分的家庭而言實在太過昂貴，幾乎是個遙不可及的夢想。而這個夢想卻在拉美西斯大帝統治之下的花園節當天實現了。

奈菲莉和帕札爾從陽臺上，愉快地聽著遠處傳來的歌舞聲。那些準備偷襲蜂蜜運輸隊伍的武裝強盜，都被警察一網成擒了。養蜂人與朋友聚餐慶賀，他堅信國家的管理健全無虞，節慶的蜂蜜也將驅離所有的災難。

第十四章

綠洲全毀了。

棕櫚樹斷了頭，金合歡枝葉破敗，樹幹剖裂，樹枝剉斷，泉水阻塞，沙丘滿目瘡痍，沙堆覆滅了路徑……四處只剩一派淒涼蕭索。

蘇提微微張開眼，原本平靜的避風港已消失無蹤，漫天黃沙遮蔽了光線，恍惚間好像來到了暗無天日的地獄。

忽然左肩一陣劇痛，是剛才被斧頭砍傷的傷口發作了。他試著把腳伸直，卻痛得像是斷了一般，不過幸好只是輕微劃傷而已。身邊有兩個努比亞人被一棵倒下的棕櫚壓個正著，其中一人被壓得不重，手裡竟還揮舞著匕首。

豹子……豹子上哪去了？雖然意識有點模糊，蘇提也還依稀記得努比亞人來襲，記得暴風狂掃下發了瘋似的沙漠。豹子本來一直靠著他的，後來一陣狂風吹來，兩人就分散了。於是他跪趴在地，喘著氣，動手挖了起來。

還是見不到豹子的蹤影。蘇提仍不放棄，不找到那個還他自由的女人，他絕不離開這個該死的地方。

他尋遍每個隱蔽的角落，推開其他努比亞人的屍體，最後抱起一棵巨大的棕櫚。豹子彷彿美夢正甜的少女，閉著雙眼躺在那裡。赤裸的全身毫無傷痕，只有頸子後面腫了一大塊。蘇提輕輕地幫她按摩了眼球，她這才甦醒過來。

「你……你還活著？」

「放心吧，妳只是受了驚嚇。」蘇提柔聲地說。

「我的手，我的腳！」

「一點傷也沒有，只是暫時發麻而已。」

她伸手抱住他，孩子氣地撒嬌，「我們趕快離開吧！」

「要先找到水才行。」

兩人花了好幾個小時，終於疏通了水井，雖然挖出來的水帶著紅色的泥巴，但他們還是裝了滿滿的兩袋。接著蘇提又做了一把新的弓和五十多枝箭。睡了一頓飽覺之後，他們剝下屍體上華麗的衣服以做為夜裡避寒之用，然後便趁著滿天的星光往北走去。

＊　＊　＊

豹子的韌性真讓蘇提驚訝不已。逃過一死之後，她變得更堅強、更有毅力。現在的她一心只想拿回金子，成為一個富裕、受人敬重並可為所欲為的貴婦人。她只相信自己一點一滴創造出來的命運；她竭盡所能地撕去所有包裹住她生命的外衣，將靈魂赤裸裸地呈現出來，而毫不感到靦腆羞愧。她什麼都不怕，只怕會壓制不住自己內心的恐懼。

一路上，她只做短暫的休息，嚴密地控制飲水，並在亂石與沙丘之間，選擇兩人的方向與路徑。蘇提乖乖地跟隨著她，整個人卻像著了魔一樣，沉迷於四周的景致之中。他抵擋不了這種誘惑，這個由風、太陽與炎熱組合成的國度，他無一處不喜愛。

豹子一直保持著戒心，一有埃及巡邏隊靠近，她立刻提高警覺。而蘇提卻變得有些煩躁，因為他正一步步地遠離真正的自由，以及他希望與高貴的劍羚同在的廣大荒漠。

正當他們在一口水井裝水時，忽然有五十多個努比亞戰士，圍成了圓圈向他們逼近。他們手上拿著短棍、短劍、弓和彈弓，悄聲而來，豹子和蘇提都沒有聽到任何聲響。

豹子憤怒地握緊了拳頭，就這樣失敗，真叫她不甘心。她低聲說道：「盡力脫困。」

「根本毫無希望。」

「那你有何打算？」

蘇提緩緩轉頭看看四下：確實逃脫無望。他甚至連拉弓的時間都沒有。

「眾神是不容許自殺的，妳願意的話，我可以趁他們敲碎我的腦袋之前掐死妳，否則他們一定會用慘無人道的手段輪暴妳的。」

「我會殺了他們。」

敵人開始縮小包圍的範圍。

蘇提決定往兩個並肩前進的巨人衝過去，至少他可以算是光榮戰死。突然間，有一名努比亞長者大聲問道：「是你殺了我們的弟兄？」

「是我和沙漠聯手的。」

「他們都是勇士。」

「我也是。」

「你是怎麼辦到的？」

「用我的弓。」

「你說謊。」

「你不信可以讓我試試。」

「你是誰?」

「蘇提。」

「你是埃及人?」

「是的。」

「你到我們國家來做什麼?」

「我剛剛從查魯堡壘逃出來。」

「逃出來?」

「我是個囚犯。」

「你又在說謊了。」

「他們把我鏈在尼羅河中央的大岩石上，以便引誘你們這些人。」

「我不相信，你是奸細。」

「我躲在綠洲裡，你的族人就來偷襲了。」

「要不是颳起大風，你是不會贏的。」

「可是他們死了，我還活著。」

「你很驕傲嘛。」

「要是我能和你兩人對決，你就會知道我驕傲不是沒有原因的。」

那個努比亞人看了看其他同伴，又說：

「你這樣的挑戰有什麼用?你在綠洲殺了我們的首領，才逼得我這個老頭子不得不擔任族長的工作。」

「讓我和你們最好的勇士決鬥，如果我勝利了，就還我自由。」

「你要和他們所有的人決鬥。」

「你這個懦夫。」蘇提罵了一聲。

此時有人以彈弓射出一顆石子，蘇提被打中太陽穴後，便昏了過去。原先那兩個巨人則慢慢向豹子走去，她怒目瞪視，一動也不動。他們一把扯下了她身上的衣服和覆蓋在頭上的破布塊。

兩人大吃一驚，倒退了幾步。

只見豹子兩臂自然地垂放在兩側，毫不遮掩胸部與私處的金色捲毛，昂然地往前走。

在場的努比亞人無不紛紛行禮。

*　*　*

為黃金女神所舉行的禮拜儀式持續了一整夜，戰士們認出了她就是祖先口中那個威力強大的可怕人物。女神來自遙遠的利比亞，由於心中不滿，便到處傳播流行病、各種大災難與饑荒。為了安撫女神，努比亞人奉上了椰棗酒、炭烤的蛇以及對付蟲蛇叮咬十分有效的新鮮大蒜。眾人圍繞著頭戴棕櫚冠、身塗香油的豹子跳舞，並默念著祖先世代相傳的禱告詞。

大家都把蘇提忘了；他也和其他人一樣侍奉著黃金女神。豹子完美地扮演了女神的角色，儀式過後，她率領著這一小支隊伍繞過查魯堡壘，經由一條小徑朝北而行。出乎他們意外的是，幾天來埃及士兵都一直躲在城牆之內，不再四處巡邏。

一行眾人來到一座多岩的山壁下，由於可以遮風擋日，便停下來歇一歇。蘇提向豹子走去；她原本由四名男子歡天喜地地抬著，剛剛才下了轎椅。

「我實在不敢抬頭看妳。」蘇提說。

「這樣最好，否則你會被他們碎屍萬段。」

「這種情勢實在叫人難以忍受。」

「一切都進行得很順利啊。」

「可是方法不對。」

「你要有耐心一點。」

「我的個性不是這樣的。」

「當幾天奴隸你就會習慣了。」

「妳休想。」

「你要知道，誰也逃不過黃金女神的神力。」

蘇提只得懷著滿腔的怒氣和新夥伴們練習打彈弓，由於他技巧熟練，立刻便贏得其他人的敬佩。接下來他又在幾場摔角和射箭比賽中獲得勝利，更博得了努比亞人的好感。於是這些勇士們，都起了惺惺相惜之心。

用過晚餐之後，努比亞人說起了黃金女神如何前來教導他們音樂、舞蹈與做愛的經過。大夥兒說故事說得正起勁，卻有兩個人在一旁升起了火，放在火上加熱的罐子裡裝的是由羚羊油製成的膠脂。燒到一定溫度時，罐中的物質便融成了液體，其中一人拿起刷子蘸了蘸膠水，另一人則將一個烏木製成的腰帶帶扣放到他面前。第一個人於是小心翼翼地塗上了膠水。蘇提覺得無聊，打了個哈欠，正打算走開時，忽然看見一道微光在黑暗中閃了一下。他感到好奇便又回到那兩個人身邊，只見塗膠水的那人正非常專注地在帶扣上安裝一片金屬葉子。

蘇提俯身仔細一看，果然沒錯，是一片金葉。便問道：

「你在哪裡找到這玩意的？」

「族長送的。」

「那又是誰給他的？」

「每次他從失落之城回來，都會帶回一些珠寶和腰帶扣的。」

「你知道地點嗎？」

「我不知道，但是長老知道。」

蘇提立刻搖醒了長老，要他在沙地上畫出地圖，然後他把所有的人都聚集到火邊，說道：

「大家聽著！我本來是軍隊裡的戰車尉，因此很善於使大弓。我曾經殺了數十名貝都因人，並除掉了叛國的將軍，但是我的國家卻不感激我的所作所為。所以，現在我要變成一個有錢有勢的人。你們族裡需要一個身經百戰並且屢戰屢勝的人來擔任族長，我就是最適當的人選。你們跟隨我，將來一定不會後悔的。」

蘇提熱烈的神情、長長的頭髮、寬闊的肩膀與威武的儀表，在在打動了努比亞人的心，但長老卻說話了：「可是你殺了我們的首領。」

「那是因為我比他強，弱肉強食本來就是沙漠的法則。」

「我們未來的族長要由我們自己指定。」

「我會帶你們到失落之城去，我們一起消滅敵人。你無權保留這個祕密，要不了多久，我們將會成為努比亞境內最受敬重的一族。」

「我們的族長一向是獨自前往的。」

「我們一起去，你們也可以得到金子。」

支持與反對蘇提的人於是開始爭辯了起來；然而上一任族長的影響力實在太大了，蘇提成功的機會自然十分渺茫。因此他拉過豹子，一把扯去她身上的衣服。火光照著她金黃的胴體。

「你們看，她並不反抗我！這裡只有我能當她的情人。如果你們不答應推我當首領，她將會再發起一陣狂風沙，到時你們一個也活不了。」

此時蘇提的命運全掌握在豹子手裡；她若是拒絕了他，努比亞人便知道他只是在吹噓，而會立刻殺了他。而豹子如今躍登上了女神的寶座，誰曉得她會不會被虛榮心沖昏了頭呢？

果然，她掙脫了蘇提的手，努比亞戰士立即將矛頭與匕首對準了蘇提。

他實在不該輕易相信利比亞女子的。不過，至少他在死前還能欣賞到完美無暇的女子胴體。

卻見豹子走到火旁，全身軟若無骨地躺了下來，然後向他伸出手臂，微笑說道：「過來吧。」

第十五章

帕札爾驀然驚醒。他夢見了一隻百首怪獸張著無數的利爪，拚命想推翻掉大金字塔。怪獸的腹部有一張臉，是美鋒。儘管二月的夜裡相當涼爽，帕札爾仍是嚇出了一身汗。他摸索著床緣；這張木床的床繃是由植物編成繩索後製成的，床腳還刻有獅首的形狀。

他轉過身看看奈菲莉的床。

是空的。

於是他掀開蚊帳，起身披上一件外套，打開了面向花園的窗戶。柔和的冬陽已經喚醒了花草樹木，山雀也開展了歌喉。他見到妻子了，她披著厚厚的毛毯，打著赤腳站在露水間。

她整個人融在晨曦之中，身邊圍繞著光環。當奈菲莉將蓮花放上先祖的祭壇時，忽然有兩隻獵鷹自拉神的小舟衝出，在她身邊飛來飛去。空中翱翔的獵鷹使埃及與天空之船結合之後，又飛回了凡人肉眼所不能見的船首。

儀式既畢，帕札爾環抱住妻子說道：

「妳就像幸福的一天即將展開之際，黎明的太陽，光輝燦爛，無與倫比，妳的眼睛有如雙唇般柔和。妳怎能如此美麗呢？而妳的秀髮也閃耀著哈朵爾女神的光明。我愛妳，奈菲莉，我比任何人都愛妳。」

在充滿愛意的破曉時分，他們再度合而為一。

* * *

帕札爾站在駛向卡納克的船首，欣賞著日光與河水交接之處，金碧輝煌的埃及。河畔有農民在疏通灌溉渠，還有一群專家在整治運河——埃及的命脈。棕櫚樹的冠冕為那些在肥沃的黑色土地上辛勤耕作的人提供了蔭涼。看到首相的船經過，孩子們都跑到河岸與拉縴的路徑上，熱情地歡呼並揮動著手臂。

狒狒站在主要船艙的艙頂，監護著帕札爾。凱姆則拿來了幾個新鮮的洋蔥。

「沒有刺客的消息？」帕札爾問道。

「沒有。」凱姆答道。

「塔佩妮有什麼動作嗎？」

「她去見了美鋒。」

「美鋒又多了一個同黨……」

「我們要提防她，她的毀滅力不容忽視。」

「我們又多了一個敵人。」

「你害怕嗎？」

「感謝眾神，我的感覺遲鈍也算是一種勇氣吧。」

「正確一點的說法應該是，你並無選擇的餘地。」

「醫院沒有什麼意外吧？」

「你的夫人盡可安心工作。」

「她應該盡快革新公共衛生政策，由於前任御醫長的怠職，如今已經出現重大缺失了。有時候，我和奈菲莉的責任真的很重，這實在是我們當初始料未及的。」

「我又怎麼想得到，自己會當上警察的首長？這些人還是割去我鼻子的罪魁禍首呢。」

風吹得很強，使得水流不順；偶爾水手們便以手划槳，沒有拆下桅杆，也沒有降下高掛的狹長船帆。常年行駛於尼羅河的船長對河裡的一切陷阱都了然於胸，並懂得利用些微風力快速地將船上重要的乘客載往目的地。小船的外型是一隻無腳公雞，船的兩端微微翹起，這可是宮廷木匠精心研發出來，最利於航行的船隻造型。

「你覺得刺客什麼時候會再度出手？」

「這個你不用擔心，凱姆。」

「事關我個人榮辱，怎能不關心？我的名聲都被那個惡魔毀了。」

「你有蘇提的消息嗎？」

「全面戒備的命令已經下達查魯了，士兵全都躲藏在堡壘中，靜待下一道指令。」

「那他逃走了嗎？」

「根據報告，犯人都還在，不過我得到一個奇怪的訊息。聽說有一個勇敢的人被拴在尼羅河中央的大岩石上，做為引誘努比亞人的誘餌。」

「那一定是他了。」

「這麼說是不能太樂觀了。」

「他會脫險的。蘇提不會就這樣進入幽冥世界的。」

帕札爾的思緒一下子飛向了摯友，隨後才被底比斯美妙的景象拉回現實。尼羅河兩岸的狹長地帶，是河谷地區中最大最繁盛的農耕區。為巨大神廟卡納克工作的村莊將近有七十個，人數更多達八萬人以上，其中包括有祭司、手工藝匠與農民。緊接著而來的是祭祀阿蒙神的廣場，外圍的磚牆如波浪般起伏，雄偉堂皇的氣象竟使得四周富庶的景致亦為之失色。

神廟的人事總管、廟務總管與內侍都在碼頭上迎接首相的到來。行過禮之後，他們便提議帶帕札爾去見老友卡尼，也就是那個在一夕之間晉升為埃及第一神廟城大祭司的菜農。走了一段路後，帕札爾請總管們留步，方才獨自走上柱子大廳的中央走道，這座大廳若非能夠透識玄機之人是無法進入的。而凱姆與狒狒則留在雙重的金色大門外等著；每當重大節慶時，廟方才會開啟這兩道門，好讓阿蒙神船離開聖殿，以光芒浸潤大地。

帕札爾在托特神的雄偉神像前默思良久，此神伸長了的手臂便是工匠們用以為度量的標準。帕札爾默念著柱子上的象形文字，解讀著知識之神傳達的訊息：神明指示信徒必須遵守生命恆常的比例。

首相每天所要努力維護的正是這份和諧，以俾使埃及呈現天堂之樂；而陰謀分子所要摧毀的也正是這份和諧，如此他們才有機會以冷酷無情的手段殘害人民，使個人的私欲獲得更大的滿足。像美鋒和他的同謀，不比殘酷的入侵者更可怕嗎？

帕札爾走出了柱子大廳，在小小的露天中庭欣賞著卡納克上空純淨的藍天。庭院的中心有一個花崗岩祭壇，上面註明了神廟多年前的落成日期，由於此祭壇至為神聖，因此經常放滿了鮮花。帕札爾心裡有些遺憾，為什麼一定要離開這種置身於時空之外深沉的平靜呢？

「很高興再見到你，首相。」理了光頭的卡尼，手持金杖向帕札爾一鞠躬。

「應該是我向你行禮的。」

「我也該向你致敬，首相不代表了法老的眼與耳嗎？」

「但願這對眼睛與耳朵都能敏銳無比。」

「你好像有心事。」

「我是來請大祭司幫忙的。」

「我也正想請首相幫忙。」

「怎麼回事？」

「恐怕是大麻煩。我帶你去看看神廟剛剛整修好的部分。」

卡尼和帕札爾走進阿蒙神廣場的一道大門，沿著圍牆走向瑪特女神的小禮拜堂，沿路上還跟忙著工作的畫師與雕刻師傅打招呼。

以砂岩建造的禮拜堂中有兩張長石椅，是首相審判宗教高層人士時的座位。

「我是個很單純的人。」卡尼說：「我一直沒有忘記，大祭司這個位子應該是屬於你的恩師布拉尼的。」

「可是布拉尼被殺，法老也指定由你擔任了。」

「法老也許選錯了人。」

帕札爾從來沒有看到卡尼如此消沉過，他原本雖然只是個與變幻無常的大自然搏鬥的人，最終卻也博得了下屬與祭司學院眾人的尊敬。

「我不配擔任大祭司，但我不會逃避責任。不久，我就要在這裡接受你的審判了。」

「這樣就開庭未免太草率吧！你可以讓我進行調查嗎？」

卡尼坐到石椅上，說道：「不會太費勁的，你只要看看最近的帳目記錄就行了。才幾個月而已，卡納克就幾乎要毀在我手上了。」

「怎麼說呢？」

「只要看看穀類、乳製品、水果等等的入庫情形就夠了……無論哪一種食物，都證明我的管理的確是澈底失敗。」

帕札爾實在不明白，「也許是你的屬下做了手腳。」

「不會的，報告十分可靠。」

「是氣候的關係嗎？」

「漲水量很充足，農田也沒有蟲害。」

「那麼到底是什麼原因？」

「因為我無能。我通知你是希望你轉告國王。」

「不急。」

「事實真相終究會暴露出來的。你也看到了，我實在幫不上你什麼忙，再過不久，我便只是個遭人鄙棄的老頭了。」

*　　*　　*

帕札爾一個人關在卡納克神廟的檔案室中，比較著卡尼與前幾任大祭司治下的資產與負債情形。其中的差異果真叫人吃驚。

他堅信：必定有人想毀壞卡尼的聲譽，逼使他不得不引咎辭職。而取代他的人想必也是與拉美西斯敵對的某位顯貴。若無卡納克的支持，是不可能控制整個埃及的；但是誰想得到美鋒與他的心腹竟敢拿這個無懈可擊的大祭司開刀呢？卡尼一定會受到責難的，因為卡納克、盧克索和河西其他廟宇，很快就要沒有供品了。祭祀儀式將無法順利進行，到處也將充斥著眾人譴責的聲浪：卡尼，大罪人！

帕札爾陷入了絕望。他來尋求朋友的幫助，卻沒想到必須在此判他的罪。

「不要再研究資料了，我們到現場去吧。」凱姆建議道。

他們首先巡視神廟附近的幾個村落，村民仍依照節令時序過著平靜的生活，詢問村長與農地書記官之後，也沒發現什麼異常現象。經過三天的調查，毫無所獲，帕札爾只得向事實屈服。他必須返回孟斐斯，將情形向國王據實報告，並開庭審判大祭司卡尼。

由於風力過於猛烈，不利於航行，因此凱姆又多了一天可以繼續調查。這回，他二人帶著狒狒與隨從前往位於科普托思省界、距離神廟較遠的一個村莊。這裡也和他處一樣，農民忙於耕作，他們的妻子則在家照顧小孩、準備三餐。尼羅河畔，有一名漂白工人正在洗滌衣物，無花果樹下則有一位鄉下醫生正在看診。

忽然，狒狒變得焦躁不安，牠的鼻孔微微顫動著，利爪還不斷扒地。

「牠發現了什麼嗎？」帕札爾問道。

「有不尋常的波動，我們這趟沒有白來了。」

第十六章

這個村子的村長約莫五十來歲，挺著一個酒桶肚，相當親切有禮。他有五個小孩，而他們家世世代代以來都是村裡的望族。村長很快就得知有陌生人到來，不得已只好打斷午睡，去見見這群不速之客，隨身還帶著一個幫他打陽傘的人。

當他的目光和紅眼狒狒的眼神交錯時，驚得立刻停下腳步。

「各位朋友，你們好。」

「你也好。」凱姆回答。

「這隻狒狒聽話吧？」

「牠是宣誓過的警察。」

「真的……那你是？」

「我是警察總長凱姆，這位則是首相帕札爾。」

村長大吃一驚，連忙縮腹彎腰，兩手伸得筆直以表敬意：

「太榮幸了，真是太榮幸了！我們這個小地方，承蒙首相大人不棄，大駕光臨……真是太榮幸了！」

直起身子後，村長滔滔不絕地說了一大串恭維諂媚的話，直到狒狒低吼了一聲，才急忙住嘴，並憂心地問凱姆：「你真的能控制得了牠嗎？」

「除非牠聞到了犯罪的氣息。」

「幸好在我這個小村子裡是沒有的。」

細想之下，其實這個人高馬大、說話聲音低沉的努比亞籍警察，似乎也和狒狒一樣可怕。村長從前就聽說過，這位警察總長完全不理會行政事務，卻深入民間，因此作姦犯科的人都逃不出他的手掌心。如今在自己的地方見到他，可不是什麼值得高興的事。至於首相嘛！太年輕、太嚴肅、太愛查問了……帕札爾天生的威儀、眼神的深邃鋒利、態度的一絲不苟，都帶著一點不祥的兆頭。

「恕我斗膽請問一下：兩位身分如此尊貴，怎麼會到這偏僻的小村落來呢？」

「你的農田遼闊無邊，」凱姆說：「灌溉也做得非常好。」

「這只是外表的假象，這一帶的土地其實耕作不易。真是苦了那些可憐的農夫了。」

「可是去年夏天河水滿潮的漲水量很充足啊。」

「我們的運氣不好，由於這裡的水勢太猛，使我們的灌溉窪地都遭了殃。」

「可是據說是大豐收。」

「沒有，比去年差多了。」

「葡萄的收成呢？」

「更叫人失望！成群的害蟲把藤葉和葡萄都咬得支離破碎的。」

「可是其他村莊並沒有這個問題。」帕札爾說話的聲音裡充滿了懷疑，村長也沒有想到他會如此單刀直入。

「也許是其他村長吹噓的，也或許是我們這一村特別倒楣吧。」

「牲畜的情形如何？」

「病死了不少，雖然請了獸醫，卻還是太遲了。這個地方實在太偏遠了，而且……」

「路況很好啊。」凱姆反駁道：「卡納克神廟派來的專人把道路維修得很好。」

「雖然我們的資源有限，但希望兩位能夠賞光，留下來一起用餐。也希望兩位看在我誠心誠意的分上，不要介意舍下的粗茶淡飯。」

待客的殷勤好意向來是誰也不忍拂逆的，凱姆代表首相接受了邀請，村長便遣僕人回去通知廚子準備準備。

帕札爾發現這個村子一片繁榮景象；好幾間房子才剛剛重新上了白漆，牛和驢餵得飽飽的，毛色也很光亮，小孩身上全都穿著新衣。打掃得乾乾淨淨的街角，奉祀著神明的雕像，村長辦公室對面的廣場上，有一間麵包坊和一間磨坊，都是新近才開張的。

「恭喜你真是治理有方。」帕札爾說：「村民們衣食無虞。這是我見過最美的村子。」

「首相太誇獎了，我實在不敢當！請進！」

村長的房子無論從外觀的大小、房間數目的多少或屋內的裝潢看來，都不輸給孟斐斯貴族的豪宅。村長的五個小孩前來向貴客行禮致意，他的妻子也特意化了妝，並換上優雅的連身長裙，才出來見客。她低著頭，將右手放在胸前表示敬意。

他們坐在高級的草席上，享受著甜美的洋蔥、胡瓜、蠶豆、大蒜、魚乾、烤牛排、羊乳乾酪、西瓜和澆了角豆莢果汁的甜點。此外還有香醇的紅酒佐餐。村長的胃口簡直好得不能再好了。

「謝謝你熱情的款待。」帕札爾說。

「這是我無上的榮幸！」

「可以找農地書記官談談嗎？」

「他回孟斐斯北邊的老家去了，要一個星期以後才回來。」

「總可以看看檔案吧。」

「可惜不行。他辦公室鎖著，我不能……」

「我可以。」

「你是首相，當然可以，但是會不會有點……」村長頓了一下，唯恐自己說錯話：「到底比斯還有一段路，而且這個時節太陽下山得早，看這些無聊的檔案恐怕會耽誤你們的時間。」

一旁的狒狒吃完烤牛肉，「啪」的一聲便把骨頭給折斷了，把村長嚇了一大跳。

「檔案在哪裡？」帕札爾堅持道。

「嗯……我也不知道。書記官大概是帶走了。」

狒狒忽然站了起來。直立的牠有如一個高大魁梧的運動健將，紅通通的雙眼直盯得肥胖的村長雙手抖個不停。

「求求你把牠拴起來吧！」

「檔案拿來。」凱姆冷冷地說：「否則我的夥伴有什麼行為，我可不負責。」

村長的妻子跪在丈夫面前，哀求道：「你就實話實說吧。」

「在我這裡……文件在我這裡。我馬上去拿。」

「我和殺手陪你去，我們可以幫你搬。」

帕札爾才等了一會兒，村長就把一捲捲的紙軸攤在他面前了。村長嘟噥著說：「一切都合乎規定。這些觀察報告都是按時完成的，實在沒什麼好看。」

「讓我靜靜地看一下。」帕札爾說。

村長焦躁不安地退下，他的妻子也走出了飯廳。

做事近乎吹毛求疵的農地書記官，為了清點牲畜與糧袋的數目曾經來了好幾趟。他清楚地記載了地主姓名，以及牲畜種類、重量與健康情形。至於菜園與果園的記錄也極為詳細。最後他用紅色墨水寫下總結：各類作物收成極佳，收穫量高於平均值。

對此結果感到驚愕的帕札爾，簡單地計算了一下。以此地農耕面積之廣，作物的收成幾乎可以彌補卡尼的虧損了，為什麼這些竟沒有記錄在他的帳目之中？

「我一向都非常尊重他人的。」帕札爾說。村長點了點頭。他又繼續道：「但是如果他人堅持隱瞞真相，也就不再值得我尊重了。你該不會是這樣的人吧？」

「我已經都說了！」村長激動地說。

「我不喜歡使用暴力，不過在某些不得已的情況下，法官還是得用強，對不對？」

狒狒彷彿和首相心意相通似的，立刻撲上前去，用力將村長的頭往後拉扯。

「快叫牠住手，我的脖子要斷啦！」

「把其他的文件拿出來。」凱姆以平靜的語調說。

「我沒有了，真的沒有了。」

凱姆轉身向帕札爾說：

「我看我們還是出去散散步，讓殺手好好地訊問他吧。」

「不要丟下我不管！」

「其他的文件。」凱姆又重覆了一次。

「先叫牠把爪子拿開！」

狒狒於是鬆了手，村長則不斷撫摸著疼痛的頸子，抱怨道：

「你們簡直像野蠻人一樣！你們不能為所欲為，這種刑求地方官員的卑劣行為，應該受到譴責。」

「我也要控告你偽造行政公文。」

村長一聽，整個臉都白了，「如果我交出其餘文件，我要你確保我的清白。」

「你犯了什麼錯嗎？」

「我是為了全村的利益才這麼做的。」

他從放置碗盤的箱子裡拿出了一捲封住的紙軸。此時他臉上原本畏畏縮縮的表情，竟忽地變得兇殘而冷酷：「拿去看吧！」

文件中寫明了村子的資產都送到科普托思省的首府去了。農地書記官還寫了日期並簽了名。

「這個村子可是卡納克神廟的領地啊。」帕札爾提醒道。

「你弄錯了，首相。」

「可是大祭司的產業清單上，的確列了你的村子在內。」

「那個老卡尼也跟你一樣搞不清楚狀況，他的清單有誤，地籍資料才是正確的。你到底比斯查一查就會發現，我這村子的經濟管轄權是隸屬於科普托思，而不是卡納克。公定的地界可以證明。我要控告你蓄意毆打傷害，我的訴狀一呈上去，先要受審的人恐怕是你自己了，帕札爾首相。」

第十七章

底比斯地政處的守衛在睡夢中被一陣突如其來的聲響嚇醒了，他原以為自己做噩夢，後來才發現是有人敲門。

「誰啊？」

「警察總長，還有首相大人。」

「我最討厭人家惡作劇，尤其現在是三更半夜。趕快走吧，不然你們會後悔的。」

「你最好馬上來開門。」

「滾開，否則我要叫人來了。」

「去叫吧，剛好讓他們幫我們把門撞開。」

守衛滿心狐疑地從石窗欞往外看，只見月光下矗立著努比亞人與狒狒的巨大身影。是凱姆和他的狒狒！他們的聲名早就傳遍整個埃及了。他立刻卸下門閂：

「對不起，但這實在太意外了……」

「把燈點亮，首相要檢視地籍圖。」

「是不是通知一下處長比較好？」

「那就請他過來吧。」

地籍處負責人揪著臉怒氣沖沖地跑來，一見到首相氣便全消了，原來守衛並沒有胡說。首相的確在此令人意想不到的時刻，出現在他的辦公室！他立刻巴結著問：「不知道首相大人想看哪些圖呢？」

「卡納克神廟產業的地籍資料。」

「可是……好多耶。」

「先從距離最遠的村落開始。」

「北邊還是南邊？」

「北邊。」

「小村子或大村子？」

「最主要的村落。」

處長於是將地圖攤開在長木桌上，圖上清楚地標示了每個地區的界線、運河河道與聚落點。帕札爾卻找不到他剛剛造訪過的村落。便問道：「這些是最新資料嗎？」

「當然了。」

「最近沒有更動過嗎？」

「有，有三名村長前來要求更改。」

「為什麼？」

因為村界被水淹沒了，需要重新丈量劃定。工作由專家執行，我的部下則負責記錄觀測報告。

「他把卡納克的領地縮小了！」

「這與我們地政處無關，我們只負責記錄。」

「你們該不會沒有知會卡尼大祭司吧？」

處長退了幾步，似乎不願臉上的表情暴露在燈光下：

「我正打算呈給他一份完整的報告。」

「現在才送，不嫌遲了一點？」

「由於人手不足……」

「這名丈量專家叫什麼名字？」

「蘇美努。」

「住在哪裡？」

處長猶豫了一下，「他不是這裡的人。」

「不是底比斯的人？」

「不是，他從孟斐斯來的……」

「誰派他來的？」

「當然是宮裡派來的，還有誰？」

* * *

通往卡納克神廟的大道兩旁，紅白相間的月桂樹散發出一股柔和而迷人的氣息，聖所四周高大圍牆所撐起的肅穆感也因而淡化了不少。由於帕札爾再度來訪，卡尼便走出幽靜的聖殿與他交談，這兩個權勢僅次於法老的大人物，緩緩地走在兩排象徵保護意味的獅身人面像之間。

「我的調查有進展了。」帕札爾先說了好消息。

「調查有什麼用呢？」

「可以證明你的清白。」

「但我並不是清白的。」

「你被蒙騙了。」

「我只是被我自己的能力蒙騙而已。」

「你錯了！有三個距離最遠的村落，將他們的收成送到了科普托思，所以你的資產才會減少。」

「他們是屬卡納克管轄的嗎？」

「上次漲水之後，地籍資料被更改了。」

「在沒有徵求我的同意之下？」

「是由一名孟斐斯的土地丈量專家執行的。」

「太不可思議了！」

「我已經派人前往孟斐斯帶回這個叫作蘇美努的人了。」

「如果真是國王親自下令撤掉這些村子，你這麼做又有什麼用呢？」

* * *

在聖湖湖畔默思，參與晨間、中午與傍晚的儀式，加入在神廟屋頂進行的占星工作，閱讀古老的神話與冥世的相關資料，與退隱於阿蒙神廟中的要人交談……帕札爾在神廟中的生活就是這麼度過的。他感受著雕刻在石上的那份光明的永恆，傾聽著神祇與歷代君主的聲音，並沉浸在浮雕與雕刻所展現的永恆不變的生命當中。

他在恩師布拉尼的雕像前靜思了好幾次；雕像呈現的是一個上了年紀的書記官，膝上還攤著一本歌頌天地萬物的書。

當凱姆帶回消息之後，帕札爾立刻前往地政處。處長顯得十分高興，因為首相再度到來，表示自己確實相當有分量。

「你把孟斐斯那個土地測量員的名字再說一遍。」帕札爾說。

「蘇美努。」

「你確定嗎？」

「是啊……是他告訴我的。」

「我去查過了。」

「其實並不需要，因為一切都合乎規定。」

「我在地方上當小法官時，就有追根究柢的習慣，這麼做通常很花時間，不過卻很有用。你說他叫蘇美努，是嗎？」

「我可能是搞錯了……」

「宮裡的土地測量員蘇美努已經在兩年前過世了。是你冒用他的名字吧。」

處長半張著嘴巴，卻一點聲音也發不出來。

「擅改地籍是有罪的。你難道忘了，村落與土地歸屬的決定權在首相？收買你的人是看準了卡納克神廟大祭司和我本人都缺乏經驗，但是他錯了。」

「弄錯的人是首相你啊。」

「我們很快就知道了，立刻請盲人複查鑑定。」

*　*　*

底比斯盲人協會的會長是一個外表嚴肅的人，他天庭飽滿，下巴也相當厚實。每當河水氾濫沖失了界碑與產業的地標之後，若引發爭議，行政機關便會向他或其他會員求助。身為會長的他對土地可以說瞭若指掌，由於他跑遍了所有的田野與耕地，因此想要知道土地正確的面積，問他的雙腳就行了。

當他正在藤架下吃無花果乾時，忽然聽到有腳步接近，便說道：

「你們總共有三人：一人高大魁梧，一人中等身材，還有一隻狒狒。該不會就是警察總長和他聞名全國的下屬殺手吧？另一人難道是……」

「首相帕札爾。」

「這麼說是國家級的事務了。又有人想偷哪些土地呢？不，不要說！我的鑑定必須絕對客觀。這次要複查的是哪一區？」

「北邊科普托思省界附近那些富足的村落。」

「那一區的船員抱怨連連。聽說農作物遭蟲害，也遭到河馬踐踏蹂躪，其餘的收成也都被老鼠、蚱蜢和麻雀吃了個精光。真是撒的漫天大謊！那裡的農田好得不能再好，今年還是大豐收呢。」

「那一區的專家是哪位？」

「就是我。我在那裡出生長大的，二十年來地界從未變更過。我也就不請你們吃無花果、喝啤酒了，因為我想你們應該很急吧。」

＊　＊　＊

盲人會長手拿著一根枴杖，杖頭有一個尖嘴長耳的動物的頭（※註1），身邊則跟著一名丈量人員，正依著他的指示放線測量。

會長從未有一刻的遲疑，他確切地指出每塊田地四個角落的位置，並找到了界碑與以農作物保護神蟒蛇為主的神祇雕像，以及宮廷贈與卡納克神廟做為地界的石柱。一旁的書記官則忙著記錄、繪圖、造冊。

鑑定完畢之後，一切都明朗了：由於地籍資料遭到竄改，以致於原本屬於卡納克的肥田收成，卻歸了科普托思。

「『首相有責任界定每一省界，注意供品供應情形，並讓所有非法占有土地者無所遁形』：這是法老在我就任典禮上賦予我的任務，就像所有法老對所有首相的期許一般，對嗎？」

科普托思省長大約五十多歲，是名門世家之後，面對首相質問，不由得臉色發青。

「快回答，」帕札爾喝道：「你當時也在場的。」

「是的……國王的確這麼說過。」

「那麼你為什麼接受了不屬於你的財富？」

「那是因為地籍已經改了……」

「那是偽造的，我和卡納克大祭司都沒有蓋章！你應該通知我的。你在等什麼？等這幾個月趕快過去，等卡尼辭職，等我被革職，將首相之位拱手讓給你的同黨嗎？」

「你可不能含血噴人……」

「你明明為陰謀分子與殺人兇手提供了協助。以美鋒的心機，一定已經事先撇清了你和雙院之間的關係，我也將無法證明你們有所關聯。不過，光是你貪汙這條罪就夠了，你根本不配當一省的首長。你就等著被撤職吧。」

* * *

帕札爾便在底比斯卡納克神廟前的門殿開了庭。雖然凱姆一再提醒他要小心，但他還是沒有接受被告所提出「禁止旁聽」的請求，法庭四周因此擠滿了人。

首相簡單報告他的主要調查經過，並宣讀訴狀後，證人一一出席應訊，書記官也照實記錄。至於陪審團乃是由兩名卡納克神廟的祭司、底比斯市長、某位貴族之妻、一名助產士與一名高層官員組成，他們一致認為首相的裁決完全符合法令的規範與本質。

判決結果：科普托思省長免職，判刑十五年，並須付給廟方一大筆補償金；三名村長因隱瞞事實並私自挪用公糧，從此貶為農夫，原有家產則由村中最貧戶均分；至於底比斯地政處處長則被判勞役十年。

首相並未加重刑罰，而罪犯也未提起上訴。

美鋒的網絡就此斷了一條。

※註1：這根儀式用杖與「烏瓦斯」權杖造型相同，除了這個例外的情形之外，只有神明能夠持有，因為杖頭雕刻的動物便是風雨雷電之神塞托的象徵。

第十八章

「你看沙漠的天空。」長老對蘇提說：「寶石就是從那裡誕生的。天空將星星灑到人間，然後星星又衍生出了金屬。如果你能夠與星星對話，能聽到它們的聲音，那麼你就會知道金銀的祕密。」

「你懂得它們的話嗎？」

「在與族人走向不歸路之前，我是以飼養牲畜維生的。有一年鬧旱災，我的妻子兒女都死了，所以我才會離開家鄉，將命運交給未知的明天。那個人人都有去無回的地方，對我又有什麼重要的呢？」

「失落之城難道只是個夢？」

「前一任族長去過好幾次，也帶回了金子，這是事實。」

「我們走的這條路對嗎？」

「如果你是個戰士，你應該知道的。」

這一帶極為偏僻荒涼，已經好幾個小時沒見到羚羊的蹤跡了。於是長老再度以穩健的步伐，帶領著族人往前走。蘇提則退到豹子身邊；她原本躺在一頂簡陋的轎子上，此時則對那六名因自己能為黃金女神抬轎而深感榮幸的努比亞人說：「讓我下來吧，我想走一走。」

這幾名戰士照著她的吩咐做了，隨後則唱起了響聲震天的戰歌，威脅著要將敵人碎屍萬段，使敵人的神奇威力盡數失靈。

豹子一直繃著臉，蘇提便問：「妳生什麼氣？」

「冒這種險太愚蠢了。」

「妳不是想賺大錢嗎？」

「我們知道我們的金子在哪裡呀，何必要冒著渴死的危險，去垂涎一筆虛幻的財富？」

「絕不會有任何努比亞人渴死，而我也不是垂涎虛幻的財富；我這麼說了難道還不夠？」

「我要你發誓，一定會陪我去找回我們的金子。」

「妳為什麼這麼固執呢？」

「為了這筆金子你差點沒命耶，要不是我救了你，你又殺了叛國的將軍，哪能得手？人向命運挑戰也要有個限度。」

蘇提一聽不禁面露微笑：豹子把這些事都看成了個人的利益糾葛。其實，他並非覬覦那個叛賊的金子，他只不過是替沙漠行道，除掉一名背信忘義、並想逃過首相法庭制裁的殺人兇手罷了。而這筆自動送上門來的財富，恰好證明了他做得沒有錯。

「也許失落之城到處都是黃金，而且……」

「你那些瘋狂的計畫我不想聽！我只要你發誓一定會陪我回山洞去拿金子。」

「我一定會的。」

黃金女神這才心滿意足地又上了轎子。

*　　*　　*

他們來到一座山腳下時，路中斷了，山坡上卻滿布著發黑的岩石。風橫掃過沙漠，煙塵瀰漫的天空中，既沒有獵鷹也沒有禿鷹盤旋。

長老坐了下來，其他族人也跟著坐下。

「不能再前進了。」他對蘇提說。

「你害怕什麼？」

「我們族長能和星星對話，我們卻不能；過了這座山就再也找不到水點了。那些不信邪硬是進入失落之城的人，最後都逃不過被沙石吞噬的命運。」

「可是你們的族長卻沒事。」

「因為他有星星帶路，但是他的祕密也跟著他走了。反正我們不能再前進了。」

「你不是想死嗎？」

「但不是這種死法。」

「你們族長從來沒有透露過什麼嗎？」

「族長並不多話，他只付諸行動。」

「他每次探險的時間大概多久？」

「月亮上升三次的時間。」

「黃金女神會保護我的。」

「她要跟我們在一起。」

「你想違抗我的命令？」

「你想死在沙漠裡，那是你的自由，但我們只待到月亮第五次升起時，然後我們就回綠洲。」

於是蘇提走向豹子，此時的她顯得更加迷人了，在風的吹拂與太陽的照射下，她的皮膚呈現出琥珀的色澤，頭髮愈益金黃，也更突顯出她桀驁不馴的野性。

「我要走了，豹子。」

「你要找的那座城根本不存在。」

「其實那裡遍地黃金。我要尋求的不是死亡，而是另一種生活，當初我被關在書記官學校裡就夢寐以求的生活。這座城不僅存在，而且還屬於我們。」

「我只要我們的金子就足夠了。」

「我看得比妳遠，遠得多了！也許我殺死的努比亞族長的靈魂已經附到了我身上，並且正引導我走向一筆莫大的財富……有誰會笨到拒絕這樣的機會呢？」

「又有誰會笨到輕易就去冒險？」

「吻我吧，黃金女神，妳會為我帶來好運的。」

她的脣熾熱一如南風。最後她只說了一句：

「既然你敢離開我，你就必須成功回來。」

* * *

蘇提帶著兩袋鹹水、幾片魚乾、一把弓、幾枝箭和一把匕首便上路了。他沒有騙豹子，被他打敗的敵人的靈魂，的確會指引他的去路。

他站在山頂凝視著一片氣勢驚人的景象。只見一道紅土峽谷蜿蜒穿過兩面陡峭的懸崖之間，連接在另一頭的則是一望無垠的沙漠。蘇提義無反顧地走進了峽谷，就像一個泳者鑽入一波巨浪當中。他可以感覺到有個陌生國度在呼喚他，那裡所投射出的萬千光芒在在令他無法抗拒。

他輕易地通過了峽谷；沒有鳥、沒有野獸、沒有爬蟲類，彷彿一切生物都不存在似的。喝了幾口水之後，他找了一塊岩石的涼蔭休息，直到夜晚降臨。

星星出來後，他抬頭仰望，希望能解讀出其中的奧祕。星群之中似乎有一些怪異的圖案，他便在腦中用假想線將星星連在一起。忽然有一顆流星劃過天空，留下一條軌跡，蘇提牢牢地記在心裡，那就是他要走的方向。

儘管蘇提與沙漠有著心靈上的默契，但酷熱逼人，每走一步都痛苦不堪。他緊緊跟隨著那顆肉眼見不到的星星，好像他已經脫出那副痛苦的軀殼一般。最後，水袋終於空了。

蘇提跪了下來。遙不可及的遠方有一座紅山，他是沒有力氣到那裡去找水了。不過，至少他並沒有弄錯，此時的他多希望自己變成劍羚，一躍而上陽光高處，完全忘卻身體的疲勞。

為了向沙漠證明自己重新獲得了力量，蘇提站起身來，繼續往前走，他的兩條腿已經因沙地裡的火熱而脫了一層皮了。當他再度跪倒在地，膝蓋竟壓到了一片陶土碎片。他不敢置信地將碎片撿了起來。

有人在這裡活動過，可能是游民的部落。他往前走了幾步，卻連續聽到幾聲喀喀的碎裂聲，竟然到處都是一堆堆的瓦罐、瓦盤、瓦瓶碎片。雖然腳步越來越沉重，蘇提還是努力地爬上一座擋住了視線的瓦礫堆。

往下一看，正是失落之城。

那裡有一間磚砌的崗哨，已經半傾圮，還有幾棟破落的房子，和一間沒有屋頂、牆壁也搖搖欲墜的廟宇……紅山之中坑道縱橫，一旁則有盛接冬天雨水的水池、幾張用來淘金的傾斜石桌，以及礦工放置工具的幾間小石屋。到處，都覆蓋著紅沙。

蘇提邁開打顫的雙腳，使盡最後力氣跑到水池邊，他雙手攀在池沿，讓整個身體滑入水中。

溫溫的水，感覺真是美妙極了。他先讓水滋潤全身的毛孔之後，才飲水止渴。

喝完了水，他帶著一種莫名的興奮與激動，開始探索這座城池。

到處都找不到人或動物的骨骸，整座城的居民就這樣突然間棄城而去，只留下無數開挖出來的礦藏。每間屋子裡，都有純金純銀打造的寶石、杯盤與護身符，光是這些物事就是一筆巨大的財富了。

蘇提想確定礦脈依然可以開採，因此他便經由那些坑道，深入山的核心。他手眼並用地查驗著多條又長又容易開採的礦脈。山中金屬之多，實在是任何人也想像不到的。

他要教努比亞人將這筆不可思議的寶藏挖掘出來。相信只要稍加指點，他們必定可以成為很傑出的礦工。

當努比亞的太陽升上紅光磷磷的山巔之際，蘇提已經成了世界的主宰。如今富可敵國的他，帶著沙漠的祕密在屬於他的黃金之城中來回穿梭，突然間該城的守護神出現了。

就在城門處，有一隻鬣毛火紅的獅子，牠靜坐在原地，打量著這個入侵者。只要牠一爪揮過來，蘇提很可能就得身首異處。傳說中，這隻獅子總是隨時睜開著眼睛，從不睡覺，假如傳說屬實，那麼如何逃過獅子的戒備呢？

於是蘇提張開了弓。

獅子卻忽地站起身來，以緩慢而莊嚴的步伐走進一間破敗的建築物。蘇提原可趁機逃離的，然而在一股好奇心的驅使下，他卻彎著弓，跟了過去。

獅子不見了。昏暗的屋內，靜靜地躺著幾根金條。而失落之城的守護神化身為獅子，將這筆被遺忘的寶藏送給了蘇提之後，已然返回了冥冥之中。

豹子真是驚呆了。

這麼多的寶物，這麼大的財富……蘇提真的辦到了。黃金之城果真是屬於他們的。當她欣賞寶藏的同時，蘇提正帶領一群努比亞人，以熟練的手法採集脈石中的黃金。他們用榔頭和十字鎬將石英岩敲碎，並清洗乾淨後，才將黃金分離出來；有些色澤澄黃，有些暗黃，有些則帶點紅色，顏色都很美。好幾條坑道裡，含金的銀礦果然不負「光之石」的美名，在黑暗中閃閃發光，這些銀的價值絕不比金子低。

*　*　*

依照慣例，努比亞人先把金子製成塊狀或指環狀，才開始進行搬運。

蘇提在牆壁幾乎要傾倒的破廟裡找到了豹子。她沒有注意到蘇提的到來，只是一個勁兒地試戴著項鏈、耳環和手鏈。

「我們要把這個地方修復，」他語氣堅定地說：「妳能想像用金子打造大門，用銀鋪造地板，用寶石塑造雕像，那種金碧輝煌的景象嗎？」

「我不要住在這裡。這裡是不祥之地啊，蘇提。居民都被嚇跑了。」

「我不怕魔咒。」

「不要再挑戰命運了。」

「那麼妳覺得該怎麼做？」

「我們能搬走多少算多少，然後去取回我們的金子，再找一個安靜的地方定居。」

「妳很快就會厭煩那種生活的。」

豹子撇了撇嘴，蘇提知道他說中了她的要害，便繼續道：

「妳想要的是一個王國，而不是僻靜的鄉間角落。妳不是希望成為貴婦人，並擁有一大群僕役嗎？」她掉過頭去，蘇提卻不住嘴：「除了在皇宮之內，面對一群又羨慕又忌妒的貴族之外，還有什麼場合更適合佩帶這些珠寶項鏈呢？不過，我還能讓妳更美麗。」

他拿著一小塊磨得亮晃晃的金子，擦過豹子的手臂與頸項。

「好舒服啊……別停，繼續。」

於是他手上的金子往下滑過她的胸前，又繞過整個背部，然後到達最隱密的私處。豹子隨著蘇提的節奏搖擺著；當那寶貴的金屬，那凡人幾乎不可能碰觸到的眾神血肉，在她身上游移之際，她彷彿真的變成了努比亞人所敬畏的黃金女神了。

蘇提的手在豹子身上四處游走，任何小地方都沒有忽略掉，那塊金子就像是油脂香膏一般，使得豹子的身體在一種慵懶的愉悅之下，微微顫抖著。

她在破廟那金片閃耀的地板上，平躺了下來，蘇提立刻趴到了她身上。

「只要塔佩妮還活著，你就不屬於我。」豹子忽然嘆了口氣說。

「別想她了。」

「我非讓她化成灰不可。」

「妳都快當皇后了，難道還要做這種上不了檯面的勾當？」

「你是心疼她？」

「其實她對我已經夠寬大的了。」

「你會幫我對付埃及嗎？」

「妳這麼做，不怕我掐死妳？」

「努比亞人會殺了你的。」

「我可是他們的首領。」

「我卻是他們的女神！埃及遺棄了你，帕札爾背叛了你。我們報仇吧。」

蘇提忽然痛苦地大叫一聲，然後滾到了一旁。豹子見到了，偷襲他的原來是一條躲在石板底下的黑色蠍子。

蘇提將被咬的左腕咬破，吸出毒血後吐掉，然後喘息地對豹子說：

「你就要變成名不正言不順，但卻最富有的寡婦了。」

第十九章

帕札爾將奈菲莉緊擁在懷中，妻子的溫柔一掃他旅途的困頓，也使他重新恢復了鬥志。他把自己幫助卡尼，並對抗美鋒詭計的經過都告訴了妻子。她雖然為他感到高興，卻也難掩憂慮的神情。最後她才終於說出：「查魯堡壘有消息了。」

「是蘇提！」

「他失蹤了。」

「是什麼樣的情況？」

「根據堡壘指揮官的報告，他是逃走的，但是由於防軍接到命令不得出城，因此沒有派出巡邏軍找尋他的下落。」

帕札爾抬頭看著天空，輕輕地說：

「他會回來的，奈菲莉，他會回來幫我們。可是妳為什麼看起來這麼擔心呢？」

「我只是有點累。」

「說出來吧，求求妳。重擔不要一個人扛。」

「美鋒已經開始散播謠言中傷你。他不斷地宴請一些達官貴人與各省首長，西莉克斯也總在一旁靜靜地微笑作陪。說你缺乏經驗、說你的狂熱控制不當、說你的嚴苛近乎荒謬、說你能力不足、不懂階級制度的微妙、跟不上時代的潮流、緊巴著過時的傳統價值不放……這些都是他攻擊你的重點。」

「他太多話，會自我毀滅的。」

「他毀的是你。」

「妳不用擔心。」

「我不能眼看你受到如此的誣蔑。」

「我倒覺得這是個好預兆。因為美鋒會有這番動作，就表示他還沒有把握獲得最後的勝利。他剛剛遭受的重創，嚴重程度可能超過我的預估。他這種反應真的很有意思，對我也的確是不小的鼓舞。」

「還有，文書總監找了你好幾次。」

「找我做什麼？」

「他不願意透露。」

「還有其他重要的人找我嗎？」

「情報總長和農地總監也都來過。見你不在，似乎都很失望。」

這三個人都是法老九位友人中的成員，也是宮中最具有影響力的人，彈指間便能決定一個人的榮辱成敗。自從帕札爾擔任首相以來，這是他們第一次出面。因此他提議道：「中午請他們來用個餐，妳說如何？」

* * *

文書總監、農地總監與情報總長，都是聲音低沉、成熟穩重的人。他們都是經過書記官階級制度的考驗，一路攀升上來的，法老對他們的表現也極為滿意。三人戴著假髮，穿著打了褶子的長袖襯衫，外面還套著亞麻長袍，一起來到了首相官邸門前，經過凱姆與狒狒確認身分之後，方才進入。

奈菲莉先招待客人到花園參觀，他們對於戲水池、藤架、各種由亞洲進口的稀有樹種，以及女主人悉心照顧的花圃，都讚賞有加。應酬一番之後，奈菲莉才帶著他們到冬天的飯廳去找帕札爾，他正在和前首相巴吉談話，而三位來訪的貴客見到巴吉都顯得十分驚訝。

奈菲莉退下後，文書總監便對帕札爾說：「我們想私下和你談談。」

「我想你們想談的事情應該與我的職務有關，那麼為什麼不讓前任首相也參與談話呢？他一定能提供寶貴意見的。」

巴吉依然是神情冷漠，背脊微駝。他嚴肅地看著三人說道：「我們曾經一起工作，如今你們卻把我當陌生人了嗎？」

「當然不是。」農地總監回答。

「那就這麼決定了，」帕札爾說：「我們五個人一起用餐吧。」

他們各自坐在曲線設計的座椅上，面前的矮桌上則擺滿了僕人送來的食物。廚子準備了有以圓底陶缽烹煮、鮮美多汁的牛肉，以及串烤的雞肉、鴨肉。而除了新鮮的麵包之外，還有加了胡蘆巴和莧蒿製成的奶油，這種奶油沒有加水也沒有加鹽，並且儲存在陰涼的地窖裡，以防止變色。此外，還有青豌豆加胡瓜搗成的醬，是沾肉用的。

僕人將三角洲產的紅酒倒入杯中，又將酒罈放上木架後，便退出房間並隨手關上了門。

「我們是以國家高層領導人的身分發言的。」情報總長首先發言。

「你的意思應該是除了法老和我本人之外吧。」帕札爾說。

這句話卻刺傷了情報總長：「你這樣逞口舌之利有什麼用？」

「你的口氣太過分了吧。」巴吉插嘴道：「儘管你年紀較大、權位又高，還是應該尊重法老所選出來的首相。」

「我們秉著良心做事，實在無法不提出合理的批評與譴責。」

巴吉憤怒地站起來：「我絕不允許這種做法。」

「這麼做並無不當，也不違法。」

「我可不這麼認為。別忘了，你們的角色就是要幫助並服從首相的。」

「但是如果他的行為威脅到埃及的安樂，我們當然不能默不作聲。」

「我不想再聽了，你們繼續用餐吧，我要走了。」巴吉轉身便走出了飯廳。

帕札爾沒有想到會遭受如此猛烈的抨擊，也沒有想到巴吉的反應如此激烈，他突然感到好孤單。肉和菜都涼了，美酒也還留在杯中。只聽農地總監說道：

「我們和白色雙院院長談了很久，我們覺得他的憂慮很有道理。」

「為什麼美鋒沒有跟你們一起來？」

「我們來這裡的事，他並不知情，他是個年輕、容易衝動的人，面對這樣的大事很可能會失去客觀公正的立場。你同樣也還年輕，除非有足夠的理性，否則很容易把自己逼進死胡同裡。」

「以你的身分地位，實在不應該多說廢話，既然我們的時間都很寶貴，就請你有話直說吧。」

「你看看，你這樣的態度就不對了！統治埃及必須要有多一點的彈性。」

「統治的人是法老，我只負責維護瑪特的法則。」

「事實和理想有時候是有一段距離的。」

「有你這樣的想法，埃及亡國之日恐怕不遠了。」帕札爾不客氣地說。

「正由於你缺乏經驗，」農地總監說：「你才會將古老的規範斷章取義，而忽略了其中實質的內涵。」

「我並不這麼認為。」

「你是否以規範為名義，將科普托思的省長，也是當地名門之後判了刑？」

「我只是依法行事，並未考慮他的出身。」

「你打算以同樣的方式將其他有能力、受敬重的首長革職嗎？」

「假如他們做出危害國家的事，自然應該受法律制裁。」

「你把高階人士難免犯的錯誤和重大過失搞混了。」

「擅改地籍資料，這是小錯誤嗎？」

「我們很欽佩你的正直。」文書總監承認：「打從一開始，你就已經顯示出你的正義感與對事實的執著了，這一點是無可否認的，因此民眾不僅尊敬你，也很仰慕你。但是這樣難道就能夠避去災難了嗎？」

「你們究竟對我有何不滿？」

「如果你能向我們保證，讓我們放心，我們就沒有什麼不滿。」

第一回合的脣槍舌戰至此結束，真正的交鋒才剛要開始呢。

眼前這三個人對權力、階級制度與社會運作的機制無一不曉，假如美鋒能夠說服他們同意他的觀點，那麼帕札爾便不可能跨越這道關卡。被孤立、被圍剿的他，不正如同一個脆弱易碎的玩具嗎？

「我底下的部門，」農地總監說：「列出了地主與佃農的名單，統計了牲畜的數目，評估了農地的收成，我手下的專家們根據農民的意見訂定了稅率，可是稅收實在太微薄了。我以為應該將飼料與牛隻的稅率加倍。」

「我不贊成。」帕札爾搖搖頭。

「為什麼？」

「在艱困時期，加重賦稅是最不明智的解決辦法。我覺得當務之急必須先消弭社會的不公，因為目前儲存的糧食還足以應付幾次漲水量不足的情形。」

「有一些法律條文對鄉下居民太過優惠，應該修改。例如若有課稅不公的情形發生，大都市的居民只有三天的時間上訴，而鄉村民眾的期限卻長達三個月。」

「我本身也是這項條文的受害者。」帕札爾回想起自己的遭遇，「我會延長都市民眾的期限的。」

「你至少可以提高有錢人的納稅率吧。」

「全埃及繳納最多稅金的是愛利芬丁的首長，他繳給國庫的稅相當於四塊金條。一個面積不大的省分的省長，繳了一千條麵包、幾隻小牛、幾隻牛、幾袋稻穀還有蜂蜜，不需要再增加，因為這些已經足夠供養一個大莊園和幾個村落的生計了。」

「難道你打算找手工藝匠下手？」

「當然不是。他們的住家還是免稅，而且我也堅決主張不得扣押他們的工具。」

「你會在木材稅方面讓步嗎？這個可是得推廣到所有省分去的。」

「我仔細研究過木材中心與其接收荊棘、棕櫚纖維與小塊木材的情形，寒冷季節期間，木材的分發也都沒有問題。既然循環順利，又何必更動這項團隊作業呢？」

「這是你不了解狀況。」情報總長說：「以我們目前的經濟架構而言，已經不只是時節的需求問題而已。我們必須增加產量，那麼贏利……」

「這是美鋒最喜歡用的字眼。」

「他是雙院的院長啊！如果你和你的經濟首長都不能達成共識，又怎麼能有和諧完善的政策？你乾脆趕他下臺，也趕我們下臺吧！」

「根據傳統的律法，我們還是可以一起工作，埃及是個富足的國家，尼羅河提供了豐富的資源，只要我們每天努力對抗不公不義的情況，國家就能持續繁榮下去。」

「你的過去似乎造就了你錯誤的想法。經濟……」

「如果經濟凌駕於司法之上，災難就要開始降臨埃及了。」

「我覺得應該盡量壓制廟宇的勢力。」文書總監建議道。

「你覺得神廟有什麼問題？」

「絕大部分的糧食、產物與成品在依照人民的需求分配出去之前，都會送到神廟裡去，利用直接一點的分配管道，不是比較好嗎？」

「這麼做將違反瑪特的原則，也將使得埃及在短短幾年內滅亡。神廟是我們的資源調節中心，隔絕在那高牆背後的專家們，一心只想著維繫整體的和諧。多虧有神廟，我們才能與無形的世界以及宇宙的生命力結合，幾百年來，廟中的學校與工坊更造就了國家無數的人才。你難道想使其毀於一旦？」

「你曲解我的意思了。」

「恐怕你的念頭原本就是歪曲的吧。」

「你竟敢羞辱我！」

「難道不是你先揚棄我們的基本價值的？」

「你太頑固了，帕札爾。你簡直是個狂熱分子！」

「你若真的這麼想，不要再猶豫了，馬上請求國王結束我的性命吧。」

「你背後有卡納克大祭司卡尼撐腰，而卡尼又是拉美西斯面前的紅人，算是你的運氣。不過這個運氣和你的支持度一樣，都持續不了多久的。辭職吧，帕札爾。無論是對你或對埃及而言，這都是最好的辦法了。」

第二十章

赫利奧波利斯神廟的園丁長簡直嚇壞了，他獨自坐在一棵橄欖樹下，淚流滿面。收到緊急通知的帕札爾，衡量情勢之後，覺得有必要親自跑一趟。此時他面對園丁長也不由得全身發抖，冷風一陣陣吹來，不斷翻轉著銀白的葉背。

「告訴我事情的經過。」他向園丁長說道。

「當初是我親自監督收成的……全埃及歷史最悠久的橄欖樹啊！太過分了……為什麼要做這樣的破壞呢，為什麼？」

園丁長再也說不下去。帕札爾告訴他說不是他的錯之後，也顧不得再多加安慰，便跟著凱姆前往儲存全國最上等燈油的拉神神廟去了。

神廟的地板上，流滿了黏稠的液體。所有的罈子都被掀去了封蓋，裡面的油也倒光了，沒有一只逃過了魔掌。

「你調查的結果如何？」

「嫌犯是單獨行動。」凱姆答道：「從屋頂爬進來的。」

「跟醫院那次一樣。」

「一定是企圖謀殺你的那個人。可是為什麼要這麼做呢？」

「因為美鋒不滿神廟在經濟方面扮演的角色，斷了照明油料的來源將會影響書記官與祭司的工作進度。你馬上傳令下去，要所有的警察嚴加戒護所有的儲存油料。至於孟斐斯地區，就使用宮廷的存油。不能讓任何油燈因缺乏燃料而熄滅。」

面對首相的堅持，美鋒果然立刻採取行動予以反擊。

＊　＊　＊

官邸裡，每個男僕都揮動著以長硬纖維束成的掃把，每個女僕也都拿著蘆葦製成的刷子，大夥兒正賣力地清潔地板。屋裡經過煙熏之後，飄著乳香、肉桂與樟木的香味，不但有消毒的作用，還能驅除討厭的蚊蟲。

「夫人在哪裡？」帕札爾一進門就問。

「在穀倉。」總管回答。

走進穀倉，只見奈菲莉蹲在牆角，正在埋一些蒜瓣、魚乾（※註1）和天然含水蘇打，便問道：「有什麼東西躲在那裡？」

「可能有蛇，這些東西可以讓牠窒息。」

「為什麼要大掃除？」

「我怕刺客還放了其他的東西。」

「是不是又發現了什麼？」

「目前還沒有，不過我們會把所有可疑的角落都檢查一遍。法老怎麼說？」

帕札爾一邊扶她站起來，一邊說道：

「資政們的態度讓他感到十分驚訝，也證明整個國家幾乎已經病入膏肓。恐怕我的醫術是沒有辦法像妳如此高明的。」

「他怎麼回答朝臣呢？」

「他說他們的請求由我全權處理。」

「他們提出了要你下臺的事嗎？」

「那只是他們個人的建議。」

「美鋒仍然繼續在散布流言。」

「他也並非毫無破綻，我們必須針對這點著手。」話才說完，帕札爾便忍不住打了個噴嚏，緊接著又打了個冷顫，「我又得看醫生了。」

＊　＊　＊

鼻炎的病人總是全身筋骨痠痛、頭昏腦脹，可輕忽不得。帕札爾喝了一點洋蔥汁（※註2），用棕櫚樹汁清潔鼻孔，並以吸入法減輕充血的情形，最後再喝一點瀉根酊以防止併發肺炎。見到主人在家，最高興的就算是勇士了，牠心滿意足地睡在主人的床腳邊，不只可以享受舒服的軟墊，偶爾還能順便吃到一湯匙的蜂蜜。

儘管有點發燒，帕札爾還是照常查閱凱姆帶來的公文。日子一天天過去，帕札爾對首相的工作也越來越駕輕就熟了。這段時間的休養對他相當有幫助，至少他發現了從南到北的各大神廟並未受到美鋒的控制。他們遵循先人的教誨管理經濟，並且謹慎地分配穀倉中的存糧，幸賴有卡尼與其他大祭司的配合，帕札爾暫時還能穩住國家的舵槳，至少在拉美西斯讓位的最後期限之前是的。

帕札爾吸了硫化砷氣體，也就是醫界稱為「使人心花怒放的藥」之後，感覺舒服多了。為了預防咳嗽，還喝了以蜀葵和新鮮藥西瓜的根煎煮成的藥劑。當然還有每天必喝、療效卓著的銅水了。

一見到凱姆敲著自己的木鼻，帕札爾就知道他一定有重要的事要說：

「首先是一則令人憂心的消息：我前任那個不肖的警察總長孟莫西，已經從放逐地黎巴嫩逃走了。」

「太冒險了吧……要是再被抓到，他可就得進苦役牢營了。」

「這點孟莫西也知道，因此他的失蹤並非好兆頭。」

「你是說跟美鋒有關？」

「有可能。」

「也許只是單純的脫逃呢？」

「但願如此，不過孟莫西對你的恨可不比美鋒少。你把他們倆都嚇壞了，因為他們不了解你的正直，以及你對司法正義的熱愛。如果你只是個小法官，無所謂。可是當首相……絕對不行！孟莫西可不想安度餘年，他要報仇。」

「布拉尼的謀殺案方面還是沒有進展？」

「沒有直接的線索，不過……」

「不過什麼？」

「依我看，那個多次想要謀害你不成的人，就是殺害布拉尼的兇手。他神出鬼沒，行動之敏捷更不遜於獵犬。」

「你是想告訴我說他是個幽靈？」

「不，不是幽靈……而是我從來沒有遭遇過的暗影吞噬者，一種以殺人為樂的惡魔。」

「他終於露出了什麼破綻嗎？」

「他或許不該利用另一隻猩猩來攻擊我的狒狒。因為這是他唯一一次請了幫手，也因此和其他人有了接觸。我原本擔心這條線索會被切斷，可是我底下有個消息很靈通的線民叫短腿，他最近遇上了麻煩，因為法官提高了他要按時付給前妻的贍養費。所以呢，他也就想起一些事情來了。」

「他可能知道暗影吞噬者的身分嗎？」

「若是這樣的話，他一定會要求巨額的賞金。」

「給他。你們什麼時候碰面？」

「今晚，在碼頭後側。」

「我也去。」

「你還是在家休養的好。」

*　*　*

奈菲莉將提供昂貴而稀有物質的主要供應業者都請了過來。雖然尚有存貨，但以目前收成不佳、運送困難的情形看來，最好還是盡快補貨比較妥當。

「我們先從沒藥的開始吧。朋特地區下次出貨的日期預定在什麼時候？」

沒藥的負責人輕輕咳了幾聲，才說：「我不知道。」

「你不知道？這是什麼意思？」

「還沒有訂日期。」

「好像是由你決定的吧？」

「可是我既沒有船，也沒有人手。」

「為什麼？」

「我還在等國外的消息。」

「你去找過首相嗎？」

「我不想越級報告。」

「發生這種意外情況，你應該通知我的。」

「反正也不急……」

「現在可就很緊急了。」

「可是我需要有書面命令。」

「我今天就給你。」

接下來，奈菲莉轉向另一名供應商，「你訂購了綠色樹膠脂古蓬香脂（※註3）了嗎？」

「訂是訂了，但貨不會這麼早到。」

「為什麼？」

「這還要看亞洲栽植業者和販售業者的心情。政府機關一再警告我不要觸怒他們，以免發生什麼意外情形，而使得雙方關係更為緊張。要是一有機會……」

「那麼深色樹脂勞丹脂呢？」奈菲莉又問第三名供應商，「我知道這些樹脂是從希臘和克里特島來的，而且這兩個國家買賣一向很乾脆。」

「唉！這回可不同了。由於收成欠佳，所以他們決定不外銷。」

奈菲莉不再詢問其他業者，因為從他們臉上的表情就可以看出，他們的答案也都是否定的。

她又轉向沒藥的供應商問道：

「埃及這邊是誰負責驗收這些產品的？」

「海關人員。」

「他們隸屬於哪個機關？」

供應商含糊地答道：「屬於……屬於白色雙院。」

奈菲莉原本總是柔和溫順的眼神，突然露出了憤怒不平的光芒。她以堅定的語氣說：

「你們甘願成為美鋒的爪牙，卻也同時背叛了埃及。我將以御醫長的身分控告你們危害人民的健康。」

「我們也不願意這麼做，是受到情勢所逼啊……妳應該承認世界不斷地在進步，埃及也必須迎頭趕上。我們的交易方式變了，而一切關鍵都掌握在美鋒手上。如果妳答應調增我們的利潤，那麼貨品的輸送很快就能恢復正常了。」

聽了沒藥供應商的條件，奈菲莉簡直忍無可忍地表示：

「你們是在要脅我……你們竟然以自己同胞的性命與健康來要脅我！」

「這樣的措辭未免太強烈了。我們很願意跟妳談的，只要協商順利……」

「既然情況緊急，我會向首相申請徵調令，由我親自與國外接洽。」

「妳不敢這麼做的！」

「貪婪是一種不治之症，我也無能為力。請美鋒幫你們另外找差事吧，醫藥部門不再和你們合作了。」

※註1：這裡指的是一種慈鯛。

※註2：治療感冒極為有效的藥方。

※註3：這些由樹木或灌木提煉出來的樹膠脂（古蓬香脂與勞丹脂），在當時被視為藥品，如今則廣泛應用於香料製造業。

第二十一章

帕札爾雖然高燒不退，不過他還是簽了一份徵調令，讓御醫長親自出面，以確保醫療重要物質樹膠脂能正常供應。一拿到公文，奈菲莉立刻趕往外國事務處，親自監督訂單的擬定。

對於最心愛的病人的病情她並不擔心，只不過必須讓他在房裡休息兩三天，以免病情再度惡化。

至於帕札爾自己卻是一點也不肯休息，房裡擺滿了各部門書記官送來的紙軸與木板，而他則是努力地想從中找出美鋒的弱點。他預設了美鋒可能使用的策略，然後再一一想出迴避之道；總之，這個雙院院長和他的同黨一定還會找其他法子打擊他的。

當總管通報了來客的姓名時，帕札爾以為自己聽錯了。儘管心裡震驚，他還是答應見他。

依然自信滿滿，依然穿著最新潮卻又嫌太窄的高級亞麻長袍，美鋒一見到首相，便熱情地迎了上去：

「我帶了一罈先王塞提二年分的白酒。這可是有錢也買不到的美酒！你會喜歡的。」他也不等主人開口，就自己坐到帕札爾對面的椅子上，接著又說：「我聽說你病了，不要緊吧？」

「很快就會沒事的。」

「你的確很幸運，有全國最優秀的醫生照顧，不過，我覺得你這次積勞成疾，顯示首相的這個擔子實在太重了。」

「只有你那寬厚的肩膀才能承擔得起，是吧？」

「宮裡流傳著不少謠言，大家都說你碰到了許多大難題，以致於無法有效地執行職務。」

「不錯。」美鋒一聽他坦承不諱立即面露微笑。帕札爾又說：「我甚至可以肯定我永遠也辦不到。」

「親愛的帕札爾，這場病對你真是有利無害。」

「有一點希望你老實告訴我；既然你擁有決定性的武器，又既然你那麼確定能登上王位，為什麼我的所作所為還會干擾你呢？」

「你的一切作為對我只不過就像蚊蟲叮咬一樣，沒有威脅卻不舒服。假如你答應服從我，選擇進步的路線，你還是可以繼續當你的首相。畢竟你在民間的聲名是不容忽視的；每個人都對你的工作能力、你的正直、你的英明睿智，讚不絕口……因此我將來推動政策時，一定用得上你。」

「卡納克的大祭司卡尼不會同意的。」

「就看你怎麼讓他上當了！上回奪取神廟土地的計畫失敗，你要負絕大的責任，這也算是你欠我的。這種宗教經濟體制已經過時了，帕札爾；我們不應該抑制生產力，而是應該不斷地擴增財源才對。」

「這樣就能保障人民的幸福，與民族間的和諧嗎？」

「這不重要，重要的是控制經濟的人就能獲得權勢。」

「不過我總會想到我的恩師布拉尼。」

「他也已經成為過去式了。」

「根據年鑑的記錄，從來還沒有罪犯未受到懲罰的。」

「忘了這段傷心的往事吧，多想想未來。」

「凱姆一直都在持續地調查，他說他知道殺人兇手是誰了。」此時美鋒雖故作鎮靜，眼神中依然流露出些許的不安。帕札爾繼續說道：「我的假設卻和凱姆不同；有好幾次我都猶豫著，不知該不該起訴你的妻子。」

「西莉克斯？可是……」

「當初吸引司芬克斯衛兵長的注意力，使得他失去防備的人，就是她。打從陰謀計畫一開始，她就對你唯命是從，而且她還有著高超的裁縫技巧，使針的功力比誰都高。古時的賢人說過，如孩童般的女人是最可怕的。因此我覺得她絕對可能將貝殼針插入我恩師的頸背，使他送了命。」

「你大概是燒壞腦子了。」

「西莉克斯需要你的財富，但你卻想像不到自己竟成了她的俘虜。你們之間的關係其實是靠著一股邪惡來維繫的。」

「別再胡言亂語了！你到底屈不屈服？」

「你以為我會屈服？你才真的是神智不清呢。」

美鋒倏地站了起來，「你別想跟我作對，也別想找西莉克斯的麻煩。你和你的國王，注定是要輸了；你們永遠也不可能拿到眾神遺囑的。」

* * *

夜風帶來了春天的氣息，沙漠的嚴酷也隨著又香又暖的春風，飄向了遠方。家家戶戶都不再那麼早上床，大夥兒聊著白天發生的事，怎麼也聊不完。凱姆耐心地等著最後一盞燈熄滅後，才走進通往碼頭的巷道內。

狒狒走得很慢，一個頭左轉右轉，上看下看的，似乎直覺到了什麼危險。牠一會兒緊張兮兮地往回走，一會兒又突然加快腳步。不過凱姆對牠的舉動毫不加以干涉，在黑暗中，狒狒才是他的嚮導。

碼頭區一片靜悄；倉庫前有幾名守衛看守著。凱姆和短腿約在一棟廢棄待修的建築物後面。這裡是短腿進行非法交易的老地方，而凱姆也總是睜一隻眼閉一隻眼，以換取一般警察蒐集不到的資訊。

短腿從一出生就已經偏離了正道，骨子裡天生就帶著叛逆的他，最大的樂趣就是偷別人的東西。孟斐斯的小老百姓在他眼裡簡直毫無祕密可言，調查之初，凱姆便認定只有短腿能提供關於刺客的消息，但他也不願意逼得太緊，以免他口風守得更緊反而不妙。

狒狒忽然停下腳步，戒備著。牠的聽覺本來就比人好得多，加上接受過警察的訓練，感覺自然更加敏銳了。有幾片烏雲將月亮遮去了四分之一，使得門板脫落的廢棄倉庫上方，罩上了一些陰影。殺手停了一會兒，才又繼續前進。

短腿之所以改變心意完全是由於本身的官司問題，因為他的前妻受人指點，想把他辛苦賺來的積蓄剝削個精光。如今他只好出售他最寶貴的資訊：暗影吞噬者的身分。他會要求什麼樣的交換條件呢？是金子？還是想做一樁史無前例的大買賣，希望警察總長視若無睹？或是一大批的酒呢？

凱姆心裡正想著，突然聽到狒狒發出一聲尖銳的叫聲。凱姆以為牠受了傷，急忙幫牠上下查看，結果確定沒事之後，狒狒才又往前走去。

繞過倉庫到了約定的地點，沒有人。

凱姆和狒狒一塊兒坐下等著，狒狒此時倒顯得很平靜。短腿又臨時改變主意了嗎？凱姆覺得不太可能。因為他現在的確急需要物質資助。

夜晚一分一秒過去了。

就在天將破曉前，殺手牽起了同伴的手，然後拉他走進倉庫。倉庫裡，棄置的籃筐、毀損的木箱、殘破的工具……散落得到處都是。狒狒穿過滿地的雜亂，走到一堆穀袋前停下來，接著又發出了和幾個小時前同樣的叫聲。

凱姆已有了預感，恨恨地扯掉袋子。

只見短腿被牢牢地釘在木柱上，他是來赴約了，只可惜卻被暗影吞噬者搶先一步扭斷了頸子，如今他再也無法透露刺客的姓名了。

*　*　*

帕札爾不斷試著安慰凱姆。

「都是我害死短腿的。」凱姆頗為自責道。

「不能這麼說，是他先來找你的。」

「我應該派人保護他才是。」

「怎麼保護？」

「我不知道，我……」

「不要再折磨自己了。」

「暗影吞噬者聽到了風聲，所以才跟蹤短腿，並且殺人滅口。」

「也或許是短腿想勒索他呢。」

「像他這種貪得無厭的人倒也可能做出這樣的事來……這條線又斷了。當然了，你身邊的護衛是不會鬆懈的。」

「你去安排一下，明天我們就出發到中部去。」

聽帕札爾說得黯然，凱姆不禁問道：「出了什麼事嗎？」

「外省的高階行政主管送來了幾份報告，很令人擔憂。」

「關於哪方面的報告？」

「水。」

「你是擔心……」

「情況非常不樂觀。」

*　　*　　*

奈菲莉剛剛做完一項難度極高的手術；傷者是一名年輕的手工藝匠，他從屋頂高處不慎墜落，傷及顱骨與頸椎，右側太陽穴也凹陷了。幸好及時送到醫院來，總算撿回了一條命。

筋疲力盡的奈菲莉才到休息室睡了一會兒，就被一名助理醫生叫醒了過來：

「對不起，可能需要妳來一趟。」

「找另一個外科醫師吧，我實在沒有力氣再上手術臺了。」

「這名病患很奇怪，我們需要妳來作診斷。」

奈菲莉只得起身隨助理醫師前去。

是位女病患，她雙眼睜得大大的，眼神卻十分呆滯。病人約莫四十來歲，身穿一件華麗的連身長裙，手腳都保養得很好，顯示家境應該相當寬裕。

「她倒在北區的一條巷子裡，」助手解釋道：「當地的居民都不認得她。她的情形很像我們剛剛麻醉的一個病人……」

奈菲莉聽了聽脈搏，又檢查了眼睛之後說：

「這個女人吸了毒，而且是只有醫院才能使用的罌粟精（※註1）。這件事必須立刻展開調查。」

*　*　*

由於妻子一再堅持，帕札爾只好延後行程，並派凱姆前往北區現場勘驗。那名女病患已經死於吸毒過量，死前也一直沒有清醒過來。

既然有狒狒在場，居民也不敢不老實說。那名女子已經來了三次，每次都有一個男人在這裡等著。那人是希臘人，做的是高級瓶罐的買賣，本身擁有一間華宅。凱姆到嫌犯住處時，他並不在家；女僕便請警察總長先到會客室等等，並奉上了新鮮的啤酒。她說主人到碼頭去處理事情，很快就會回來了。

這個高高瘦瘦、留了一臉大鬍子的希臘人，一見到警察總長轉身就跑，凱姆卻也不追，因為他相信殺手自會替他處理。果然狒狒一個勾腳就把嫌犯絆倒，整個人都趴到地上去了。

凱姆拉著嫌犯的長袍，讓他起身，而他一開口就是：「我是無辜的！」

「你害死了一個婦人。」

「我只是一個單純的瓶罐商人。」

有一度，凱姆甚至懷疑自己是不是抓到了暗影吞噬者；不過，暗影吞噬者是不可能這麼輕易就上當的。

「你再不說實話，你就等著被判死刑吧。」

希臘人急得都要哭出來了，「你可憐可憐我！我只是中間人而已。」

「你向誰買的毒品？」

「向一些希臘人，他們在希臘種植這些植物。」

「我們奈何不了他們，卻能治你。」

狒狒血紅的眼睛彷彿在替警察總長的威脅作保證，希臘人連忙說：

「我可以把這些人的名字給你。」

「我要你顧客的名單。」

「這不行！」

話雖如此，可是一待狒狒那毛茸茸的手掌搭上了他的肩，他便嚇得一五一十地全招了，名單中包括有多位公務員、商人與幾位有名望的人士。

而西莉克斯夫人也赫然名列其中。

※註1：從罌粟或虞美人提煉出來的鴉片與嗎啡，可用作鎮靜劑或止痛藥。

第二十二章

出發的那天早上，帕札爾收到了美鋒的宴會邀請，會中同時還會有朝中顯貴、高級官員與幾位省長出席。依照慣例，白色雙院院長必須在冬末舉行一個盛大的宴會，並邀請首相參與。

「他在嘲弄我們。」奈菲莉說。

「只要對他有利，他還是會屈就傳統的。」

「我們一定要參加這個虛偽的宴會嗎？」

「恐怕是的。」

「西莉克斯被控一事，一定會引起軒然大波。」

「我會盡量低調一點。」

「毒品的非法交易停止了嗎？」

「凱姆的辦事效率的確驚人，那些希臘毒販和買方全都在碼頭上被捕了……除了西莉克斯之外。」

「目前不能動她分毫，對不對？」

「美鋒的威脅嚇阻不了我。」

「販毒的行為已經告一段落，這才是最重要的，為什麼你非要現在把美鋒的妻子關進牢裡不可呢？」奈菲莉不解地問。

在酪梨樹下，帕札爾抱住妻子輕輕地說：「為了伸張司法正義。」

「可是行為的時機是否恰當，不也和行為本身同樣重要嗎？」

「妳的意思是要我再等？可是時間一天一天地過去，眼看法老讓位的期限就要到了。」

「就算戰到最後一刻，我們也要保持清醒。」

「眼前的一切實在太晦暗了！有時候我真……」

她不讓他把話說完，便以食指按住他的雙脣說：

「埃及的首相是永遠不會退縮的。」

＊　＊　＊

帕札爾向來深愛中部的景致，尼羅河夾岸聳立的白色峭壁、綠意盎然的廣闊平原，還有林木稀疏、遍布著貴族墓穴的山丘。這裡沒有孟斐斯的高傲氣質，也沒有底比斯的豔陽光輝，但是卻有著家族世代相傳的一方方田產，其中更保留了佃農彎腰辛勤之際所播下的祕密。

旅途中，狒狒一直沒有發出警訊，越來越溫和的春天氣息似乎讓牠感到心神舒暢，只不過眼神中依然閃著炯炯光芒。

劍羚省一向以水源管理的完善而自豪，幾百年來，省民生活無虞，沒有貧富之分，更從未鬧過水荒。漲水量較少的年分裡，精心設計的蓄水池便可發揮功效，提供灌溉用水。運河、水閘和堤壩則有專家定時監督維護，尤其退水之後更是重要的關鍵期，有許多農田會持續淹沒在水中，吸取珍貴的河泥，這也是埃及被稱作「黑色土地」的由來。座落在山丘頂上的村落，則不時有歌聲傳來，歌頌著隱藏在河中、能使土地肥沃的能量。

每隔十天，帕札爾都會收到有關本地儲水的詳細報告，而他也經常會突擊檢查，以確定相關單位的確將工作落實了。這回前往劍羚省的首府，沿途所見景象都讓帕札爾感到欣慰，堤壩完好無缺損，水池密布，疏通運河的工人也正努力地工作，這一切都叫人安心。

首相的到來引起了不小的轟動，大家都想目睹這位名人的風采、向他提出要求、讓他為自己主持公道。不過，所有人的態度都很溫和，人民的尊敬與信任使得帕札爾深受感動，也因而激發出了一股新的力量。為了這些人，他更有責任保護國家的完整。他向上天、尼羅河與豐沃的土地禱告，他祈求這些造物的力量能幫助他開啟心靈，完成拯救法老的任務。

省長已經將重要的幹部都召集到他美麗的白色官邸了，其中包括：堤壩監督、運河監督、儲水分配官、公共測量官與季節性工人招募官，每個人都顯得臉色沉重。首相一到來，大家紛紛行禮致意後，省長也連忙起身讓位，由首相主持會議。這位省長今年六十多歲，祖先好幾代以前就在此定居，他身材微胖，性情隨和，有一個有趣的名字叫亞烏，也就是「肥牛」的意思。他首先發言歡迎首相：

「首相的蒞臨實在是下官與省民的莫大榮幸。」

「我收到一些預警的報告，這些報告可靠嗎？」

首相開門見山的問題雖然有些突兀，但省長卻也不感到訝異，歷屆的首相都是如此，由於工作繁忙，並不作興應酬這一套。

「是我帶頭寫的。」

「有好幾個省都面臨了同樣的問題，我之所以挑中你這一省，是因為長久以來這裡一直是模範省。」

「那麼我也就不拐彎抹角了！中央的指令實在令人不解。」亞烏開始抱怨道：「本來我一直有絕大的自由治理我的省，而我的政績也從來沒有讓法老失望過。可是自從上次漲大水之後，中央就開始下達一些很不合理的命令！」

「你說說看。」

「公共測量官跟往年一樣，計算了適當的填土量以修復堤壩，可是審核的時候，卻把這些數字降低了。如果我們接受中央的修正，那麼堤壩將會不夠堅固，很快就會被大水沖毀的。」

「是誰下令修改的？」

「孟斐斯的總測量處。而且還不只如此！在維修與填補堤壩時，我們的季節性工人招募官對於需要多少工人，一向非常清楚，可是就業處卻無緣無故地刪減了一半的人數。更嚴重的是：淹灌區的利用。還有誰會比我們更清楚如何依照作物耕作的節令，讓上游地區的水流往下游地區呢？可是雙院的技術部門卻硬是塞了一些與節氣無法協調的日期給我們。產量增加之後，賦稅也隨著調增，這點就更不用說了。我真不明白，孟斐斯這些官員腦子裡到底在想什麼？」

「讓我看看那些公文。」帕札爾要求道。

省長命人將文件拿來。公文上簽字的官員若非直屬於白色雙院，便是多少受美鋒直接控制的部門的人。

「幫我準備書寫工具。」

書記官於是將備有墨水與蘆葦筆的文具臺遞了上去。只見帕札爾下筆快速地取消了原有的命令，並蓋上他個人的印章。然後說道：

「我已經修正了這些行政疏失，以後你們無須再理會這些失效的指令，一切還是照舊。」

省府的官員們個個目瞪口呆，不知如何是好，最後還是亞烏開口問道：

「你的意思是我們……」

「以後凡是沒有蓋上我的章的公文，都視為無效。」

問題這麼快就解決了，官員們都喜出望外，大家向首相行禮告退後，便抱著輕鬆愉快的心情回到了工作崗位上。然而，省長卻好像還有顧慮，帕札爾便問他：

「你還有其他問題嗎？」

「你這麼做不就等於公開向美鋒挑戰了嗎？」

「我手下的部長也可能做錯事的。」

「那為什麼還讓他繼續留任？」

帕札爾就怕這個問題。直到目前為止，他與美鋒的交戰都是暗中進行的，但是這次水的事件卻揭露了首相與雙院院長之間存在著極大的歧見。

「因為美鋒的工作能力很強。」他小心地回答。

「最近美鋒不斷地和各省省長接觸，想說服大家接受他的政策，這件事你可知情？我和其他省長都不禁要問：首相到底是你還是他？」

「現在你不是已經得到答案了？」

「是啊，這樣我也放心多了……我實在對他的提議沒有興趣。」

「他說了什麼？」

「可以到孟斐斯擔任重要職位，擁有更多誘人的物質享受，也沒有這麼多煩心的事……」

「你為什麼拒絕？」

「因為我對現狀很滿意。美鋒不相信人的野心有極限，可是我真的很喜歡這個地區，我討厭大都市。在這裡，大家都尊重我，到了孟斐斯，我卻什麼都不是。」

「你拒絕他就表示跟他作對了。」

「我不得不承認，這個人讓我覺得害怕，因此我寧願採取模稜兩可的態度。其他的省長則都已經答應支持他，好像你這個首相不存在似的。你難道不覺得自己是養蛇為患嗎？」

「倘若真是如此，便該由我來補救。」

亞烏顯露出了內心的不安，說道：「聽你這麼說，我相信我們的國家正面臨著艱難的窘境。既然你維護了劍羚省的完整，我也一定支持你到底。」

凱姆和狒狒坐在官邸的門檻上，狒狒吃著椰棗，凱姆則注視著街上的人來人往。他心裡老是想著那個暗影吞噬者，而他相信刺客對他一定也是念念不忘的。

首相走出官邸時，凱姆馬上起身問道：「一切都還好吧？」

「又及時避掉了一場災難，真是好險。我們還要到其他幾個省去看看。」

在前往碼頭的路上，亞烏忽然追了來：

「有件事我差點忘了……前幾天來了一位飲用水的檢測員，是你派來的嗎？」

「不是。你把他的樣子描述一下。」

「六十歲左右，中等身材，光頭，還經常去搔那發紅的頭皮。他脾氣相當暴躁，說話帶著鼻音，口氣粗暴。」

「是孟莫西。」凱姆低聲說。

「他做了什麼事？」帕札爾問道。

「只是簡單地巡視了一圈。」

「馬上帶我到儲水庫去。」

最好的飲用水是在滿潮初期幾天內所蒐集到的水，這些水含有礦物質，能幫助腸胃蠕動，並有助於婦女受孕。原本泥濘汙濁的水經過濾之後，便儲存在大瓦罐中，可放置四、五年之久不會變質。偶爾遇到乾旱年，劍羚省還會將水銷到南部去。

亞烏叫人拔去重重的木門，打開了最大的儲水庫。當他一見到裡面的情形，整個人幾乎都要窒息了：瓦罐全被去了封，水也流了滿地。

第二十三章

看著打扮好準備去參加美鋒舉辦的宴會的妻子，帕札爾不由得看呆了：這世上怎會有如此美麗的女子？奈菲莉戴著皇太后送她的那條由七排光玉髓圓珠與努比亞金珠串成的項鏈，項鏈之下則是布拉尼送給她的綠松石護身符。頭上那頂假髮編了許多細細的辮子，還有幾絡捲捲的髮絲，更襯托出她鮮明的輪廓，與白皙亮麗的膚色。手腕與腳踝上，都裝飾著珠鏈，纖細的腰間則繫著帕札爾送的紫水晶腰帶。

「你也該去換衣服了。」奈菲莉提醒他。

「還有一份報告要看。」

「跟飲用水儲水庫的問題有關？」

「孟莫西毀了十幾個水庫，其他的現在都已經有了戒護。我也派出傳令官將他的體型特徵告知大眾；只要他再露面，就一定會落到警察手中。」

「有多少省長被美鋒收買了？」

「大概有三分之一吧，不過至少堤壩的維修工程不會受到延誤。我已經下了相關命令，而且禁止刪減工人的人數。」

她輕輕地坐到丈夫的大腿上，讓他無法做事，「真的該換衣服了，今天你要穿戴的是一件正式場合穿的纏腰布，傳統式的假髮，還有一條搭配你身分的項鏈。」

* * *

凱姆貴為警察總長自然也收到了請帖。他只佩帶了帕札爾送給他的那把匕首來參加宴會。這種場合總是讓他渾身不自在，因此進入宴客的柱子大廳後，他便躲到角落去，專心留意著被眾人所包圍的首相的安全。至於狒狒則爬上了屋頂，以便監視四周的動靜。

廳中的柱子上纏繞裝點著花飾，與會的孟斐斯名流也都盛裝出席，銀盤盛裝著烤鵝與烤牛肉，而上等美酒也有希臘進口的酒杯搭配。有些賓客舒服地靠著軟墊，有些坐在椅子上。更有一大群僕人不斷地上上下下，為客人們更換大理石製的餐盤。

帕札爾夫妻倆就坐在一張擺滿了食物的桌子後面，有幾名女侍用芳香的水幫他們洗手，並為他們戴上矢車菊串成的花環。此外，奈菲莉還收到了一朵蓮花，出席的女賓每人都有一朵，可以用來別在假髮上。

現場並且有豎琴、詩琴與鈴鼓的表演助興，為此美鋒還特地花了不少錢，請來全市最好的職業樂師，演奏全新的樂曲呢。

由於有一名無法行動的朝中老臣，主人特別準備了一張舒適的中空座椅，使他也能來參加宴會。置於座位下方的陶土容器使用過後，便有僕人前來取走，並換上另一個裝滿芳香沙土的容器。

美鋒的廚子是個香料調配大師，他將迷迭香、枯茗、鼠尾草、小茴香與肉桂混合在一起，食者無不讚為「人間少有」的美味。座上的饕客們正吃得讚不絕口之際，很快便有賓客開始稱頌起白色雙院院長夫婦的慷慨了。

美鋒突然站了起來，要求大家安靜，「各位貴賓，今晚感謝大家蒞臨寒舍，使得宴會更加圓滿。在此，我想利用這個機會向我們敬愛的長官帕札爾首相，致上最高的敬意。首相是個神聖的職務，也是傳達法老意願的唯一途徑。親愛的帕札爾雖然年紀輕輕，卻展現了驚人的成熟風範，他不但因懂得治國之道而深得民心，而且能夠當機立斷，每天為了國家的繁榮安定努力不懈。今晚我謹以這小小的禮物向首相致意。」

總管在帕札爾面前放了一只上了釉的藍色陶土杯，杯底並彩繪著一朵四瓣蓮花做為裝飾。

「謝謝你。」帕札爾說道：「也請容我將這件巧奪天工的禮物轉贈給手工藝匠之神普塔赫神廟。相信沒有人會忘記，神廟的職責之一便是聚集所有的財富，然後依照人民的需要重新分配。相信也沒有人敢削減神廟的功能，以致於破壞了埃及創國以來的和諧與平衡。如今我們能享受鮮美的食物，擁有肥沃的土地，階級制度也以義務而非權利為前提，這些全都因為有管理生命永恆法則的瑪特女神在前面引導我們。因此背棄祂、傷害祂的人，都是不可原諒的罪人。只要我們人人懷有正義感，那麼埃及將可永享太平安樂。」

首相這一番話，引發了賓客兩極的反應，大家私下議論紛紛，有人極力讚揚首相的態度，也有人加以批評。在這種場合發表這樣的言論，適合嗎？帕札爾發言的時候，誰都看得出美鋒臉上不斷地抽搐，笑容也是萬分勉強。現在不是到處流傳著首相與經濟部長意見不合的謠言嗎？只不過各種傳言莫衷一是，是真是假也很難分辨了。

用過餐後，賓客們都到花園裡乘涼。凱姆和狒狒更加提高警覺；帕札爾則傾聽著幾名高層官員抱怨行政效率不彰。至於美鋒，也鼓起了三寸不爛之舌，唬得一群朝臣們一愣一愣的。

這時候，西莉克斯走向奈菲莉說道：

「我一直都想找妳談談，總算在今晚找到機會了。」

「莫非妳終於決定要離婚？」

「不，我太愛美鋒了！他也是個難得的好丈夫。如果我出面替你們說情，厄運就不會降臨了。」

「妳這麼說是什麼意思？」

「美鋒真的很尊重帕札爾，為什麼妳的丈夫就不能講講理呢？他們二人若能合作，一定會很有作為的。」

「首相可不這麼認為。」

「那麼他就錯了。試著改變他的想法吧，奈菲莉！」西莉克斯的聲音依然顯得甜美而純真無邪。

「帕札爾是不會用幻想來欺騙自己的。」

「他所剩的時間不多……再等下去，就太遲了。首相如此固執豈非錯誤的工作態度？」

「如果輕易妥協，那就更加錯了。」

「妳也是好不容易才爬上了御醫長的地位，為什麼要拿自己的前途開玩笑？」

「治療病患和前途並無關聯。」

「這麼說，妳不會拒絕替我診治囉？」

「老實說我並不想替妳看病。」

「醫生是不能挑病人的！」

「以目前的情況而言，當然可以。」

「妳對我有什麼不滿呢？」

「妳敢發誓說妳沒有犯法嗎？」

西莉克斯掉過頭去，「我不明白……妳竟然指控我……」

「我建議妳面對自己的良心，坦承一切罪行；再也沒有比這個更好的藥方了。」

「妳要我承認什麼罪行啊？」

「至少有一項是吸毒。」

聽到奈菲莉的回答，西莉克斯立刻閉上雙眼，用手摀住了臉，「不要再說這種可怕的話了！」

「首相手中握有妳犯罪的證據。」

西莉克斯深受刺激，忽然歇斯底里地跑回了房內；奈菲莉也走回帕札爾身邊，說道：「我恐怕壞事了。」

「按照她的反應看來，我認為妳做得沒有錯。」

這時美鋒也氣急敗壞地質問道：「發生了什麼事？妳……」可是當他看到奈菲莉的眼神，卻愣住了：沒有怨恨、沒有暴力，只有一種可以穿透人心的鋒芒。美鋒頓時覺得自己被剝得精光，所有的謊言、手段與計謀都不存在了，他的內心好像有一把火在燒，胸口抽得好緊好緊。由於身體實在不舒服，他也不再追究，便離開了柱子大廳。

宴會也隨即告一段落。

「妳該不會是魔法師吧？」帕札爾向妻子問道。

「沒有魔法，又怎麼能對抗疾病呢？事實上，美鋒他是看到了自己的內在，可是這個發現卻並不令人雀躍。」

他二人陶醉在柔和的夜色裡，一時間甚至忘了時間的流逝對他們有多麼不利。他們開始幻想一個永遠不變的埃及，幻想著園裡永遠都充滿了茉莉的香味，幻想著尼羅河水將使這個擁護法老而團結一致的民族，永遠衣食無缺。

正走著走著，旁邊的樹叢裡忽然竄出了一個纖瘦的身影，擋住他們的去路。那名女子發出一聲驚恐的尖叫；因為殺手從屋頂上奮力一跳，便跳到了女子和帕札爾夫妻之間，也使得她定在原地不敢亂動。此時的狒狒張著血盆大口，鼻孔也張得斗大，一副隨時都可能撲上去的模樣。

「別讓牠傷害我，我求求你！」女子哀求道。

「塔佩妮！」帕札爾真是大吃一驚，他右手按在殺手肩上示意牠回到凱姆身邊，然後問道：「妳為什麼用這種方法來見我？這樣做很危險的。」

塔佩妮卻只是不停地顫抖，而不發一語。

「我要搜妳的身！」凱姆說。

「你別碰我！」

「妳要是反抗的話，我就讓殺手來搜。」

塔佩妮也只有乖乖服從的分。帕札爾心想，當初祭司幫她取這個名字真是對極了，她就像名字所代表的「老鼠」一樣：機靈、神經質、狡猾。

凱姆原以為能在她身上搜出貝殼針，做為她企圖攻擊首相的證據，也證明她就是謀殺布拉尼的兇手；可是塔佩妮身上既沒有武器也沒有任何器具。

「妳想跟我談？」

「要不了多久，你就再也不能盤問任何人了。」

「妳為什麼這麼說？」

塔佩妮咬了咬嘴唇，沒有答腔。

「塔佩妮女士，妳又來了，既然說了，為什麼不乾脆說完？」

「這個國家，沒有人支持你這種嚴苛的作風，國王遲早非趕你下臺不可。」

「這點就得由法老決定了；妳想說的話說完了嗎？」

「我聽說蘇提從他服刑的堡壘脫逃了。」

「妳的消息很正確。」

「你別妄想他能回得來！」

「我會再見到他的……妳也一樣。」

「進了努比亞那片荒野，誰也別想活命。他一定會渴死。」

「沙漠的法則曾經救過他一命，這次他也會逃過劫難，何況他還有帳要算呢。」

「這樣的話還有公理在嗎？」

「關於這點我也很遺憾。不過，我也控制不了他啊。」

「你必須保障我的安全。」

「保障全民的安全本來就是我的職責。」

「那麼你就派人去找蘇提，逮捕他歸案！」

「派人到努比亞沙漠？不可能。我們就耐心一點，等他自己現身吧。祝妳有個愉快的夜晚了，塔佩妮女士。」

此時躲在一棵無花果樹背後的暗影吞噬者，就這麼眼睜睜地看著帕札爾、奈菲莉、凱姆和那隻該死的狒狒，從眼前走了過去。

上一次失敗之後，暗影吞噬者原本打算在宴會上一展身手。可惜場內有凱姆守著，場外又有狒狒看著；他總不能為了滿足虛榮心，為了證明就連首相也逃不過他的手掌心，而一時衝動，壞了他多年的聲名吧。

他必須保持冷靜。最近一次殺了那個想要勒索他的傢伙「短腿」之後，暗影吞噬者第一次感到自己的手會發抖。其實，殺人對他來說依然是輕而易舉，只不過三番兩次都除不掉帕札爾，著實令他有些心寒。難道有什麼怪異的力量在保護他？不，問題只在於那個努比亞籍的警察凱姆，和他那隻聰明絕頂的狒狒罷了。

這是他殺手生涯中最艱鉅的一次任務，他一定要贏得漂漂亮亮。

第二十四章

蘇提摸摸自己的嘴脣、臉頰、額頭，臉型已經完全變了樣。他現在只是一團又腫又痛的肉球，眼皮腫脹得連眼睛都睜不開了。他躺在擔架上，有六名壯碩的努比亞人抬著他走，可是他的腳卻動也不能動。

「妳在嗎？」他勉強地問了一聲。

「當然在。」回答的是豹子。

「那就殺了我吧。」

「你不會死的，再過幾天毒就會散了。既然你能開口說話，表示你的血液又恢復循環了。長老也不明白怎麼你的身子撐得住。」

「我的腿……我癱瘓了！」

「是被綁住了。你的身體一直抽動，他們不好抬，所以先綁起來。你大概是做了噩夢吧，是不是夢見塔佩妮了？」

「我投身到了一片光海之中，那裡好安靜，沒有人來煩我。」

「我真該就把你丟在路旁的。」

「我昏迷了多久？」

「太陽升起三次了。」

「我們要去哪？」

「去找我們的金子。」

「沒碰見埃及的士兵嗎？」

「沒見到人，不過我們已經接近邊界了，努比亞人都有點緊張。」

「再來由我指揮。」

「就憑你這個樣子？」豹子不由得吃驚。

「解開我身上的繩子。」

「你知不知道你很可怕？」豹子邊說邊扶起蘇提。

「雙腳著地的感覺真好！拿一根棍子給我，快點。」

然後他便拄著粗粗的棍杖，走在隊伍的最前方。那股傲氣真叫豹子著迷。

＊　＊　＊

他們一行人由南部第一個省分愛利芬丁與其邊界崗哨的西側通過。緩緩北上的途中，有幾名落單的戰士也加入了他們的行列。蘇提對這些驍勇善戰、經驗豐富的戰士很有信心，假如遇上了沙漠警察，他們絕對會奮勇抵抗的。

努比亞人心甘情願地跟隨黃金女神，他們帶著這些金子，夢想能在這個比毒蠍子更厲害的蘇提帶領下，締造更多輝煌的戰果。於是他們經由一些狹小的路徑穿越了一道花崗岩的天然屏障，沿著乾河床往前走，殺一些野生動物果腹，並盡量少喝水，一路上誰也沒有抱怨。

至於蘇提，不僅臉蛋重現了以往的俊秀，活力也恢復得差不多了。他每天總是第一個醒來，最後一個睡覺，體內飽灌了沙漠空氣的他，似乎從來也不累。豹子則是比以前更愛他了，他天生就有領袖的架勢，一聲令下便無討價還價的餘地。

努比亞人幫他製造了幾把大小不同的弓，分別可以用來對付羚羊和獅子。奇怪的是，他總能憑直覺找到水井，彷彿他早已走遍了這些荒蕪的小徑一般。

「有一支警察小隊朝我們這邊來了。」一名戰士警告道。

蘇提一眼就認出來了：是在沙漠中到處巡邏以逮捕貝都因強盜，保障車隊安全的沙漠特警隊。不過，通常他們是不會出現在這一帶的。

「攻擊他們。」豹子提議道。

「不，」蘇提不贊成，「我們先躲起來，讓他們離開。」

於是眾人便躲藏在警察巡視路線上的岩石堆後面。警犬又渴又累，並未察覺他們的存在。這群警察剛剛結束勤務，正打算回谷地去。

「我們大可把他們全殺了，落得乾淨。」豹子睡在蘇提身邊，還小聲地嘟囔著。

「他們要是沒有回去，愛利芬丁的崗哨會發出警報的。」

「你就是不想殺埃及人……我卻是夢寐以求！你被驅逐出自己的國家，如今成了努比亞叛離分子的首領，從此以後，你唯一能做的就是作戰。戰鬥是你的天性啊，蘇提，你是躲避不了的。」

此時他二人隱藏在兩塊花崗岩後面，緊緊地擁抱在一起，渾然忘了外界的危險。豹子身上掛滿了自失落之城得來的金飾，金褐色的肌膚由於外在的酷熱加上內在的激情而滾燙不已。她的手一會兒在愛人的胸膛上摩挲，一會兒又像彈豎琴似地玩弄自己的身體，嘴裡同時還唱著熱情的曲調，每個音符都深深打動了蘇提的心。

＊　＊　＊

「就在這裡。我記得這個地方。」豹子用力地握著蘇提的右手腕，幾乎都要捏碎了，「我們的金子就在這個洞穴裡。在我的眼中，這是全世界最珍貴的寶藏，因為是你殺了一個埃及將軍才得來的。」

「我們已經不再需要了。」

「當然需要了！有了這筆金子，你將成為黃金之主。」

蘇提無法自制地盯著洞穴看，那個叛國並遭沙漠律法判處死刑的將軍所留下的寶藏，就藏在這裡。豹子逼著他到這裡來是對的；拒絕面對這段人生過程，甚至企圖遺忘，都是懦夫的作為。蘇提和好友帕札爾一樣，都熱愛公理正義，當初他若不出手，正義便無法伸張。而老天也把將軍原本打算用來向利比亞人埃達飛示好的金子，轉贈給了他。

「來吧。」豹子催著，「來幻想一下我們的未來。」

她往前走去，風采迷人。項鏈與手鏈閃耀著炫目的光芒，努比亞眾人紛紛下跪，以迷惑的目光看著他們的黃金女神，緩緩地走向那個只有她一人知曉的聖殿。女神之所以帶領他們千里迢迢來到埃及境內，就是為了增加他們的神力，進而成為不敗的戰士。因此當她與蘇提一同進入洞穴時，努比亞族人便唱起了遠古的歌曲，歌詞內容是歡迎女子自遠方歸來，與族人一同慶賀她即將舉行的婚禮。

豹子相信取得這些金子之後，她與蘇提的命運便更不可分了。此時此刻，她彷彿已經見到了無數個光明燦爛的明天。

蘇提則回想起殺死亞舍將軍的經過；這個狡猾的殺人兇手本以為他能逃得過法庭的審判，並在利比亞無憂無慮地過完下半輩子，甚至可能趁機替埃及製造一點混亂。想到這些，蘇提便不感到後悔，他只不過在這片連謊言都無法存活的荒野上，扮演了執法者的角色罷了。

洞穴中十分清涼，有一些蝙蝠受到驚擾，四竄紛飛一陣之後，才又重新倒吊在石壁上。

「是這裡沒錯啊。」豹子失望地說：「可是車子呢？」

「再往裡面找找看。」

「沒有用的，當初藏車子的地方我記得很清楚。」

蘇提又仔細地搜了一遍，還是什麼也沒找到，洞穴是空的。

「有誰會知道……誰竟敢……」

豹子狂怒之下，扯下金項鏈便往石壁摔去：「我們把這該死的洞穴毀了吧！」

蘇提撿起了一塊布：「妳看這個。」她湊過臉去，又聽得他說道：「是彩色的毛衣。偷走我們金子的不是夜晚的惡魔，而是風沙游人。他們把車子推出去的時候，其中一人的衣服被粗糙的石壁給勾破了。」

豹子於是重新燃起了希望，「我們馬上去追他們。」

「沒有用的。」

「我絕不放棄。」

「我也不會放棄。」

「那麼你打算怎麼辦？」

「留在這裡等，他們會再回來的。」

「你怎麼能這麼肯定？」

「我們剛才只顧著找金子，卻忘了屍體。」

「反正亞舍已經死了，不會錯的。」

「那也應該還有骨骸在啊。」

「被風吹走了吧……」

「不，是他的同夥把屍體搬走了。他們在等我們回來，想替他報仇。」

「你是說我們中了圈套？」豹子有些緊張。

「有人已經發現我們到了。」

「如果我們沒回來呢？」

「不太可能。只要不確定我們是死是活，他們就會在這裡等上好幾年。換作是妳，難道不會這麼做？他們至少得確定我們的身分，假如能一併除掉，當然更好了。」

「我們一定要對抗到底。」

「那也得有足夠的時間準備才行。他們連我的弓箭都拿走了……想必是想讓我死在自己的弓箭下吧。」

豹子赤裸著上半身，將豐滿尖挺的乳峰暴露在陽光底下，對著忠心的部屬們說話。她向他們解釋說女神的聖殿已遭風沙游人侵入，財物也被盜走了，因此大家必須準備作戰，蘇提會帶領眾人邁向成功的。

沒有人提出異議，連長老也沒有說話。一想到可以讓貝都因人血灑沙漠，大家都興奮不已。他們一定要證明自己的能力，在肉搏戰中，誰也不是他們的對手。

儘管如此，蘇提還是運用了一些軍中學來的作戰技巧。他讓努比亞人用岩石堆起一個屏障，以掩護弓箭手，又在洞穴中放置了許多水袋、糧食與武器，還在離他們所在不遠處，隨意挖了幾個坑洞。

然後，等待開始了。

蘇提細細品味這綿延不斷的時間，用心去感覺沙漠神祕的聲音、無形的遷移與風的話語。他靜坐在石頭上，人石合一，幾乎毫不感覺酷熱。其實對他而言，武器的撞擊聲並不可怕，可怕的是大都市中那種喧囂擾攘。在這裡，寂靜主宰了一切，就連游人的腳步也湮滅於其中。

雖然帕札爾離棄了他，但在這結束漂泊的一刻，他卻仍希望能和這位友人分享。當他們雙眼凝視著瞬間即逝的赤紅天際，兩人心中必定能感受同樣的激動情緒，而無須交換一字一句。

他正自出神，豹子忽然從背後抱住他，輕輕地撫摩他的頸背，輕柔的感覺有如春風一般。

「如果是你想錯了呢？」豹子問道。

「那也沒有損失。」

「這些盜匪也許只想偷我們的金子。」

「我們可是破壞了他們的交易啊，光拿回東西是不夠的，還必須查出我們的身分。」

由於氣候炎熱，因此居住在都市以外地區的努比亞人與埃及人，都習慣赤裸著身子。豹子自然不甘心單以眼光瀏覽情夫那健美的身材，太陽不僅將他們倆的肌膚晒黑了，也使他們的情欲更為沸騰。這個金髮女神每天都要替換珠寶飾物，披戴在身上的金子將她凹凸有致的身材，襯托得更加出色，除了蘇提以外的其他人也更不敢冒犯她了。

「如果利比亞人和風沙游人聯手，你還會對抗他們嗎？」

「只要是竊賊，我都不輕饒。」

他說完，給了豹子深深的一吻，然後抱著她一起滾進柔軟的沙地裡。此時一陣北風拂過，吹動著細沙輕輕飄移。

＊　＊　＊

長老向蘇提說去取水的人一直沒有回來。

「他什麼時候出發的？」蘇提問道。

「太陽升到洞穴上方的時候。根據太陽的位置看來，他早就該回來了。」

「也許是水井乾了。」

「不，那口井至少可以撐上幾個禮拜。」

「你相不相信他？」

「他是我的表親。」

「那麼也許是遭到獅子攻擊……」

「這些野獸通常夜裡才會出來飲水。再說他也知道如何避開牠們的攻擊。」

「我們應該去找他囉？」

「如果太陽下山前他還沒有回來，就是被人殺了。」

時間一分一秒地過去了。努比亞人不再歌唱，他們只是靜靜地看著水井的方向，盼著同伴可能隨時會出現的身影。

太陽已經落下了西山，並乘上了夜舟，準備出發遍遊地府，對抗那隻企圖吸乾全世界的水並使尼羅河乾涸的巨龍。

還是不見他的蹤影。

「他被殺了。」長老說得斬釘截鐵。

蘇提於是加強了戒備，以防敵人接近洞穴。因為假如真是風沙游人幹的，那他們一定會違反沙漠法則，在夜間進行偷襲。

他面對沙漠坐著，心裡想到這也許是他這一生最後的幾個時辰了，卻也並不擔憂。只是不知道深深烙印在他人生終點的，會是一群遭人遺忘、莊嚴平靜的岩石，或是一場驚天動地的血戰？

豹子也坐到他身邊，靠著他問道：「你有把握嗎？」

「跟妳一樣有把握。」

「你休想一個人死去，我們要一起走過冥世的大門。不過在死之前，我們要先過過帝王般的富裕生活，只要你有心，就一定辦得到。你要像個領袖，蘇提，不要浪費你的力氣。」

蘇提沒有回答，於是她便不再吵他，挨著他也沉沉睡去。

＊　＊　＊

蘇提被冷風凍醒時，晨光正凝在一片濃濃的霧裡，到處灰濛濛的。豹子也睜開了眼睛，「抱我，我好冷。」

他才剛將她摟進懷裡，卻又猛然將她推開，雙眼直盯著遠方。然後立刻命令努比亞人，「各就各位！」

不一會兒，便見到十幾個人帶著武器、駕著車，從霧裡鑽了出來。

第二十五章

風沙游人一個緊挨著一個地站著，每個人都是一頭長髮，滿臉雜亂的大鬍子，頭上纏著布，身上則穿著彩色條紋的長袍。其中有幾個人因為長時間的飢餓，以致於鎖骨高聳，雙肩凹陷，一根根的肋骨也看得清清楚楚。他們微駝的背上，還背著捲起的草席。

游人們一起彎弓射箭，但並未傷到任何一名努比亞人。由於蘇提下令不准反擊，貝都因人於是更加大膽了，怒吼叫陣聲中，只見他們慢慢靠了過來。

等敵人靠到一定的距離時，努比亞弓箭手開始展現他們神準的技巧，百發百中。再加上他們速度又快，耐力又好，以一敵十，很快就成了勢均力敵的局面。倖免於難的貝都因人連忙後退，讓一些三輪戰車開路，這些馬車的底部是由皮帶交錯編成的，上面覆蓋著一層鬣狗皮，外圍的護板上則畫著一尊騎著馬、面貌兇惡的神像。車上一人拉韁，另一人擲槍；他們都留了一撮小山羊鬍，膚色古銅。

「是利比亞人。」蘇提說。

「不可能。」豹子生氣地反駁道。

「利比亞人和風沙游人聯手；妳可要記得妳承諾過的話。」

「我去跟他們談，他們不會攻擊我們的。」

「妳這是在做夢。」

「就讓我試試看嘛。」

「妳何必冒這個險？」

利比亞人的戰馬蹬著前蹄，蓄勢待發。每一名擲槍手則以盾護胸，一待接近敵人，便要奮力將槍投射出去。

此時，豹子忽然站起來，走出藏身之處。她越過岩石堆成的防線，往戰車的方向走了幾步。

「趴下！」蘇提大喊。

只見一枝飛槍射了過來，又猛又準。

蘇提眼明手快，槍手擲出槍後，手還沒來得及縮回，便被他一箭射穿了喉嚨。也幸而豹子反應夠快，側身滾到一旁，才避開這致命的一擊。她也不敢再托大，便轉身想爬回洞穴。

敵人卻開始進攻了，努比亞人眼見女神受到攻擊，盛怒之餘，射出的箭也一箭快似一箭。

馬車飛快地往前衝，等到操控韁繩的人看到沙地中的坑洞時，已經來不及了，有些人驚險地避過，有些翻了車，但絕大部分都是連人帶車地跌進洞中。輪軸斷了，車體四分五裂，車上的人也都被甩出了車外。努比亞人見有機可乘，立刻奔向前去，毫不留情地了結了敵人的性命，再從戰場上帶回馬匹與槍。

第一回合的交戰結束，蘇提只損失了三名努比亞戰士，而且都因與利比亞聯軍卻是損失慘重。努比亞人不禁高聲歡呼著黃金女神之名，長老也為她作了一首頌歌。儘管沒有棕櫚美酒，每個人心裡卻都有說不出的陶醉滋味，蘇提還幾乎是扯破了嗓子，才讓戰士們回到崗位上去。現在，他們每個人都是鬥志高昂，希望能獨力殲滅剩餘的敵人。

突然間，漫天的塵沙中竄出了一輛紅色馬車。有一個人空手走下了車，此人神態傲慢，一個頭又方又大，跟身體簡直不成比例。他嘶啞的聲音遠遠傳來：

「叫你們的首領出來跟我談。」

蘇提走了出來，說道：「我在這裡。」

「你叫什麼名字？」

「你又叫什麼名字？」

「我叫埃達飛。」

「我叫蘇提，埃及軍隊的軍官。」

「我們靠近一點說話吧，這麼樣嚷嚷是談不出什麼建設性的結果的。」

於是兩人各向前走了幾步。蘇提先開口道：

「原來你就是埃達飛，埃及的死敵，也是煽動作亂分子滋事的人。」

「是你殺死了我的友人亞舍嗎？」

「這是我的榮幸，只可惜讓這個叛賊死得太輕易了。」

「埃及軍官卻率領著一群努比亞游民……你自己不也是個叛賊嗎？」

「你偷了我的金子。」

「金子是我的，這是我和將軍談好了，讓他在我的領土上安度餘年的代價。」

「我說了是我的就是我的。」

「憑什麼？」

「憑那是我在戰場上得來的戰利品。」

「年輕人，你臉皮可真厚。」

「我只要求分到我應得的。」

「我跟礦工之間的交易，你知道多少？」

「你的人馬都被消滅了，現在你在埃及毫無後援。我勸你盡快消失，躲回你那野蠻落後的老巢去吧。也許法老還不致於遷怒到你身上。」

「你想拿回金子，你就得有點本事。」

「金子在這裡嗎？」

「在我的帳中。」埃達飛忽然口氣一轉，「既然你已經殺了亞舍，我也把他的骨骸埋了，我們何不化敵為友呢？和談之後，我就分你一半金子。」

「我不要一半，我要全部。」

「你太貪心了。」

「別忘了你已經損失很多人手，我的手下比起你那些人可真是優秀多了。」

「或許吧，不過我已經識破了你的陷阱，而且我們的人數又多得多。」

「我的努比亞戰士卻會堅持到最後。」

「那個金髮女郎是誰？」

「是他們的黃金女神。因為有她在，才使得他們毫不懼怕。」

「我一劍砍下她的頭，看你們還迷不迷信。」

「那也得保住你這條命才行。」

「如果你拒絕合作，我也只好除掉你。」

「你逃不掉的，埃達飛，我一定會讓你成為我最驕傲的戰利品。」

「你真是讓驕傲沖昏頭了。」

「如果你想讓其他人活命，就跟我決鬥。」

埃達飛打量著蘇提，「向我挑戰，你一點機會也沒有。」

「這點應該由我來判斷吧。」

「你這麼年輕就死，未免可惜。」

「我要是贏了，就能拿回我的金子。」

「要是你輸了呢？」

「那麼我的金子就是你的。」

「你的金子……什麼意思？」

「我那些努比亞手下正運送著一大批貴重金屬呢。」

「這麼說，你已經取代了將軍，自己進行交易囉？」

蘇提沒有答話。埃達飛於是皺起了眉頭說：「是你自己找死。」

「我們使用什麼兵器？」

「自行挑選。」

「我要正式簽一份協定，並且由兩邊陣營分別派人作證。」

「神明也可以作證。」

接著他們立刻舉行儀式，由三名利比亞人與三名努比亞人代表參加，其中也包括了努比亞長老。他們祈求火神、風神、水神與土神顯靈，懲罰違背誓言之人，然後約定休息一晚，隔天決鬥。

隨後努比亞人在黃金女神四周圍起一個圓圈，眾人誠心祈求女神保佑他們的英雄，獲得最後的勝利。然後，他們用一些質地易碎的紅色石頭，在蘇提的身上畫滿了代表戰爭的符號。

「不要讓我們成為俘虜。」大家異口同聲地請求。

蘇提面對太陽坐著，在沙漠之光底下吸取昔日移石建廟的巨人的力量。雖然他不願意走上書記官與祭司的路，但是他還是能感覺到隱藏於天地間的一股能量；他深深吸了一口氣，將能量吸入體內，然後凝神靜思，以便凝聚體內的能量。

豹子跪在他身邊，憂心地說：「你真是瘋了；你單打獨鬥絕對贏不了埃達飛的。」

「他最拿手的兵器是什麼？」

「槍。」

「那麼我的箭速度可快多了。」

「我真的不想失去你。」

「既然妳想發大財，我就得冒點危險。相信我，這是唯一的解決之道，我實在不願意眼看這些努比亞人被殺。」

「你寧願看我成為寡婦囉？」

「妳是黃金女神，妳會保佑我的。」

「埃達飛殺了你的時候，我也要在他的肚子上捅一刀。」

「妳這麼做，妳那些同胞可不會放過妳。」

「反正努比亞人會保護我……然後還是免不了一場大屠殺，這不是你最擔心的嗎？」

「只要我贏，就沒什麼好擔心的了。」

「你死了以後，我會把你埋在沙漠裡，然後去找塔佩妮，把她活活燒死。」

「到時候，可以讓我點火嗎？」

「你做夢的時候，我好愛你。我愛你，就因為你有夢。」豹子幽幽地說。

＊　＊　＊

霧再度籠罩沙漠，遮去了黎明的清亮。蘇提打著赤腳往前走，沙粒在他腳底下沙沙作響。他右手拿著一把中等射程的弓，這也是他最好的一把，左手只握著一枝箭，因為他將不會有時間射出第二支。埃達飛人稱「百勝戰將」，至今還沒有遭逢過實力相當的對手，而且他行蹤飄忽不定，沙漠警察也對他莫可奈何。他最大的樂趣就是提供武器配備給叛亂分子與盜匪，好讓他們把三角洲西邊的各個省分攪得雞犬不寧。也許，他夢想著統治整個北埃及吧。

一絲絲光線穿透了陰霾。埃達飛穿著紅綠相間的長袍，頭髮都包藏在黑色頭巾裡，威風凜凜地站在距離對手五十多公尺處。

蘇提發現自己吃了大虧。

因為埃達飛手裡拿的不是槍，而是蘇提當初遺留在洞穴中，他最喜愛的弓。這把弓由上等金合歡木製成，質地極佳，直距離射程可達六十多公尺。相較之下，蘇提手上的這把弓，就顯得微不足道了；即使準頭夠好，頂多也只能射傷對手，卻打敗不了他。假如企圖向前靠近，埃達飛一定會先發制人，讓他毫無機會反擊。

此時埃達飛臉上的表情全變了：冷酷、陰沉，完全沒有一點人性的氣息。他心中有殺機，整個人也隨之變得殺氣騰騰。他冷眼等著看眼前的對手顫抖的模樣。

而蘇提卻終於明白，為什麼埃達飛總能在決鬥中獲勝了。就在左手邊的一座小丘後面，有一名利比亞的弓箭手趴伏在那裡，暗中保護著埃達飛。他會先出手，或者會配合主子的手勢行動呢？

蘇提不禁暗罵自己愚蠢。什麼公開公正的較量、什麼一言既出駟馬難追……埃達飛根本不信這一套。而他的第一位戰場導師就已經警告過他，貝都因人和利比亞人經常會暗箭傷人。他竟然忘了！而且還要以生命做為代價。

埃達飛、蘇提和埋伏的利比亞人，三人同時張開了弓弦；蘇提更是逐漸使力，讓弓越繃越緊。蘇提的態度讓埃達飛覺得頗有意思，他原以為對手會先解決躲在左手邊的那個人，然後再向他發出第二箭。可是沒想到他只帶了一枝箭。

值此一觸即發的情勢，蘇提眼角的餘光卻瞥見了快速而充滿暴力的一幕。原來豹子已經悄悄地爬到蹲在山後的利比亞人背後，一刀便割斷了他的喉嚨。埃達飛目睹這意外的情景，想也不想就把弓箭對準了平貼在沙地上的豹子。蘇提見機不可失，立刻將弓拉開到極致，讓自己與弓箭合而為一，專心一致地瞄準了目標。而此時埃達飛也發現自己犯了錯，連忙轉身發箭。

他的箭掠過了蘇提的右頰，而蘇提的箭卻射中了他的右眼。他隨即倒地不起，竟已然氣絕身亡。

努比亞人歡聲雷動之際，蘇提割下了埃達飛的右手，並朝天揮舞著他的弓。

* * *

風沙游人與利比亞人一一拋下武器，拜倒在早已緊緊摟在一起的蘇提和豹子跟前。

豹子的臉上洋溢著幸福的光彩。她又有錢、又快樂，又有一群人聽她使喚，還有利比亞的士兵供她差遣，最不可能的夢想如今都實現了。

「你們可以自由離開，否則就要聽我的。」蘇提對眾人說：「如果你們跟隨我，就能獲得金子。但若稍有不服從，我也會親手解決你們。」

大家都留在原地沒有動，報酬賞賜實在太豐厚了，再怎麼多疑的人也不得不動心。蘇提把馬車和馬匹檢查了一下，情況都還不錯。現在他有了幾名訓練精良的車手，以及技術無人能及的努比亞弓箭手，就等於擁有一支精兵隊伍了。

「你現在是黃金之主了。」豹子高興地說。

「又是妳救了我一命。」

「我早就告訴過你了：沒有我，你成不了什麼大事的。」

蘇提發下第一筆賞金之後，所有人對他的敵意都立刻煙消雲散。利比亞人請努比亞人喝棕櫚酒，就在這說說唱唱、飲酒作樂之間，彼此也漸漸建立起友誼來了。可是他們的新首領卻寧願享受沙漠的靜謐，而獨自躲到一旁去。豹子走到他身邊，問道：「在夢中你會不會忘記我？」

「不是因為妳我才有夢的嗎？」

「你今天可幫了埃及一個大忙了；殺了埃達飛，等於是替埃及除掉一個心腹大患。」

「該怎麼慶祝這場勝利呢？」

第二十六章

腰間一條破爛的纏腰布，腳上一雙破鞋，滿臉的鬍碴，首相帕札爾就這樣走在孟斐斯的大市集裡，混在人群當中。他心想，這總該是視察民情最好的方法了吧？他發現市場上各種物資都不缺乏，尼羅河上的船隻來往頻繁，食品供應情形也十分正常，心中真是滿意極了。而且最近剛剛檢查過港口設備，以及每年為船隻進行兩次維修的人工船塢，結果也顯示所有的商船狀況都非常良好。

帕札爾還注意到了物品交易順利，價格也沒有過度哄抬，因此一般市井小民並未受到通貨膨脹之苦。商販之中絕大多數都是女人，且都占了較有利的位置。買賣雙方討價還價之際，還有挑水夫供水解渴。「我真是太高興了！」忽然有一名農夫喊道，原來他用一些甜美的無花果換得了一只水罐。另外，有不少好奇的群眾圍在兩名布商的攤位旁，欣賞著一塊高級亞麻布。

「真是上等的布料！」一位富家夫人說道。

「所以價格才會這麼高啊。」布商說。

「自從新首相上任之後，就很少人敢胡亂叫價了。」

「這樣最好！這樣我們的成本降低了，售價也可以壓低，買的人自然就多了。好吧，如果妳買了這塊布，就再送妳一條圍巾。」

看這邊成交後，帕札爾又走到一個鞋販面前，他的涼鞋全都用細繩綁在細細的木架上。

「你該換鞋了，年輕人。」鞋販對帕札爾說：「你腳上那雙鞋子穿得太久了，鞋底很快就會磨破了。

「可是我沒錢。」

「看你也不像個壞人，就讓你賒帳吧。」

「這樣做違反我的原則。」

「說得也是，無債才能存萬金嘛！那麼我幫你補一補，拿個意思意思就好。」

後來，帕札爾一時嘴饞，買了一塊蜂蜜蛋糕，一面吃一面側耳傾聽市民討論三餐民生問題。眾人的言談之間，毫不顯得憂慮，對首相的措施也沒有任何不滿。不過，帕札爾還是不放心，因為幾乎沒有人提到拉美西斯。

於是他走向一個女販子，想要買一小瓶香脂。他問了價錢後說：「好像有點貴。」

「你是城裡的人嗎？」

「不是，我從鄉下來的。我老是聽人家說孟斐斯有多好又多好，果然不錯，拉美西斯的確把這裡建設成全世界最美的都市了。我真想見見國王！不知道他什麼時候才會出宮？」

「沒有人知道。聽說他病了，現在住在三角洲的皮拉美西斯宮。」

「他病了？他可是全國最健壯的人呀！」

「大家都謠傳說他的神力已經用盡了。」

「但願很快就會再生。」

「可能嗎？」

「那麼也會有新的帝王……」

女販子卻搖搖頭，「誰會接拉美西斯的位子呢？」

「誰知道？」

突然間，人群中傳來了尖叫聲，大家急忙向兩邊退開，讓出一條路來。只見殺手幾個跳躍，便來到了帕札爾身邊。女販子以為狒狒警察又來抓小偷了，立刻迅速地用繩索套住帕札爾的脖子，不讓他逃掉。奇怪的是，狒狒這回卻沒有咬這名竊犯的小腿，而只是靜靜地等著凱姆到來。

「這個小偷是我抓到的。」女販子一見到凱姆就吹噓道：「我可以拿賞金吧？」

「看情況再說。」凱姆敷衍了一句，便拉著帕札爾往外走。

「你好像很生氣。」帕札爾看著凱姆問道。

「你為什麼不先知會我一聲？你這樣做實在太莽撞了！」

「不會有人認出我來的。」

「幸好殺手找到了你。」

「我真的需要聽聽人民的聲音。」

「結果有什麼收穫嗎？」

「情況不樂觀。美鋒散布了謠言，想讓民眾相信拉美西斯已經一蹶不振了。」

* * *

雖然要主持一個重要的行政會議，奈菲莉卻還是遲到了。有幾個愛刁難的委員便批評她，說她一定是為了打扮而耽誤時間，其實是因為小淘氣臨時胃腸不舒服，勇士也咳個不停，還有北風的一隻腳磨破了皮。對她而言，再也沒有什麼比照料家裡這三位守護神更重要的事了。

當她走進會議廳時，所有與會人士都起立行禮。她美麗的外表與柔和的聲音，立刻征服了現場的人，原有的一些不滿情緒，也隨之煙消雲散。

美鋒的出席，倒讓奈菲莉吃了一驚。

「中央委派我做為經濟代言人。」他解釋道：「因為今天要通過一些關於公共衛生的法案，而我必須確定這些法案不會影響到國家預算的平衡，才能對首相有所交代。」

通常，這種場合白色雙院只會派一個代表前來，如今院長親自出席，頗富有挑戰的意味，難免讓奈菲莉有點不知所措。

「我對於設置於各省府與各小村落的醫院數目並不滿意，因此我建議比照孟斐斯醫院的模式，增設十幾間醫療院所。」她首先針對醫療設施不足的議題發言。

「我反對。」美鋒馬上反駁，「這筆支出太龐大了。」

「醫院將由省長撥款興建，醫護人員則由衛生處負責調派支援，因此並不需要雙院的協助。」

「但還是會影響稅收。」

「根據法老的諭令，各省首長有權自行選擇，是依據雙院政策行事，或者改善衛生醫療設施。而省長們也都聽從了我的建議，決定先改善醫療設施，這一切並無違規之處。但願，明年還能繼續下去。」

美鋒只得讓步了，他沒有想到奈菲莉手腕如此靈活、行事如此迅速。她卻早已無聲無息地和地方首長達成了共識。

「根據早期祖先所著作的『保護之書』，埃及人民應該特別注重孩童，而我們身為醫生，自然更應該為那些病痛纏身的孩子盡一份心力。拉美西斯就任之初，曾經承諾要讓下一代的埃及人生活得無憂無慮，而要想實現這個美夢，第一步便是要確保全民的健康。因此我決定培訓更多的醫生與護士，以便使全國各地的每一個人都能享受最好的醫療照顧。」

「我希望能改變醫療階級體制。」美鋒接著說：「我們應該提高專科醫生的地位，同時降低普通科醫生的重要性。埃及很快就要開啟通往世界的大門，專科醫生將有更大的發展空間，也會為國家賺取更多的利潤。」

「只要我還是御醫長的一天，我們就得依循傳統。」奈菲莉語氣堅定地說：「如果專科醫師得勢，就等於推翻了醫學的基本論點：必須把人當成一個完整的個體，只有身心均衡才是真正的健康。」

「妳若不接受我的看法，白色雙院將會與妳對立。」

「你這是在要脅我嗎？」

美鋒站了起來，以一種蠻橫的態度對在場人士說：

「埃及的醫學向來極負盛名，有不少外國專家特地到我們國家來學習醫學基本理論。可是，我們必須懂得變通，擴展這條生財之道。請相信我，醫學是門高深的學問，價值絕對不止於此！我們只有製造更多的藥劑、多加利用祖傳的麻醉藥與毒藥、讓醫藥大幅量化，這樣我們才有未來！」

「我們不願意這麼做。」奈菲莉斷然拒絕。

「妳會後悔的，奈菲莉；我是善意來警告妳和妳的同仁們。妳拒絕我的幫助，將會造成無可彌補的災難。」

「我若接受了，卻等於毀了整個醫學界的前途。」

「妳和首相一樣，都是那麼執迷不悟，維護傳統，只有死路一條。」

「你已經病入膏肓了，我也實在無能為力。」

＊　＊　＊

前首相巴吉由於腎臟劇烈疼痛加上尿血，因此前來向奈菲莉求診。她詳細地檢查了一個多小時，最後斷定是寄生蟲所引起的血尿，不過只要按照她開的處方，每晚睡前按時服用便可痊癒。藥方成分包括：五針松子、油莎草、天仙子、蜂蜜與努比亞土（其中還含有兩種未註明的成分：一種是名為「莎姆斯」的植物，一種是名為「莎莎」的果類）。她並且安慰病人不用擔心，這帖藥很有效的。

「是我的身子不中用了。」巴吉黯然地說。

「其實你的健康狀況，並不像你想的那麼糟。」

「不過抵抗力確實越來越差了。」

「你是因為受到感染，才會暫時比較虛弱。不過我保證你一定可以迅速恢復，而且福壽綿長。」

「帕札爾最近怎麼樣了？」

「他很希望能見見你。」

＊　＊　＊

帕札爾和巴吉一塊兒走在花園的林蔭道上。意外得到這次散步的機會，勇士真是樂不可支，沿途不斷地嗅著花圃的花香。

「美鋒雖然是四面夾攻，但我還是抑制住了他的攻勢。」

「你是否獲得了中央各主要負責人的信任？」

「有些人確實支持我，也不認同美鋒的做法。幸好他太強勢，野心太大，反而引起一些人的反感。畢竟有很多書記官對於古代創國先祖的智慧，還是奉行不悖的。」

「我覺得你穩重多了，也比以前更有信心。」

「這恐怕只是假象吧！我每一天都要兢兢業業地準備作戰，更可怕的是我完全無法預知敵人會從哪裡出現。我太缺乏經驗了。」

「千萬不要這麼想，我已經沒有你這股衝勁了，法老選擇你是正確的決定。美鋒也知道這一點，他絕對想不到你竟然有如此的韌性。」

「他怎麼能這樣背叛自己的國家呢？」

「人性嘛，還有什麼齷齪事做不出來的？」

「有時候，我覺得好沮喪，雖然獲得一次又一次的小勝利，卻仍擋不住時間的流逝。春天來了，大夥兒也已經開始討論下一次氾濫的事情了。」

「拉美西斯的態度如何？」

「他鼓勵我繼續努力。有時候當我守住防線，讓美鋒無法越雷池一步時，我會有一種錯覺，好像期限也跟著延後了。」

「你甚至還攻陷了他的地盤呢。」

「這也是我還抱著希望的唯一原因，削減了他的勢力之後，也許便能讓眾人對他起疑。而他一旦失去了一定的支持度，奪權自然也無望了。只不過只剩下這麼短的時間，我能來得及推翻他所有的支柱嗎？」

「帕札爾，人民都對你有很高的評價，他們雖然怕你，卻也喜歡你。首相的工作你做得無懈可擊，完全符合國王對你的期望。這些話出自我的口中，也就不是恭維諂媚了。」

「美鋒也很想收買我替他賣命！每當我回想起他一切友善的表示時，我都不禁要懷疑他究竟有沒有過一刻的真誠，或者他從頭到尾都在演戲，目的只是要把我納入他的計謀之中呢？」

「虛偽一向都是沒有界線的。」

「所以你不存有任何幻想。」

「我本來就很排斥過度的熱絡，因為這不但沒有用，而且很危險。」

「我有幾份有關地籍與土地測量的文件想交給你，你能不能替我查一下，其中的數據是否更改過？」

「當然可以，何況這還是我的老本行。你擔心有什麼問題嗎？」

「我怕美鋒和他的同黨企圖非法侵占土地。」

* * *

傍晚的孟斐斯又美又溫和，帕札爾便趁機在戲水池旁稍作休息。奈菲莉也坐在池畔，雙腳浸在水中，眼皮上塗了一層淡淡的綠色眼影，手裡則彈著詩琴。清柔的樂音，配合著在微風中輕輕顫動的樹葉聲，讓帕札爾的身心舒暢了不少。

此時的帕札爾想起了蘇提，這樣的音樂他一定很喜歡的。也不知道他現在人在哪裡？有沒有危險？帕札爾以好友的英勇做賭注，希望能救他出獄，可是就算他活著回來，也還是逃不出塔佩妮的魔掌。據凱姆說，她現在在紡織廠的時間越來越少，成天往外跑。她到底想用什麼方式毀了他呢？

想著想著，詩琴的樂聲漸漸撫平了帕札爾的不安，他索性閉上雙眼，讓自己完全沉醉於音樂的魔力之中。

暗影吞噬者也選擇了此時採取行動。

首相官邸附近只剩下一棵棕櫚棗椰樹，可供登高瞭望，這棵樹就種在一間小屋外的庭園中央。暗影吞噬者事先侵入了小屋，將屋中一對退休的老夫妻擊斃之後，帶著武器便爬上了樹梢，等待時機。

機會來了。如他所料，在這溫和宜人的傍晚時分，提早回到家的帕札爾果然和妻子一同在空地上乘涼休息。

暗影吞噬者手裡緊握著獵鳥專家經常使用的一種彎形飛棍。狒狒守在官邸的屋頂，是絕對來不及出手相救的。這種武器若是射得精準，帕札爾立刻就會沒命。

暗影吞噬者找了個牢靠並且容易投射的位置，先行目測一下，雖然距離有點遠，不過絕對射得中，因為他從小就展現出了這方面的天賦。每回把鳥兒的頭砸得稀爛，總會讓他感到無比興奮。

奈菲莉的綠猴小淘氣的眼睛隨時都很尖，所以每當熟果子一落地牠都能馬上拾起，就算手臂休息的時候，也能馬上注意到棗椰樹上第一隻棲息的鳥，然後上前跟鳥兒玩耍。這時候，牠忽然發出了驚聲尖叫。

狒狒接下來的一連串反應簡直快如閃電。聽見小淘氣的叫聲、看見飛棍劃空射出、辨識出投射的目標、自屋頂縱身跳下，幾乎都在一瞬間完成。

牠這麼騰空一跳，伸手便將暗器截下，然後掉落在帕札爾身外幾公尺之處。

奈菲莉嚇了一跳，連詩琴都掉在地上，原本昏昏沉沉的勇士也一下子驚醒過來，跳進主人的懷裡。

狒狒警察抬頭挺胸地站在帕札爾面前，滿是鮮血的雙掌上牢牢地握著那根飛棍，臉上盡是驕傲的神色，牠又再一次拯救了埃及首相的性命。

至於暗影吞噬者則已經慌慌張張逃入一條小巷內。他不懂，這隻狒狒究竟有什麼神明附身？多年的殺人生涯以來，暗影吞噬者頭一次對自己的能力感到懷疑。帕札爾跟其他人不一樣，有一種超自然的力量在保護著他。難道真的是首相的正義女神瑪特讓他刀槍不入嗎？

第二十七章

狒狒就這樣乖乖地讓奈菲莉幫牠清洗指掌、消毒並包紮傷口。雖然奈菲莉早就知道殺手的強健體魄異於常人，但見牠在承受如此猛烈的衝擊之後，竟只是受了輕傷，心裡仍是覺得不可思議。殺手的傷口結痂迅速，加上牠向來很耐痛，因此這回頂多也只休息個一兩天，不過牠根本靜不下來，還是來來回回走個不停。

「好精緻！」凱姆檢視飛棍後說：「說不定會是重要的線索。莫非暗影吞噬者大發慈悲想指點我們？可惜你沒看到他。」

「我連害怕的時間都沒有呢。」帕札爾坦承，「要不是小淘氣叫了一聲……」

他們倆說話的同時，小淘氣竟大著膽子跑到狒狒面前，還摸了牠的鼻子，但殺手並未動怒。於是小淘氣膽子更大了，牠把小手放到狒狒的大腿上，而殺手仍只是以溫柔憐愛的眼光看著這隻小猴子。

「我會擴大你住處的戒護範圍，」凱姆說道：「我也會親自訊問飛棍商人。我們終於有機會查出這個人的真正身分了。」

* * *

西莉克斯和丈夫大吵了一架，因為儘管美鋒十分疼愛將來要繼承他事業的兒子，可是他畢竟還是一家之主，不容妻兒違逆他的意思。偏偏西莉克斯又捨不得罵兒子，尤其對女兒的撒謊與辱罵更是百般容忍。

她覺得丈夫對他們的指責根本不公平，整個人氣得像發了瘋似的，又是撕布又是摔箱子，還把昂貴的衣服扔在地上踩。美鋒拿她沒辦法，只狠狠罵了一句：「瘋子！」便出門往辦公室去了。

瘋子……西莉克斯被這樣的形容詞嚇著了。她不是一個正常的女人、一個深愛丈夫並受制於丈夫的妻子、一個盡責的母親嗎？加入叛國的陰謀，在司芬克斯衛兵長面前赤身裸體讓他分心，她哪件事不是聽美鋒的？她是那麼相信他，相信不久的將來他們將共同治理埃及。

可是她心裡開始有了揮之不去的陰影。自從被暗影吞噬者強暴之後，她便有如跌入了黑暗的深淵不可自拔。當時的無助以及被強暴後一種莫名的快感，都一再反覆地折磨著她，那種痛苦甚至比她所犯下的罪行更叫她難過。還有，跟奈菲莉的決裂……想繼續和她維持友誼的關係，這究竟是瘋狂、是謊言或是變態呢？

一個接著一個的噩夢，一個接著一個不眠的夜。

現在只有一個人救得了她，那就是解夢師。雖然他開的價高得離譜，但至少他願意聽她說話，願意指引她。

於是出門前她吩咐女僕去拿一塊面紗給她，好遮住她憔悴的面容，不料卻見女僕淚眼汪汪的，便問：「妳怎麼了？」

「天啊……竟然死了。」女僕沒頭沒腦地回答。

「誰死了？」

「妳來看。」

她前去一瞧，原來長滿了橙、黃、紅花，而且枝葉茂密的蘆薈，竟然只剩一根枯枝了。這株蘆薈是美鋒送的禮物，不但平時罕見，而且還是西莉克斯日常用藥的來源。此外，將蘆薈油塗抹在生殖器上，既可避免感染也能增進性交時的潤滑舒適感。最主要的是美鋒左腿上長的紅瘡，抹了以後便能止癢了。

西莉克斯頓時彷彿失去了倚靠的重心，頭不禁又痛了起來。她很快就會像蘆薈一樣凋零了。

＊　＊　＊

解夢師的診療室內全都漆成了黑色，一走進去便是一片漆黑。西莉克斯兩眼緊閉躺在一張席子上，等著解夢師問問題。前來找這名敘利亞籍分析師的，全都是一些有錢有名望的貴婦人，這也是他當初為什麼會放棄去當工人與商人，而決定研讀魔法書與解夢書，以便安撫這些有錢的閒人的情緒，並換取豐厚的酬勞。在埃及這種安樂自由的國家，想要釣到大魚並不簡單，不過魚兒一旦上鉤就再也跑不掉了，因為只有持續不斷的治療，才能達成最大的療效不是嗎？既然如此，每次顧客上門，他只須幫她們分析一下夢的含義，再稍微嚇嚇她們就行了。貴婦們懷著滿心的不安而來，又帶著滿心的不安走，只要讓她們繼續停留在一種不太嚴重的徬徨當中，那麼錢財便會滾滾而來。直到目前為止，唯一與他敵對的就是稅務單位了，因此他總是繳納很重的稅金，以免稅務官來找麻煩。不過，奈菲莉當上了御醫長對他而言卻不是什麼好消息，根據可靠的消息來源，她這個人非但不接受賄賂，而且對他這種混吃騙喝的江湖郎中更是深惡痛絕，絕不寬貸。

「妳最近常常做夢嗎？」解夢師問西莉克斯。

「嗯，而且好可怕。我老是夢見自己拿著一把匕首，刺進一隻公牛的脖子。」

「那隻牛有什麼反應呢？」

「我的刀子斷了，結果牛就掉頭朝我衝來，踩得我全身是傷。」

「妳跟妳丈夫的關係……還好嗎？」

「他工作好忙，每天回到家總是累得倒頭就睡。偶爾有欲望的時候，也都是速戰速決。」

「西莉克斯，對我不能有任何隱瞞，妳懂嗎？」

「是，是，我知道。」

「妳最近是不是用過匕首？」

「沒有。」

「那麼類似的東西呢？」

「應該也沒有。」

「針呢？」

「針，有。」

「貝殼針嗎？」

「當然了！因為這是我最喜歡的裁縫工具。」

「妳曾經用針攻擊過別人嗎？」

「沒有，這點我可以發誓！」

「一個上了年紀的男人……他背向著妳，而妳悄悄地走到他身後，然後用貝殼針刺進他的頸子……」

西莉克斯聽到這裡不禁尖叫起來，她咬著手指，全身在草席上抽搐扭動不已。解夢師大吃一驚，正打算找人幫忙，西莉克斯卻已恢復了平靜。她汗流浹背地坐起身來，用一種恍惚而瘖啞的聲音說：

「我沒有殺人，我沒有那個勇氣。不過，將來要是美鋒要求我去殺人，為了留住他的人，我會照做的。」

「妳已經痊癒了，西莉克斯夫人。」

「你……你說什麼？」

「妳已經不再需要我的治療了。」

＊　＊　＊

解夢師把行李都裝上驢背，準備出發往碼頭去時，凱姆來了，他問道：「都收拾好了？」

「船在碼頭等我了。我要去希臘，在那邊不會有人找我麻煩。」

「真是明智的抉擇。」

「你向我保證過的，海關人員不會太過刁難。」

「那就得看你的表現如何了。」

「我已經照你的吩咐問過西莉克斯夫人。」

「我要你問的問題你也都問了？」

「雖然我一個字也不懂，但是我確實都問了。」

「結果呢？」

「她沒有殺人。」

「你肯定？」

「絕對肯定。我是江湖郎中沒錯，不過這種女人我看多了。你要是看到當時的情況，你也會相信她說的話。」

「好了，你就忘了她也忘了埃及吧！」

＊　＊　＊

塔佩妮眼看就要掉下淚來了。而美鋒卻坐在一張堆滿紙軸的矮桌前，怒眼圓瞪地看著她。她急急辯解：「我整個孟斐斯都問遍了，我沒騙你！」

「親愛的塔佩妮，妳這次無功而返未免太不可原諒了。」

「可是帕札爾既沒有出軌，也不花天酒地，沒有債務，更沒有牽扯上任何非法交易。我實在不敢相信，他是個完美無缺的人啊！」

「我事先不就告訴過妳了：他是首相。」

「我以為不管是不是首相都……」

「塔佩妮女士呀，妳的貪婪已經完全扭曲了妳的想法。埃及畢竟還是個特別的國家，那些大法官，尤其是全國首席的大法官，至今仍以剛正不阿為唯一的行事準則。我承認，他們的確是迂腐得可笑，不過這畢竟是事實啊。帕札爾就是個最好的例子，他堅信自己執行的是一份神聖的工作，因此充滿了抱負與熱忱。」

塔佩妮現在只覺得緊張，根本不知道該採取什麼態度，只能吞吞吐吐地說：「是我看錯他了。」

「我不喜歡做錯事的人。凡是替我做事的人，都只許成功不許失敗。」

「你放心，只要他有弱點，我就一定找得出來！」

「那要是沒有呢？」

「那麼……就得幫他製造一個。」

「很好的想法。妳有什麼計畫了嗎？」

「我會好好想想的，我……」

「不用了，我都想好了。這個計畫很簡單，以特殊物品的交易做餌。不知道妳是否還願意幫我？」

「我任憑你差遣。」

於是美鋒便將計畫說了，並分配了塔佩妮該做的工作。這回塔佩妮辦事不力，更加深了美鋒對女人的怨恨，希臘人將女人視為次等動物，果然一點也沒錯！埃及的法律給了她們太高的地位，也讓她們享有太多權利了。像這個成事不足敗事有餘的塔佩妮，就得趕緊除掉，以免將來礙事，而且順便還可以向帕札爾證明他所深信的司法根本起不了任何作用。

* * *

露天的工作坊裡，有五個工人正利用金合歡木、無花果木與檉柳木，賣力地製造著飛棍，完工的成品全都相當堅固，價格也不便宜。凱姆找到了五官很深、性情又暴烈的老板，便向他打聽：

「都是些什麼人來向你買飛棍？」

「捕鳥的人或是獵人。你問這個做什麼？很重要嗎？」

「非常重要。」

「為什麼？」

「你該不會做了什麼虧心事吧？」

這個時候有個工人在老板耳邊低聲說了幾句話，老板立刻臉色大變，「你是警察總長！你在找什麼人嗎？」

「我想知道這根飛棍是不是這裡製造的。」

老板仔細檢視了那個差點讓帕札爾送命的暗器後，說道：

「手工很巧……做得很精緻，再遠的目標也能擊中。」

「回答我的問題。」

「不，不是我們這裡做的。」

「那麼哪間工坊可以做得出這種品質的飛棍？」

「我不知道。」

「真的嗎？」

「很抱歉，但願下次能幫上你的忙。」

眼見警察總長走出工作坊，老板總算鬆了口氣，心想他倒也不像傳說中那麼難纏嘛。

不過，當天色暗下來，工作坊打烊之後，老板就知道自己錯了。

凱姆厚厚的手掌搭在他肩上，只冷冷地說了一句：「你說謊。」

「沒有，我是……」

「不要再騙我。你難道沒聽說我比我的狒狒更兇狠？」

「我的工作坊的營業正常，工人也都很認真……你為什麼非找我不可？」

「跟我說說這根飛棍。」

「好，我說，那是我做的沒錯。」

「買主是誰？」

「沒有人買，是被偷走的。」
「什麼時候被偷的？」
「前天。」
「那你剛才為什麼不老實說？」
「因為東西在你手上，我擔心會被牽扯進什麼可疑的案件……換作是你，你也不會說的。」
「知不知道可能會是誰偷的？」
「一點概念也沒有。這根飛棍價格不低……能不能還給我？」
「我不找你麻煩，你就該謝天謝地了，還想拿回飛棍？」
追查暗影吞噬者的這條線索又斷了。

＊　＊　＊

奈菲莉雖然貴為御醫長，行政事務也異常繁重，但一遇到有急診、疑難雜症或是重大的手術，她從不拒絕提供協助。
這一天，突然在醫院裡見到莎芭布，讓她感到萬分驚訝。莎芭布自稱三十來歲，長得妖嬈豔麗，如今是孟斐斯最著名的啤酒館的老板娘，手下的美女如雲。她一向都只有風溼的毛病，卻不知今天到醫院做什麼。
「妳身體的情況惡化了嗎？」
「不是的，我一直遵照妳的指示療養，並沒有問題。我今天來找妳是另有原因。」
莎芭布曾經因為肩膀發炎，差點就致使整條臂膀殘廢，多虧了奈菲莉才得以治癒，因此她對這位醫術高明的女醫師一直非常感激。雖然她仍在風塵中打滾，但是對於首相夫婦卻有著說不出的欽慕，見他二人鶼鰈情深，使她不得不相信這世上確實有生死不渝的愛情存在，只不過她這輩子都體驗不到罷了。臉上化著精緻的妝，身上噴了濃得幾乎化不開的香水，她總是懂得如何展現自己的魅力來吸引男人，她才不管什麼世俗禮節。不過，莎芭布從來沒有在奈菲莉的眼中看到過敵意與蔑視，她有的只是醫治病人的熱忱。

莎芭布一見到奈菲莉，便遞上一只上了釉的陶瓶，說：「把它打碎。」

「可是這只瓶子這麼漂亮……」

「請妳打碎吧。」

於是奈菲莉便將瓶子往地板一摔，陶瓶的碎片之中赫然出現了一個製成男性生殖器形狀的石頭與一個女性生殖器形狀的天青石，上面還寫滿了密密麻麻的巴比倫文字。

「我是無意中發現這樁買賣的，」莎芭布解釋說：「不過，就算我沒發現，遲早也會知道。這種雕刻主要是用來使疲憊的男人重新燃起欲望，使不孕的女人能夠生育。這些東西如果未經申報而私下進口是不合法的，還有一些瓶子裡裝的是明礬，這種藥物對於增強性欲、對抗性無能有很顯著的功效。但我最討厭這種治標不治本的玩意，把愛的本質都扭曲了。妳一定要設法阻止這項交易，以保全埃及的聲譽。」莎芭布從事的職業雖不高貴，卻還頗有榮譽感。

「妳知道哪些人有嫌疑嗎？」奈菲莉問道。

「不知道，我只知道貨都在夜裡送到西碼頭。」

「對了，妳肩膀不礙事了吧？」

「一點都不痛了。」

「再痛的話，千萬要馬上來找我。」

「我會的。我剛才說的事妳不會袖手旁觀吧？」

「我會交給首相處理的。」

*　　*　　*

河面的波浪拍打在碼頭邊的岩石上，碎成朵朵浪花，碼頭上空無一人，卻見一艘無帆的船隻正朝這方向駛來。在船長熟練的指揮下，船輕巧地靠了岸，隨後便立刻湧上十幾個人，忙著幫船員們卸貨。

卸完貨後，工人正在向一名女子領取一些護身符做為酬勞時，凱姆恰好帶著人馬抵達，沒有花費多少工夫便將一干嫌犯盡數逮捕了。

逮捕過程中，只有那名女子不斷掙扎並企圖逃走。凱姆手下的人拿起火把剛好照在她的臉上，凱姆著實吃了一驚：「塔佩妮女士！」

「放開我！」

「我恐怕得把妳關起來了，妳不知道妳現在進行的是非法交易嗎？」

「我可是有靠山的。」

「誰呀？」

「你現在不放開我，以後就別後悔。」

「把她帶走。」

見凱姆不為所動，塔佩妮更是氣憤不已，她一邊掙扎一邊喊道：「我是聽美鋒的命令行事的。」

對質。

*　*　*

由於物證確鑿，帕札爾便優先審理此案，不過在召開法庭之前，他讓塔佩妮與美鋒先來一次對質。

塔佩妮早已激動地情緒失控了，她一見到美鋒到來，便衝上前去，嘴裡還嚷嚷著：「叫他們放了我，美鋒！」

「如果這個女人不冷靜一點，我可要走了。你傳我來有什麼事？」美鋒冷冷地說。

「塔佩妮女士指控你指使她進行一項非法交易。」

「荒謬！」

「你說什麼？荒謬？」塔佩妮歇斯底里地喊道：「你明明要我把這些東西賣給一些權貴，以便打擊他們的名聲的。」

「帕札爾首相，我想塔佩妮女士已經失去理智了。」

「美鋒，我警告你別再用這種口吻說話，否則我就掀了你的底。」

「妳請便吧。」

「你……你瘋了！你知不知道……」

「妳愛怎麼幻想是妳的事，我可沒興趣奉陪。」

「好，你就這樣棄我於不顧！那麼你就別怪我了。」塔佩妮於是轉向首相說道：「那些個權貴之中，頭一個目標就是你！你們這對名夫妻有這種不健康的嗜好的消息一旦傳出去，會是多麼轟動的醜聞啊！用這種方法讓你們身敗名裂，豈非高招？這是美鋒想出的辦法，我只是負責執行而已。」

「真是一派胡言！」

「我說的全都是事實。」

「妳能拿得出證據嗎？」

「我說真的就是真的，不需要證據。」

「這整件事的主謀根本就是妳，誰都不會懷疑的。妳可是當場被逮個正著，塔佩妮！妳對首相的積怨實在太深了，幸好我很早就對妳起疑，也感謝眾神給我這份勇氣挺身而出，舉發妳的惡行。」

「舉發我……」

「不錯。」帕札爾點頭道：「美鋒是寫了一份警告函舉發有關妳的非法活動，密告函已經在昨天遞交警察總長，並存檔作證了。」

「我與司法單位合作的決心再明顯不過了。」美鋒說：「我希望塔佩妮會受到嚴厲的懲罰，影響社會的公序良俗到底是不可原諒的罪行，不是嗎？」

第二十八章

為了消消氣，帕札爾帶著勇士和北風到鄉間漫步了好幾個小時。一想到美鋒勝利的微笑背後，代表的其實是對司法的踐踏與侮辱，他便心痛不能自已，這樣的傷害是連奈菲莉的醫術都無法治癒的。

唯一讓他感到安慰的是，美鋒背叛了塔佩妮之後，也同時失去了一名伙伴。而塔佩妮由於被判入獄，也喪失了她的公民權利，這其中最大的受益者當然就是蘇提了，他只要提出離婚，便無須再替他的前妻工作。這名貪得無厭的紡織女王終於自食惡果，也因而讓蘇提重獲了自由。

驢子穩健的腳步以及愛犬的樂天與喜悅，的確讓帕札爾平靜了不少。散步時的輕鬆心情、四周的寧謐氣氛與尼羅河的波瀾壯闊，終於掃除了他心裡的陰霾。此時的他真希望能和美鋒來場決鬥，他一定一把就要擰斷他的脖子。

其實這只是自我發洩的幼稚想法，因為美鋒必定早就做好萬全的準備，即使除掉他還是無法挽救拉美西斯的頹勢，而埃及也終將成為一個以物質主義為最高國策的國家。

面對這麼一個魔鬼，帕札爾只有深深的無力感！通常就算是再年長、再有經驗的首相，也都要經過兩三年的時間才能駕輕就熟，而如今年輕的帕札爾接受宿命的安排，一肩挑起了救國大任，可是偏偏他又無計可施。光是知道對手的身分根本不夠，他真想不通既然這是一場未戰先輸的仗，繼續堅持下去又有什麼意義呢？

一陣沮喪過後，他在北風慧黠的眼中與勇士友善的眼神裡，又重新找回了勇氣與自信。驢子和狗都是神力的化身，牠們以無形的力量勾勒出了人心依歸的方向，一旦失去這個方向，人生也將變得毫無意義。

他要跟牠們一起為脆弱而光明的正義女神瑪特而戰。

*　*　*

凱姆簡直怒不可遏，「帕札爾首相，雖然我很尊敬你，但我還是不得不說你這樣的行為實在是愚蠢之至！你竟然一個人跑到野外……」

「我還帶了隨從呀。」

「為什麼要冒這樣的危險？」

「我再也受不了辦公室，受不了那些行政工作和書記官了！伸張司法正義是我的職責，但如今我卻只能任由美鋒嘲弄而毫無反擊之力。」

「這點和你就任之初有什麼不同嗎？這些都是你早就知道的。」

「你說得對。」

「與其在這裡自怨自艾，你還是趕緊去關心一下阿拜多斯省吧，那裡已經幾乎鬧翻天了。據報有兩人受傷，情況嚴重，還有大神廟的祭司和中央派出的特使發生激烈口角，起因似乎與拒服徭役有關。這些案件都會上訴到你的法庭來，不過到時可能就太遲了，我建議你立刻採取斷然措施。」

*　*　*

四月的來臨也帶來了暑氣，至少白天裡夠熱。在這即將開始收割的季節裡，儘管夜晚涼爽宜人，但正午的太陽卻已有吃人的氣燄。首相官邸的花園裡，則是一片欣欣向榮、百花爭妍的景象，萬紫千紅令人目不暇給。

帕札爾一起床，便走進了這片天堂花園，並逕往戲水池而去。他沒有猜錯，奈菲莉正在池子裡作晨泳。她全身赤裸，在水中輕盈地游來游去。他忽然想起自己也曾這般看著她戲水，他們也就是在那幸福的一刻因愛而結合，並結下了永生不變的情緣。

「水不冷嗎？」他回過神來才問道。

「對你來說太冷了。你要是下水又要感冒了。」

「不可能。」

奈菲莉出了水池，帕札爾馬上用一條亞麻布將她裹住，隨之獻上熱情的一吻。

「美鋒駁回了在外省興建新醫院的提議了。」奈菲莉說。

「無所謂。妳的提案馬上就會到我手中了。既然計畫案有充分的依據，我大可立即批准，倒不必擔心別人指控我循私。」

「他昨天到阿拜多斯去了，你知道嗎？」

「真的？」

「有個醫生在碼頭碰見他了。我那些同事也開始察覺到事情不妙，他們現在已經不再對雙院院長歌功頌德了。甚至有些人還認為你應該讓他下臺。」

「阿拜多斯出了一些問題，我得趁現在情況還不嚴重，趕緊趕去處理。我今天就出發。」

＊　＊　＊

這世上還有什麼地方比阿拜多斯更神奇的呢？

這裡祭祀的是傳說中遭謀殺後又重生的奧塞利斯神，除了包括法老在內的幾名特定人士之外，一般人可不能隨便進入這座巨大聖殿。拉美西斯大帝也和先皇塞提一樣，不僅美化了神殿，更擴增了其所屬農地，使得廟中神職人員的物質生活不虞匱乏。

帕札爾抵達時，在碼頭上迎接他的並非阿拜多斯神廟的大祭司，而是卡納克神廟的負責人卡尼。兩人再度見面都顯得分外高興。

「帕札爾，真沒想到你會來。」

「凱姆把事情都告訴我了，事態很嚴重嗎？」

「恐怕是的，本來在交給你處理之前，應該還要先詳細調查一番，現在既然你來了，就由你來主持吧。阿拜多斯的大祭司生病了，最近他受到了極大的壓力，因此要我協助他度過難關。」

「他受到什麼壓力？」

「跟我和其他神廟祭司所受的壓力一樣：中央要求神廟讓出一些工人供政府調用。有好幾個省已經開始大幅徵調神廟工人，而且上個月就發出了徭役的服役通知，其實各大工地通常都要到滿潮初期九月分的時候才需要增添人手的。」

美鋒簡直就像章魚似的，不斷延伸他無數貪婪的觸角，繼續向首相挑戰。

「聽說有人受傷。」凱姆打岔道。

「是的，是兩個不服從警察命令的農民。他們的家族世代為神廟工作，至今已有一千年了，因此他們不願意調動。」

「動粗的人是誰派來的？」

「不知道。再這樣下去恐怕就要暴動了，帕札爾。這些農民都是自由人，他們絕不肯像玩偶一樣任人擺布。」

打亂工作秩序藉以引發內戰：這正是美鋒打的如意算盤，如今他又返回孟斐斯去了。挑選阿拜多斯為第一個目標確實是上上之策，因為這方聖地向來不受經濟與社會動盪所影響，這次若出擊成功，對其他地區自然有示範作用。

以首相的身分，帕札爾原本可以到神廟內潛心靜思一番，他也很想這麼做，不過眼看情況急迫，也只好放棄這份享受了。

他匆忙趕到距離最近的村子，凱姆正扯著嗓子呼喚村民到麵包店附近的中央廣場集合。消息很快就傳開了，首相竟然會到這個小村落，還要跟他們這些小老百姓說話，這簡直是奇蹟。於是村民有的從田裡，有的從穀倉，有的從園子裡，個個都急急忙忙地趕了去，就怕錯過了這樁盛事。

帕札爾首先推崇了法老的神力，說他是唯一能帶給子民生命、繁榮與健康的人。然後，他提醒村民根據沿用至今的古老律法，任意徵用工人是不合法而且要遭受嚴厲懲罰的。犯了此罪的人將會失去原有職務，並罰杖打兩百大板，而且要親自完成他們以不公平的方式分配出去的工作，最後還要入獄。

這番話總算消除了眾人的疑慮與怒氣。大家七嘴八舌地說起了這次事件的始作俑者，矛頭卻是一致指向「光頭」費克提。

他在尼羅河邊有一棟別墅住家，還有一個養馬場，其中最精良健壯的馬都是要送進宮去的御用馬匹。這個人個性粗魯，加上家財萬貫更是目中無人，不過長久以來倒也一直沒有騷擾過神廟的員工。

然而，就在幾天前他卻強行把五名手工藝匠帶回家裡去了。

＊　＊　＊

「這個人我認識。」快到別墅的時候，凱姆告訴帕札爾說：「他就是那個誣賴我偷金子，還割掉我鼻子的軍官。」

「你別忘了你現在可是警察總長的身分。」

「放心，我會保持冷靜的。」

「如果他是清白的，我可不能容許你逮捕他。」

「但願他確實有罪。」

「你本身就是權力的代表，凱姆，但我希望這份權力能受到法令的約束。」

「我們進去了，好不好？」

他們正打算進屋，卻被一個倚在門廊木柱上、手持長矛的人給擋了下來，「不許進去。」

「把武器放下。」

「走開，你這個黑鬼，小心我捅穿你的肚子。」

話才說完，守衛手上的長矛就被狒狒搶了過去，折成兩截。他驚慌之餘，一面往莊園裡頭跑一面高聲求助。院子裡原本有馴馬師正在訓練兩匹駿馬，可是馬兒一見到狒狒，受了驚嚇，豎起前蹄長嘯一聲後，便撇下騎士逃進田野去了。

隨後立刻有幾名護院帶著匕首與長矛，從一棟平頂建築衝出來擋住了來人的去路。其中一個虎背熊腰的光頭站了出來，面對帕札爾、凱姆與眼中布滿血絲、眼神嚇人的狒狒，問道：

「你們為什麼無故侵入？」

「你是費克提嗎？」帕札爾反問他。

「不錯，我正是這個宅院的主人。你要是再不帶著你的怪獸離開，就別怪我們出手太重了。」

「你知道攻擊首相是什麼罪名嗎？」

「首相……你開什麼玩笑？」

「你叫人隨便拿一塊石灰岩片來。」

只見帕札爾在小石片蓋上了官印，費克提這才讓護院們退下，一邊還嘟囔著：

「首相出現在這裡……怎麼可能？還有跟你來的這個黑人是誰呢？啊……我認出來了！是他，是他沒錯！」

費克提一轉念便想逃跑，但才掉過頭便和殺手撞個正著，還被牠推倒在地。

「你現在不是軍人了？」凱姆問他。

「不是了，我想自己開農場養馬。那件陳年舊事我們早就忘了，是吧？」

「既然都忘了，你怎麼又會提起？」

「其實我是憑良心做事的……何況也沒有阻礙了你的發展啊。你現在應該是首相的貼身護衛吧？」

「是警察總長。」

「你？凱姆？」

費克提兀自驚疑不定之際，凱姆已經伸手將嚇出滿身汗的他揪了起來，問道：「你把那幾個被你強行帶來的手工藝匠藏在哪裡？」

「我？這是有人故意栽贓的！」

「你這些護院不是打著警察的名號到處製造恐慌嗎？」

「根本是謠言！」

「那麼就讓你的手下跟被害人對質。」

費克提不自然地咧咧嘴說：「我不許你這麼做！」

「別忘了是你得聽從我們的命令。」帕札爾提醒道：「我認為確實有搜查的必要。不過當然要先讓你的人放下武器了。」

護院們心裡面遲疑著，卻忘了提防狒狒。牠正好趁機以迅雷不及掩耳的速度，或打手臂、或撞手肘、或切手腕，不一會兒所有的長矛與短刀便手到擒來了，雖然有幾個人惱怒萬分想要還擊，卻也都被凱姆一一制止。再加上首相在場，大家多少有所忌憚，便不敢輕舉妄動，情勢對費克提自然大大不利，不禁讓他有一種眾叛親離的感覺。

隨後殺手便領著首相到五名手工藝匠被關的穀倉去。五人好不容易恢復自由，立刻吱吱喳喳個不停，搶著抱怨費克提如何威逼他們重修別墅的圍牆、修補別墅裡的家具等等。

這些證詞，帕札爾都當著被告的面記錄下來。而費克提也因為妨礙公共工程與非法徵調民力被判有罪。凱姆於是拿來了一根很粗的木棍說：

「首相命令我執行第一部分的處罰。」

「不要這樣！我會死在你手下的！」

「發生意外也不是不可能，有時候我就是控制不了自己的力道。」

「你到底想知道什麼？」

「是誰唆使你這麼做的？」

「沒有啊。」

凱姆高高舉起了木棍說：「你說謊的技術太不高明了。」

「別打！好，我說。我的確接到了一些指示。」

「是美鋒？」

「就算告訴你了又有什麼用?他不會承認的。」

「既然你不願意說，那麼我就依照判決打你兩百大板吧。」

費克提聽了，嚇得連滾帶爬地縮到凱姆腳邊，在狒狒冷漠的注視下，哀求道：

「我要是合作的話，可不可以讓我直接入獄，不要挨打？」

「要是首相同意的話……」

帕札爾點了點頭，費克提這才說：「這裡發生的事根本不算什麼。你們應該注意的是外籍勞工中心的情形。」

第二十九章

熾熱春陽下的孟斐斯顯得懶洋洋的。外籍勞工中心還是午休的時間，有十幾名希臘人、腓尼基人與敘利亞人，正在等著辦公室的職員來招呼他們。

當帕札爾走進外籍人士等待的小房間時，那十幾個人以為負責人終於出來了，便立刻起身相迎，而帕札爾也沒有說明自己的身分。在一片嘈雜的抗議聲中，有一名腓尼基的年輕人主動出面當代言人說：「我們要工作。」

「你們得到了什麼承諾嗎？」

「他們說我們會有工作，因為我們都是合法的勞工。」

「你從事什麼職業？」

「我是木匠，手藝很不錯的，有一間工作坊已經準備雇用我了。」

「有什麼樣的條件？」

「每天有啤酒、麵包、魚乾或肉，以及蔬菜，每十天還有油、香脂和香水。而且會依我的需要給我衣服和鞋子。工作八天，休息兩天，節日和公休另外計算。沒有上工也要向老板提出說明。」

「這些條件跟埃及的工人一樣，你覺得滿意嗎？」

「這當然比在我的國家好多了，可是我和其他人一樣，都需要移民局的許可證啊！我們已經在這裡等了一個多禮拜了，為什麼還不能放行？」

帕札爾問了其他人，每個人都有同樣的問題，他們也反問他：

「你會給我們這張證明吧？」

「今天馬上發。」

忽然有一個大腹便便的書記官闖了進來，「這是怎麼回事？請你們都坐下，不要再吵鬧！否則我就以主任的身分把你們全部驅逐出境。」

「你的態度太蠻橫了吧。」帕札爾說。

「你以為你是誰啊？敢這麼對我說話。」

「我是埃及的首相。」

現場突然靜了下來。外籍勞工是既期待又害怕，而書記官則瞪大了眼睛，看著帕札爾剛剛蓋在紙片上的印章。

「對不起。」他囁嚅著：「可是我實在沒有收到通知。」

「你為什麼要找這些人麻煩？他們都是合法的呀。」

「因為最近本中心工作量暴增，人手又不足……」

「不對。來此之前，我調查過你的部門的運作情形，你這裡不缺錢也不缺人。而且你的薪水調升了，要繳百分之十的稅金，還有一些未申報的額外收入。你有一間華麗的房子、一個漂亮的花園、一輛車子、一艘船和兩名僕人。我說得對不對？」

「不，不是……」

此時，其他書記官吃過了午餐也都聚在辦公室門口一探究竟。帕札爾便命令主任說：「叫你的屬下立刻發出許可證，你跟我來。」

他帶著主任書記官穿梭在孟斐斯的小巷內，跟那些平民百姓混在一起，書記官似乎有點不自在。

「上午工作四個小時，下午四小時，中午則休息一段很長的時間，這就是你的工作步調？」

「是的。」

「可是你似乎並沒有按時工作。」

「我們都很盡力在做啊。」

「你的工作量不大，效率又差，只會傷害那些受你的決定牽制的人而已。」

「我絕對無意傷害他們，請你相信我。」

「可是結果卻是如此。」

「我覺得你的指責太嚴苛了。」

「我卻覺得可能還不夠嚴厲呢。」

「替外籍勞工分配工作可不簡單，他們有些人脾氣暴躁，有些人有語言上的障礙，還有些人則是適應能力比較差。」

「這點我同意，不過你看看你四周的人，有不少商人和手工藝匠都是到這裡定居的第一代或第二代外籍人士。只要他們遵守我們的法律，就該受到歡迎。讓我看看你的名單。」

書記官面有難色地說：「這有點不方便……」

「為什麼？」

「因為我們正在進行資料重整，需要幾個月的時間，一整理好，我會馬上通知你的。」

「抱歉，我急著要。」

「可是……沒辦法呀。」

「再怎麼繁瑣的行政工作都難不倒我的，我們回你的辦公室去吧。」

書記官的雙手不由得抖個不停。帕札爾獲得的訊息沒有錯，但是該怎麼做呢？毫無疑問地，外籍勞工中心正在進行一項規模不小的非法活動，現在只要發掘出活動的性質，再加以連根拔除就行了。

主任書記官沒有說謊，長方形檔案室內的文件資料確實散了一地。有好幾名職員正在整理木板，並在紙張上編號。

「重整的工作什麼時候開始的？」

「昨天。」主任回答道。

「是誰下的命令？」

主任猶豫了一下，不過看到首相鋒利的眼光，他還是決定說實話：

「白色雙院……雙院是依照慣例要知道移民的姓名與工作性質，以便確定稅收總額。」

「那我們找找看。」

「不行，真的不行。」

「這麼煩人的工作可以讓我回憶一下當初剛到孟斐斯的日子。你可以退下了，留下兩個自願幫忙的人就行了。」

「但是協助你是我的職責，而且……」

「回家去吧，我們明天見了。」

帕札爾的語氣堅定，不容主任再多說。他走後，有兩名幾個月前到任的年輕書記官，自告奮勇留下來幫忙，而帕札爾則脫了長袍與鞋子，跪在地上便開始整理起文件來了。

工作看來極為繁重，不過帕札爾只希望在無意中發現一點蛛絲馬跡，讓他可以有跡可循。

「真奇怪。」年紀較輕的書記官說：「要是以前的塞沙姆主任書記官還在，我們的工作就不用這麼趕了。」

「他什麼時候被換掉的？」

「這個月初。」

「他住在哪裡？」

「在花園區，大泉的附近。」

帕札爾隨即走出辦公室，凱姆站在門邊守著，見到首相便說：

「沒有什麼異常；殺手到四周轉轉去了。」

「我要請你去帶一名證人到這裡來。」

＊　＊　＊

「忠心的」塞沙姆已經上了年紀，性情溫和而內向。接受訊問已經夠讓他驚慌的了，何況面對的人還是首相，更是叫他不安到了極點。帕札爾看他一點也不像奸詐的罪犯，不過有了以前的教訓，他已懂得不能以貌取人。

「你為什麼離職？」

「上級的命令，我被降調到船隻管理部門。」

「你犯了什麼錯嗎？」

「我認為我並沒有犯錯，我在這個部門待二十年了，從來沒有請過一天假，我想錯就錯在我不該糾正一些自認為錯誤的命令。」

「你把話說清楚。」

「我不容許申請的手續過程有延宕的情形，但我更不贊成外籍勞工完全不受管制。」

「你是怕競爭激烈使酬勞降低？」

「不是的！外籍勞工受雇於地主或手工藝匠的工資非常地高，通常很快就能購買地產和房子，還能傳給後代子孫。但是為什麼這三個月以來，大多數的申請者都被送到白色雙院底下的一個造船廠呢？」

「你把名單拿給我看看。」

「只要看檔案就知道了。」

「恐怕你要大失所望了。」

塞沙姆果然十分失望，「這樣的分類整理沒有用！」

「外籍勞工的名單記錄在哪裡？」

「在無花果木板上。」

「現在檔案這麼混亂，你能找得到嗎？」

「我試試看。」

塞沙姆卻又再度失望了；遍尋不著之後，他下了結論：

「檔案不見了！不過有草稿，雖然不齊全，但應該有用。」

於是，兩名年輕的書記官從雜物間搬出了一堆破碎不全的石灰岩片，塞沙姆便就著火光尋找他那份寶貴的草稿。

＊　＊　＊

造船廠裡每個人都忙得不可開交，工頭高喊著口令，木匠們便依口令鋸開長長的金合歡木板。有一些工程師負責接合船身，另外一些則負責搭起舷牆，他們技巧純熟地將木板一一疊起，再鑲榫結合，最後便是一艘完整的船了。廠裡另一邊的工人則有的忙著為小船捻縫，有的忙著製造各式的長短槳。

「這裡閒人勿進。」帕札爾由凱姆與狒狒陪同到了造船廠，被一名守衛擋在門外。

「也包括首相在內？」

「你是……」

「叫你們主管出來。」

守衛沒有多問便立刻進去傳話。不一會兒只見一個身材壯碩、滿臉自信的人跑出來，他認出了警察總長和狒狒，便向首相一鞠躬，以沉穩的語調問道：

「有什麼需要我效勞的嗎？」

帕札爾拿出了一張名單說道：「我想見見這上頭的外籍勞工。」

「這裡沒有這些人。」

「你再想清楚。」

「沒有，我很確定……」

「我有一些公文可以證明，你這三個月來總共雇用了五十多名外籍勞工。他們人呢？」

就在首相等著回答的一瞬間，廠長忽然往巷子的另一頭跑去，原以為殺手沒有注意到他，不料狒狒一越而過矮牆，縱身跳上廠長的背，便把他壓在地上動彈不得了。

凱姆走過去扯住他的頭髮說：「好傢伙，說吧，我們聽著呢。」

* * *

農場的位置在孟斐斯北邊，面積十分遼闊。當首相帶著一群警察抵達時，大約下午三、四點鐘，他們抓了一個看鵝的人問道：「外籍勞工在哪裡？」

看鵝的人見警方聲勢浩大，也不敢不說實話，便用手指了指牲畜棚。

帕札爾一行人正打算進入棚內，卻被幾個手持鐮刀和木棍的人攔了下來，其中一人還不停揮動鐮刀挑釁。不過當凱姆一刀射中那人的手臂之後，其他人便也立刻不再反抗。

牲畜棚內果然有五十多名外籍勞工，個個被繩索限制了行動，手裡卻還忙著擠牛奶、揀穀子。

帕札爾立即下令釋放他們，並將他們的守衛逮捕入獄。

* * *

面對這突發事件，美鋒倒顯得輕鬆自在地說：

「奴隸？不錯，跟希臘一樣，地中海各國也很快就會跟進。親愛的帕札爾，奴隸制度是未來不可避免的趨勢啊。有了奴隸，才能有順從而廉價的人工；有了奴隸，我們也才能在發展各項重大工程時，降低成本提高收益。」

「是不是需要我再提醒你一次？奴隸制度違反了瑪特律法的精神，在埃及是不容許的。」

「如果你想定我的罪，我勸你別費心了，你是無法證明我和造船廠、農場以及外籍勞工中心有任何牽連的。我老實告訴你，雖然你一再阻撓破壞我的計畫，但是到目前為止究竟誰的成果豐碩呢？你那些律法根本是老古董了，你到底什麼時候才會明白？拉美西斯的埃及已經滅亡了！」

「你為什麼這麼憎恨其他人？」

「這世上只有兩種人：一種是統治者，一種是被統治者。我屬於第一種人，而第二種人就必須聽我的。這才是唯一有效的律法。」

「這只是你一廂情願的想法，美鋒。」

「有很多領導人都會贊同我的看法，因為他們都希望成為統治者。儘管目前希望落空了，但將來他們還是會幫我的。」

「只要我還是首相的一天，埃及就絕對不會有奴隸的存在。」

「你以為你對於維護舊制度的努力會讓我難過？其實你雖然動作頻頻，卻只是無用的掙扎，對我來說消遣的性質大過於挑戰。別再浪費力氣了，帕札爾，你我都很明白，你根本改變不了什麼。」

「無論如何，我都會和你對抗到底，直到我嚥下最後一口氣。」

第三十章

蘇提重獲金合歡木弓，不禁憐愛地檢視著材質的堅實度、弓弦的鬆緊以及弓架的柔軟度。豹子見狀，便撒嬌道：「你就沒別的事好做啦？」

「妳若想坐穩妳的寶座，我就非得有一副可靠的武器不可。」

「既然你手下有了人，就好好利用啊。」

「妳以為憑這些人就能打敗埃及軍隊？」

「我們先找沙漠警察下手，在沙漠建立我們的王國。現在利比亞人和努比亞人都聽你的指揮，這已經是奇蹟了。指揮他們作戰吧，他們會聽你的。你是黃金之主呀，蘇提，這片土地遲早是我們的，去征服它吧。」

「妳真是瘋了。」

「你要報仇，親愛的，你要向帕札爾和你該死的祖國埃及報仇。有了金子和戰士，你一定辦得到。」

豹子說完便以火般熱吻傳達她的愛意，這使得蘇提對未來的冒險又充滿了希望，於是他便到營地裡繞了一圈。向來善於襲擊、勇氣過人的利比亞人，準備了帳棚和被毯，似乎把荒漠的日子也變舒服了，而精於打獵的努比亞人則負責追捕獵物。

不過，起初幾天的陶醉興奮已經漸漸淡了，利比亞人終於體認到埃達飛已死的事實，而蘇提正是殺他的兇手。當然，他們必須遵守神前所發的誓，但卻逐漸形成了一種沉默的對抗勢力。為首的是一個矮矮壯壯、全身覆滿黑色毛髮的人，名叫約塞特。他是埃達飛的左右手，使起刀來又快又狠，對於族人必須聽命於蘇提一事，他越來越無法忍受了。

蘇提巡視營房時，見部屬有的在保養武器，有的在操練，還有的在打掃環境，便大大稱讚了他們一番。

當他正在和一群剛操演回來的利比亞戰士談話時，約塞特忽然帶了五名士兵，前來質問道：「你要帶我們到哪裡去？」

「你說呢？」

「我不喜歡你的回答。」

「我也覺得你的問題問得不妥。」

約塞特皺起濃眉，說：「還沒有人敢用這種口氣跟我說話。」

「服從與尊敬長官是一個好士兵最基本的條件。」

「那也得有個好長官才行。」

「你覺得我不配當將軍？」

「你竟敢和埃達飛相提並論。」

「有什麼不敢，輸的人是他，可不是我。就算他作弊，還是我的手下敗將。」

「你敢說他作弊？」

「和他聯手那人的屍體不是你親手埋的嗎？」

此刻忽見刀光一閃，約塞特的短刀已經刺向蘇提的小腹，可是蘇提的動作更快，躲過了那刀之後，一個反肘便撞在對手的胸口。約塞特受力過猛，跌倒在地，還來不及爬起身，蘇提早就一腳過來，把他的頭踩進沙堆裡去了。

「你要嘛就聽我的，不然就等著窒息而死。」

蘇提眼中射出的寒光讓其他利比亞人打消了救助同伴的念頭，約塞特只好丟下刀子，以拳擊地表示投降。

「喘口氣吧。」蘇提這才將腳抬起。約塞特也急忙滾到一旁，吐出口中的沙子。蘇提又說：「你這個小叛徒聽好了！神明保佑讓我殺了一個投機取巧的人，並成為一支精銳部隊的統領，這個機會我會好好把握。至於你，你只有閉上嘴乖乖替我打仗的分。你若不服，就走吧。」

事已至此，約塞特也只能低著頭回到隊伍中了。

* * *

蘇提的部隊沿著尼羅河谷望北而行，他們走的是最艱險也最沒有人跡的路徑，與人煙聚落始終保持著相當的距離。蘇提天生就有領導的才能，他懂得如何為屬下節省力氣，如何博取他們的信任，大夥兒對他的指揮都沒有異議。

蘇提和豹子騎在隊伍的最前頭，豹子每一分每一秒都在品嘗這得來不易的勝利的滋味，彷彿自己已經成為這片荒蕪之地的主人了。而蘇提則只是靜靜地傾聽著沙漠的聲音。

「我們騙過警察了。」她信心十足地說。

「黃金女神錯了，我們已經被跟蹤兩天了。」

「你怎麼知道？」

「妳難道不相信我的直覺？」

「那他們為什麼不攻擊我們？」

「因為我們人數太多，他們必須要集合好幾個小組的人馬才行。」

「那我們就先發制人啊。」

「再等等。」

「你不願意殺埃及人，對不對？這就是你的偉大念頭！寧願自己遭同胞的萬箭穿身，對吧？」

「如果連甩掉他們的能力都沒有，我還怎麼送妳一個王國？」

* * *

沙漠特警們簡直不敢相信自己的眼睛。在兇猛警犬的陪同下，他們總能縱橫沙漠，制止貝都因人的劫掠，保護沙漠商隊並保障礦工的安全。游民的一舉一動都逃不過他們的視線，打劫的強盜更不可能逍遙法外。幾十年來，凡是有任何顛覆秩序的企圖，總是在醞釀之初便會被特警壓制下來。

因此，當初一名偵查先鋒來報，說南邊出現了一支軍隊時，所有的警官都不相信。直到某支巡邏隊發出警訊之後，才使得分散各地的警察集結起來行動。

會合完畢，特警們卻猶豫著不知該如何是好。這群士兵打哪來的？由誰統帥？他們想做什麼？既是努比亞人和利比亞人聯軍，難免讓人有即將爆發嚴重衝突的不祥預感，不過，沙漠警察還是有自信能消滅入侵者，無須軍隊協助。只要立下這次戰功，他們的名氣將更加響亮，也必定會獲得獎賞。

入侵的敵軍千不該萬不該沿著丘陵爬行，因為警察就打算在此突擊，他們只等著日落，警備較為鬆懈時，便要進攻了。

首先，從背後勒斃敵人；接著，以亂箭狂掃；最後，再以肉搏戰結束。攻勢迅速猛烈，若有俘虜，總能逼問出些什麼來的。

然而當沙漠轉紅，起風之際，特警卻遍尋不到哨兵的蹤影。因擔心有詐，便小心翼翼地往前進。到了山丘頂上，突擊隊員根本沒有碰到任何敵兵。由於居高臨下，敵軍的營區自是一目了然，但出乎他們意外的是，裡面竟然空無一人！空空的戰車，亂竄的馬匹，折損的帳棚，一副倉皇潰逃的亂象。看來那支雜牌軍自知被盯上了，所以決定作鳥獸散吧。

這場仗確實贏得輕鬆，但緊接著卻還有更激烈的追捕行動，務必逮捕敵方每一名士兵。然後還要列一張戰利品清單，以免遭受劫掠。事後，國家還會賞一部分給他們呢。

特警隨後分為幾個小組互相掩護，小心地進入敵軍營區。幾個比較大膽的，走到車子旁邊，掀開篷布一看，裡面全是金條。便立刻招呼同伴過來，大家圍著寶藏看得目眩神迷，大部分的人還因為太過入神，把武器都掉了。

突然間，沙漠裡有數十處，似乎翻騰了起來。

原來蘇提和手下都埋藏在沙裡，他們看準了空蕩蕩的營區和這許多金子，一定會將特警引來，因此並不擔心會在沙裡悶得太久。當警察見到敵人從身後包抄過來，便明白了反抗也是沒有用的。

蘇提爬上一輛車，向戰敗的警察說：

「只要你們講理，就沒有什麼好怕的，不但可以保住性命，還可以跟我手下這些利比亞人與努比亞人一樣發大財。我叫作蘇提，統領這支隊伍之前，我本是埃及軍隊中的戰車尉。當初為你們除掉害群之馬亞舍將軍的人就是我，就是我為沙漠執法將他處死的。如今，我已經成了黃金之主了。」

有幾名員警認出了蘇提，他的名聲早已傳出孟斐斯之外，還有人把他視為傳奇英雄人物呢。

「你不是被關在查魯堡壘嗎？」一名警察問道。

「那裡的駐軍打算把我做為犧牲品獻給努比亞人，以便趁機除掉我，不過我卻得到了黃金女神的保佑。」

豹子站了出來，身上披著夕陽餘暉，映照得她的金冠、金項鏈與金手鏈閃閃發亮。無論是埃及警察或蘇提的部下無不感到震懾，彷彿遠古著名的女神終於從神祕的南部蠻荒回來，為埃及帶來了愛的歡愉。

眾人紛紛拜倒在地，臣服於她。

所有的人都在瘋狂地慶祝。有人玩弄金子，有人喝酒，有人編織著未來的美夢，有人讚頌著黃金女神的美麗。

「你快樂嗎？」豹子問蘇提。

「情況可能會變壞的。」

「我一直在想，你要怎麼做才能不殺埃及人……如今你已經成為一名好將軍了，這都是我的功勞。」

「結合這些人，其實基礎並不穩固。」

「你要有信心一點。」

「妳還想征服什麼？」

「即將面臨的一切。我不能忍受平靜無波的生活。讓我們前進，創造我們的天地吧。」

正說著，約塞特突然從黑暗中跳出來，高舉著匕首衝向蘇提。蘇提迅速地往旁邊一閃，躲過了這致命的一擊。豹子驚魂甫定，竟就興味盎然地看起了這場打鬥，由於身材與體力懸殊，她相信蘇提不費吹灰之力便能打敗矮小的對手。

然而蘇提出手卻撲了個空，約塞特精神為之一振，刀子一送便想刺穿他的心臟。蘇提雖然及時避開了，卻因為重心失去平衡而跌倒。

豹子見狀，連忙飛腳踢掉約塞特手上的刀子。不料此時的約塞特殺意已決，他推開豹子，隨手拿起一塊岩石便往蘇提的腦袋砸。蘇提來不及反應，雖然掉轉了頭，卻還是被石塊砸中了左臂，不禁痛得大叫。

約塞特發出了幾聲歡呼，隨後又舉起沾滿血跡的石塊，面向著受傷的蘇提說：「去死吧，你這隻埃及狗！」

話聲既畢，卻見他雙眼直瞪、嘴巴半張，臨時找到的武器也掉落在地上，他就這樣翻倒在蘇提身邊，竟已然斷了氣。

原來是豹子撿起約塞特的刀子瞄準了他的頸背，而使他一刀斃命。

「你怎麼這麼容易就被打敗？」她怪蘇提說。

「黑漆漆的，什麼都看不到……我瞎了。」

豹子扶他站起來時，他皺了一下眉頭：「我的手臂……斷了。」

於是豹子便把他帶到努比亞長老那裡去。長老看了傷勢之後，命令兩名士兵：「讓他躺平，在他肩胛骨之間纏上布。你到左邊，你到右邊。」

接著兩名士兵分別將蘇提的雙臂用力一拉，長老發現了肱骨的斷裂處，也不管蘇提的哀嚎，硬是接好了斷骨。最後他用兩塊夾板以亞麻布固定，以便讓傷口能早日復原。

「不要緊了。」長老說：「他還是可以走路，可以指揮部隊。」

儘管疼痛不堪，蘇提仍勉強起身，在豹子耳邊小聲地說：「帶我回帳棚去。」

他慢慢地走，以免一個不穩又跌倒。豹子扶著他回到帳中，讓他坐下後，蘇提說：「不能讓任何人知道我變得虛弱了。」

「睡吧，我會看著的。」

* * *

天剛破曉，蘇提就痛醒了。但他很快便忘了疼痛，因為眼前的景色實在太美了。他興奮地喊道：「我看得見了，豹子，我看得見了！」

「是光……是光把你治好的。」

「我知道這種病，這是夜盲症，隨時都可能發病。現在只有一個人救得了我，那就是奈菲莉。」

「可是我們離孟斐斯那麼遠。」

「跟我來。」

他拉著她跳上馬背，馳騁過沙丘與一道乾河床，來到了一處遍布著石子的小山丘。從山頂望去，只見一片壯麗的景象。

「豹子，妳看，妳看地平線那端的白色城市！那是科普托思，也就是我們要去的地方。」

第三十一章

五月的炎熱使得薩卡拉大墓園有點昏沉，挖掘墳墓的工作也跟著遲緩了起來，有的甚至停擺了。負責供養永恆的能量「護衛靈」的祭司，行動也越來越慢。只有木乃伊工人裘伊不能休息，因為剛剛又送來了三具屍體，為了讓死者順利抵達冥世，他答應了要盡快處理。裘伊總是臉色蒼白，臉上留著鬍碴，兩隻腳則是瘦巴巴的。他先取出屍體的內臟，然後依著價錢的高低填入防腐香料。他有空的時候，會去幫幾個墳墓的禮拜堂換花，也算是薪資之外的一點外快。這天他又送花到禮拜堂去時，遇見了首相夫婦，他們正要前往布拉尼的墳墓。

帕札爾和奈菲莉的傷痛一點也沒有隨著時間逝去而稍減。沒有了布拉尼，他們倆就像孤兒似的，這世上再也無人能代替這位良師。他所展現的是一種光芒四射的智慧，一種屬於埃及的智慧，這也正是美鋒與他的同黨想盡辦法要毀滅的。

緬懷布拉尼的同時，帕札爾和奈菲莉也和歷代的祖先有了交流，正由於他們熱愛平和的真理與莊嚴的正義，才能建立起這個水與陽光的國家。其實布拉尼並未消逝，他仍在無形中引導著他們，他的靈魂已經開闢出一條路，只不過他們尚未發現罷了。如今他們只有越過死亡的界線，與恩師的心意相通，才能找到正確的方向。

* * *

帕札爾又要在普塔赫神廟中與國王祕密會面了。外界都以為拉美西斯大帝為了養病，一直住在氣候溫和的三角洲的皮拉美西斯宮。

「敵人大概以為朕已經澈底被打敗了。」

「陛下，我們只剩不到三個月的時間了。」

「有進展嗎？」

「收穫不大。雖然打了幾次零星的勝仗，不過還不足以動搖美鋒。」

「他的同黨呢？」

「人數眾多，我好不容易才剷除了幾個人。」

「朕也一樣。朕在皮拉美西斯，也整頓了負責鎮守亞洲邊界的軍隊；白色雙院透過不同的管道，收買了幾名高級軍官。美鋒實在太詭計多端，我們非得走遍他所堆建起來、形勢複雜的山，否則絕不可能追蹤到他的足跡。讓我們繼續努力，侵蝕他的根基吧。」

「其實我每天都有新的發現。」

「眾神遺囑呢？」

「毫無線索。」

「那麼殺死布拉尼的兇手呢？」

「也沒有具體的線索。」

「我們得來個大動作，帕札爾，以便測知美鋒勢力範圍的極限。既然時間不多，我們就來一次人口普查吧。」

「這要花很多時間的。」

「請巴吉幫你，並尋求所有行政機關的協助，要各省省長全力配合。不用半個月，就能得出概略的結果了。朕要知道國家實際的現況，以及這項陰謀涉及的範圍。」

* * *

儘管十分疲憊，雙腳腫脹，背也駝得更厲害，巴吉還是親切地接待了帕札爾。但是他的妻子卻一點也不歡迎這個客人，她就是無法忍受丈夫都已經退休了，還要不斷被騷擾。

帕札爾注意到了他們的小屋實在破損得厲害，有幾處牆壁也都剝落了。但他一句話也沒說，唯恐觸怒了前任的首相，只是心裡暗暗盤算著自掏腰包請幾個水泥工來，把整條街的住屋都重新整修粉刷，自然也就能順便整修巴吉的住處了。

「人口普查？」巴吉驚訝地說：「這可是個浩大的工程。」

「上一次的普查已經是五年前的事，我想現在也該更新資料了。」

「你說得沒錯。」

「我希望越快動手越好。」

「這也不是不可能，不過必須要有法老傳令官的全力協助。」

傳令官都是一些頂尖的人才，他們專門負責傳遞中央的命令，一切政令改革的快慢與他們的效率有極密切的關係。

「我帶你到人口普查機關去，」巴吉又說：「這樣你就能明白整個運作的過程，不過我會幫你節省幾天的時間。」

「我幫你叫轎子來吧。」

「真高興能幫上你的忙……」

* * *

所有的傳令官都到齊了。

當首相將瑪特的小神像掛到他的細金鏈上，宣布正式開會之後，所有的官員都在正義女神像前行一鞠躬。

帕札爾坐在高椅背的座位上，身上穿著首相的傳統服飾，一件用又厚又硬的布料剪裁而成的長罩衫罩住了全身，只有雙肩裸露在外。

「我奉法老之命召集各位是為了分派一項重要的任務，我們要立刻以飛快的速度進行人口普查。我要知道所有農地與可耕地地主的名字、他們所有地的面積、牲畜的總數與所有人的姓名、個人所擁有財產的內容與多寡，以及居民的總數。我想應該不需要再提醒各位，若蓄意或因一時疏忽而隱瞞了真相，將視同重大疏失，並判處重刑。」

有一名傳令官要求發言：「通常人口普查都需要好幾個月的時間，為什麼這次如此匆促？」

「最近我要做一些經濟決策，因此必須知道這五年來，國家狀況是否有很大的轉變。以後我們會再做更詳細的調查。」

「要達到首相的要求並不簡單，不過只要將各地每天調查的結果很快地蒐集起來，應該還是可以辦到。不知道首相能否明示，這次的行動與新稅法有無關連？」

「人口普查從來都與稅法制定無關，這次也不例外，我們完全是為了讓每個人都有工作，並且讓工作的分配更確切。這點我可以以律法之名向你保證。」

「那麼我們會在一星期後交出第一批資料。」

*　*　*

卡納克外，保護著神廟的獅身人面像之間，一棵棵的檉柳枝葉繁茂。空氣中到處是春天甜甜的氣息，神廟的石牆染上了暖暖的色調，大門上的青銅也閃著耀眼的光芒。

這裡是穆特女神的神殿，也是醫生首次接觸醫學祕密的所在。如今一年一度各大城市的醫師代表會議又再度在此召開，擔任主席的是御醫長奈菲莉。他們將檢討公共衛生問題，並發表各項重要發現，讓藥劑師、獸醫、牙醫、眼科醫師、「肛門守護者」（即胃腸科醫師）、「內分泌與內在器官專家」，以及其他專科醫師得以受益。大部分上了年紀的醫師，都很欣賞御醫長那張純淨的臉龐、如羚羊般的頸子、纖細的腰肢、手腕與腳踝。她頭上戴著以小珠子裝飾的蓮花冠，頸間則還是布拉尼送給她的那條可以趨吉避邪的綠松石項鍊。

會議開始，首先由卡納克的大祭司卡尼發言。只見他黝黑的皮膚上，刻劃著深深的皺紋，頸背還有當初肩挑重擔、膿腫結疤所留下的痕跡，依舊一副樸實的模樣。

「感謝眾神，今天領導埃及醫生團體的是一位傑出的女性，她只求增進醫療品質，而無視個人聲名。儘管醫療資源曾被一些不肖分子掌握了一段時間，但如今我們終於又回到了因赫臺所教誨的正統之道。只要我們不再誤入歧途，埃及人民便將能擁有健康的身心。」

奈菲莉一向不喜歡空談，因此向其他醫師發表演說時，也盡量簡潔。至於其他醫師的報告雖然簡短，內容卻相當豐富，其中提及了外科技術的提升，尤以婦科與眼科為重點，並提出了利用熱帶植物製造新藥的方法。有多名專家認為，雖然醫學研習年限極長，而且在正式成為全能普通科醫師之前，必須有多年的執業經驗，但唯有如此才能維持醫生的素質。

對於會中的結論，奈菲莉都予以肯定，雖然表面氣氛和諧，但卡尼卻覺得有一種緊張，甚至令人憂慮的感覺。

「現在全國正在進行人口普查。」奈菲莉說道：「多虧皇家傳令官的努力，目前已經得出了一些結果。其中一項更直接關係到我們，也就是有幾個省分人口膨脹得過度快速。人口控制是最基本的工作，如果我們忘了這一點，就等於將我們的同胞推入困苦的深淵了（※註1）。」

「妳希望我們怎麼做？」

「村中的醫生要極力倡導節育。」

「前一任御醫長已經終止這項政策了，因為中央必須免費提供避孕產品。」

「只為了省這麼點錢，實在是愚蠢而危險的做法。我們可以重新考慮金合歡製成的避孕藥，這類植物的刺中所含的乳酸，避孕效果十分顯著。」

「不錯，但是保存時須將刺磨碎並加入椰棗與蜂蜜……蜂蜜卻極為昂貴啊！」

「人口太多的村落，是很難維持生計的，因此希望醫生能以這個事實說服家長。至於蜂蜜，我會請求首相撥出相當分量的收成，以供衛生單位取用。」

* * *

日落時分，奈菲莉走上了通往普塔赫神廟的小徑；這座小神殿隱藏在一片樹林中，和巨大的卡納克神廟的東西主軸有一段距離。

祭司見到御醫長均行禮致敬，而奈菲莉則單獨進入了侍奉著塞克美母獅像的禮拜堂。塞克美是醫師的守護神，也是一種神祕力量的化身，能同時衍生出疾病與治病藥方。

這尊獅面女人身的神像矗立在黑暗之中，只有一絲微弱的夕陽光線，從天花板的細縫透射進來，照在恐怖的神像臉上。若沒有女神的幫助，醫生便無法獲得治病的能力。

奇蹟再次出現了，就如同她們第一次的會面：母獅微笑了。祂五官的線條變得柔和，眼神則注視著眼前的信女。奈菲莉用心和這尊活石像交流，祈求祂賜予智慧，將能量之學傳給她，其實只有神能永遠存在，人類則只不過是一種短暫的能量形式罷了。

奈菲莉冥想了一整夜，她從原來塞克美的學子變成了祂的姊妹、祂的知己。因此當早晨強烈的陽光還給神像原有的怒容時，奈菲莉卻不再害怕了。

* * *

孟斐斯到處都在傳說著：首相即將開一個非常特別的庭。不僅傳喚了法老的九位友人，還有許多朝臣都爭相參與。有人猜測是帕札爾承受不了重擔而打算辭職，也有人以為他將會宣布一些令人意想不到的事。

這回帕札爾一反常例，召開的並非限定人數的會議，而是將法庭的門扉大敞。他將在這個美麗的五月早晨，獨自面對整個朝廷。

「奉法老之命所進行的人口普查，第一階段已經完畢，這一切都要歸功於傳令官們的努力。」

「他想爭取這群頑固分子的支持。」一名老臣小聲地說。他旁邊的人又補了一句：「所以才把功勞都歸給他們。」

台上帕札爾又繼續說：「現在我要向各位宣布結果了。」

所有與會的人都不由打了個顫，因為聽首相嚴厲的語氣，似乎有什麼意外的災難就要降臨了。

「北部有三個省分，南部兩個省分，人口增加得實在過於快速，因此衛生處不得不插手進行宣導，以遏止此趨勢。」

這個決定沒有人提出異議。

「神廟的財產即使仍完好無缺，卻也都遭受嚴重威脅，各村落的財產也一樣。我若再不採取行動，整個國家的經濟景況很快就會紊亂不堪，而祖先所傳下的土地也將面目全非。」

聽完這幾句話，臺下一片譁然，朝臣覺得首相的話似乎太誇張了，而且也無根據。於是帕札爾接著解釋道：

「當然了，這並非我個人的想法，而是證據確鑿的事，想必各位都能領略其嚴重性。」

「那就請首相立刻提出證明吧。」農地總監說。

「根據傳令官所蒐集的報告顯示，大約有一半的土地已經改由雙院直接或間接管轄，因此有許多外省神廟在不知不覺中，便短少了部分收成。還有很多中小農戶，更因在不知情的情況下負債，而變成了承租戶或甚至被除名。私人產業和國有土地之間已經瀕臨失衡，至於牲畜和手工業也都有同樣的情形。」

頓時所有的目光都聚集到了首相右手邊的美鋒身上，只見這位雙院院長眼中交雜著驚愕與憤怒。他緊閉著雙唇，皺起了鼻子，頸子也變得僵硬，整個人好像就快爆炸了。

「我上任前所採行的經濟政策，」帕札爾繼續又說：「已經漸漸讓我無法接受。如今人口普查的結果更顯示出此政策的不當，因此法老已下詔命我立即採取必要措施。其實，埃及必須保留傳統的價值觀，方才能繼續發揚國威，並確保人民的幸福，因此我要求雙院院長從此確實遵行我的指示，不得再有不公允的情形發生。」

帕札爾雖然公開譴責美鋒，卻又賦予他一項新的任務，美鋒會有什麼反應？是拂袖而去，或是俯首稱臣？不一會兒，他移動著肥胖不靈活的身軀，走向帕札爾，說道：「我自當為首相效忠。只要首相吩咐，屬下必定從命。」

此時朝臣們開始竊竊私語，都表示滿意與認同。危機就這麼解除了，美鋒認了錯，帕札爾也未怪罪於他。大家對帕札爾的穩重稱許有加，儘管年紀尚輕，他卻懂得如何在拿捏分寸、施展手腕之際，依然堅守自己的原則。

「閉會之前，」首相說：「我要重申反對建立戶籍，登記出生、死亡、婚姻狀況的立場。類似文件記錄的是關於個人與其近親的事宜，與國家並無直接關係，因此將限制了個人的自由。我們不應該以過於形式化的行政體制，僵化了我們的社會。就像法老加冕時，我們並不在乎他的年紀，而只是慶賀他的登基，是一樣的道理。所以，讓我們延續這樣的心態，多想想永恆的真理，不要一味專注於一些短暫易變的細節，那麼埃及才能永遠如天堂般的和諧安樂。」

※註1：根據多項無可考據的估計顯示，拉美西斯二世時期，埃及的人口約為四百萬人。而現今的埃及則已超過六千萬人了。

第三十二章

西莉克斯真是嚇壞了，無論她怎麼做都無法平息丈夫的怒火。美鋒由於手足又開始抽搐，手指、腳趾一點感覺也沒有，他盛怒之餘，便將寶貴的花瓶砸了，把白紙撕了，還不停地咒罵神明。儘管他那年輕的妻子使盡渾身解數，就是沒有用。

西莉克斯於是回到自己房裡。她急急地喝下一種由椰棗汁、蓖麻葉與無花果漿混合成的飲料，藉以消除腸胃的灼熱不適。曾經有一個醫生要她注意大腿靜脈的情形，另外一個則認為她肛門經常灼熱，並非好現象；這兩個醫生都被她趕走了，後來她才接受一名專科醫生的治療，讓他用特製注射器為她注入人乳。

她的腸胃繼續折磨她，彷彿要她為自己的過錯付出代價似的。她真想向解夢師傾訴這些個噩夢，也想去找奈菲莉治病；然而解夢師卻已離開孟斐斯，而奈菲莉也已成了敵人。

美鋒忽然衝進房裡來，怒斥道：「又生病了！」

「你還是承認吧，我全身都要臭掉了。」

「我會替妳請最好的醫生。」

「只有奈菲莉能治好我的病。」

「別胡思亂想了！她比其他醫生高明不到哪去。」

「你錯了。」

「我哪裡錯了？自從我官運亨通之後，我讓妳變成了全國最富有的女人；而且妳很快就要成為最幸運的女人了，因為我即將掌握至高無上的權力，他們那些傀儡個個都要聽我的。」

「帕札爾卻讓你害怕。」

「他讓我生氣！他還真以為他是首相呢。」

「他這次插手博得了不少人的好感，你有一部分的支持者也倒向他那邊去了。」

「全是些飯桶！他們會後悔的；敢違抗我命令的人，將來叫他們一個個變成奴隸。」

西莉克斯疲憊不堪，便躺了下來，說：

「你對自己的財富這麼滿意……那麼我的病呢？」

「再過兩個半月，我們就是埃及的主人了，難道為了妳的病放棄這一切！妳八成是瘋了，可憐的西莉克斯！」

她驀地坐起身來，一把抓住丈夫那綁得太緊的纏腰布的腰帶：「別說謊了。你心裡已經沒有我了，對吧？」

「妳這是什麼意思？」

「我雖然年輕美麗，但是我的神經衰弱，肚子又經常不舒服……你是不是另有皇后的人選了？」

美鋒刮了她一巴掌，要她放手，「西莉克斯，我一手造就了妳，以後還會繼續照顧妳；只要妳乖乖聽話，就沒有什麼好擔心的。」

她沒有哭，甚至忘了要撒嬌，但嫩稚的臉卻蒙上了一層寒霜，「那麼，如果我捨棄了你呢？」

美鋒微笑著說：「妳太愛我了，親愛的，也太愛這份安逸了。我知道妳的一切罪行，我們倆是不可分的，我們一起背棄了神明，一起說謊，一起挑釁公理與律法。妳說還有什麼比我們這樣的結合更牢不可破呢？」

＊　＊　＊

「太好了。」帕札爾出水時不禁讚道。

奈菲莉經常會檢查池內周邊的銅線飾，並定期消毒。太陽照在她赤裸的肌膚上，使得滾落的水珠晶瑩閃亮。

帕札爾見此情景，一動心便跳入水中，潛水游到妻子身後輕輕攬住她的腰，然後才將頭探出水面，吻了吻她的頸子。

「醫院的人還在等我呢。」

「那就讓他們再等一下。」

「你不是要進宮嗎？」

「應該不急吧。」

她假意推託了一下，終於還是屈服了。帕札爾抱著她游到池邊，上岸後就在溫熱的石板地上躺下，兩人的身軀緊緊結合，任由心中的欲念恣意狂奔。

忽然間，一陣叫聲打破了寧靜。

「是北風。」奈菲莉說。

「牠這麼個叫法，一定是有朋友突然來訪了。」

幾分鐘後，果然凱姆就出現了，他向首相夫婦行了個禮。勇士原本在無花果樹下打盹，頭趴在交叉的雙爪上，牠聽見響聲睜開一隻眼睛看了一下，隨即又懶懶地睡去。

「你提出的補助金政策很受好評。」凱姆對帕札爾說：「朝廷裡批判的聲浪已經平息了，也不再有人抱持懷疑。你現在是真正的首相了。」

「美鋒呢？」奈菲莉有點擔心。

「他越來越焦躁。有幾位知名人士拒絕了他的邀宴，也有人避不見面。大家都傳說著，只要他再犯一點小錯，你就會立刻撤他的職。這回你可擊中他的要害了。」

「可惜事實並非如此。」帕札爾嘆道。

「可是你已經漸漸削弱他的權力了。」

「這是唯一值得欣慰的。」

「就算他擁有關鍵性的武器，他能用嗎？」

「不要想這麼多了，繼續行動吧。」

凱姆交抱著雙臂說：「按照你的說法，好像只有依靠公理正義，這個國家才可能存活下去。」

「難道你不這麼想？」

「公理正義讓我失去了鼻子，同樣會要了你的命。」

「我們必須盡力避免這樣的結果。」

「我們還有多少時間？」

「你的確有權利知道真相：兩個半月。」

「暗影吞噬者怎麼樣了？」奈菲莉接口問道。

「我實在不相信他會就此罷手，」凱姆回答：「但是和殺手的決鬥他確實輸了。假如他心裡因而產生疑慮，也許他真的會打退堂鼓吧。」

「你怎麼忽然變樂觀了？」

「妳放心，我不會鬆懈的。」

奈菲莉微笑地看著凱姆，問道：「你這趟來應該不是純粹禮貌性的拜訪吧？」

「妳真是太了解我了。」

「你的眼神裡有種愉快的光芒……或者說是一種希望呢？」

「我們發現前任警察總長孟莫西的蹤影了。」

「他在孟斐斯？」

「有個線民看到他從美鋒家出來，然後往北去了。」

「你應該可以攔下他的。」帕札爾說。

「這樣做就錯了；如果能知道他要上哪去，不是更好嗎？」

「那也得不跟丟了才行。」

「他不搭船就是為了掩人耳目，因為他知道警察在追捕他。走陸路的話，就可以避開管制了。」

「誰負責跟蹤？」

「我派出了幾名最優秀的密探分段跟監，等他一到目的地，我們馬上就會得到消息。」

「到時候立刻通知我，我跟你一塊兒去。」

「這麼做不保險吧。」

「你也會需要一名法官訊問他的，還有比首相更適合的人選嗎？」

帕札爾相信很快就會獲得重要的結果了，因此無論奈菲莉怎麼勸他，也不管旅途多麼危險，他都堅持要跟凱姆和狒狒一同前去。

那個根本不把法律看在眼裡，又曾經把帕札爾送到苦役勞營去的孟莫西，對布拉尼被殺的事應該十分清楚。帕札爾絕不會再錯失任何獲知真相的機會了。

他一定要孟莫西說出真話。

* * *

帕札爾還等著凱姆的消息，奈菲莉卻已經積極在全國各地推展節育計畫。由於首相下了命令，各個家庭都能免費分到避孕藥，各個村落的醫生也重新占有重要的地位，因為他們必須長期提供村民相關資訊。節育於是成了衛生處今後的首要政策。

奈菲莉並沒有搬進御醫長專屬的行政中心，和她的直屬幕僚一起辦公，她寧願留在中央醫院的辦公室，可以天天接觸到病人和藥劑人員，聽聽他們的心聲，提供他們建議，並安撫他們的情緒。每一天她都嘗試著擴展病痛的極限，卻也每一天遭受挫折，只不過她都能從挫敗中吸取經驗，進而對未來抱持著希望。她也會將自古至今不斷演進的一些醫學論文（※註1）整理出來，編訂成冊；有很多醫療成功的案例，都是由一群專業書記官負責記錄下來的。

她剛剛替一名青光眼的患者動完手術，正在外科醫師的盥洗室洗手，忽然有一名年輕醫師跑來通知急診。奈菲莉覺得很累，便請那名醫師自己處理一下，不過病患卻堅持非見她不可。

* * *

那名女病患坐著，臉上蓋著頭巾。

「妳哪裡不舒服？」奈菲莉問道。

病人卻不回答。

「我得替妳檢查一下。」奈菲莉又說。

這時西莉克斯才拉下頭巾，說道：

「妳一定要替我醫治，奈菲莉，不然我就死定了！」

「這裡有很多優秀的醫生，找他們看吧。」

「除了妳，誰也治不好我的病。」

「西莉克斯，妳嫁給了一個卑鄙無恥、背信忘義、專事破壞的大騙子。如果妳繼續留在他身邊，表示妳也跟他同夥，這才是妳身心的病源呀。」

「我沒有犯罪。我不得不聽美鋒的話，因為是他塑造了我，是他……」

「妳難道只是一件玩物嗎？」

「妳不了解。」

「我無法了解，也無法替妳治療。」

「我是妳的朋友，奈菲莉，妳最忠實、最誠懇的朋友。我這麼樣尊敬妳，就請妳也相信我吧。」

「如果妳離開美鋒，我就相信妳，否則就別再自欺欺人了。」

西莉克斯開始用微弱的聲音哀求了起來：

「妳替我治療，美鋒一定會有所回報的，我向妳保證！這是妳救帕札爾的唯一方法。」

「真的嗎？」

西莉克斯鬆了一口氣說：「妳總算願意面對現實了。」

「我一直都在面對現實啊。」

「美鋒將會為妳準備另一個更動人的現實！這個現實就跟我一樣，美麗而誘人。」

「很遺憾妳要失望了。」

這句話讓西莉克斯臉上的微笑再度凝結，「妳為什麼這麼說？」

「因為妳的未來充滿了野心、貪婪與怨恨。假如妳不放棄這個瘋狂的念頭，妳將什麼也得不到。」

「這麼說，妳還是不相信我了……」

「妳與他共謀殺人，遲早都要接受首相法庭的制裁。」

西莉克斯不由惱羞成怒：

「這是妳最後一次機會了，奈菲莉！妳堅持和帕札爾站在同一陣線，又拒絕當我的私人醫師，分明是自找死路。下次我們再見面時，妳將成為我的奴隸。」

※註1：有一些醫學論著流傳了下來，內容討論的包括婦科、呼吸系統、胃病、泌尿系統、眼科、顱部手術與獸醫科。很可惜的是埃及的醫術絕大部分都已經失傳了。

第三十三章

船上的情景讓人想起了一首民歌：「河上的商人來來往往，忙得有如無頭蒼蠅，送貨買賣一城又一城，讓一無所有的人沒煩憂。」一整條船的敘利亞人、希臘人、塞浦路斯人和腓尼基人，都忙著比較價格、分配將來的客戶，只有帕札爾靜靜地坐在一旁。誰也想不到這個穿著平凡、身上只背著一張睡覺用的草席的年輕人，竟然就是埃及首相。堆滿了行李的船艙頂上，有殺手監視著。牠的平靜顯示附近並無暗影吞噬者的蹤跡。而凱姆則一直坐在船首，他頭上蓋著斗篷，唯恐被人認了出來。不過，商販們自顧自地盤算著收益，根本無暇注意其他旅客。

船順風行駛得很快，如果能提早到達目的地，船長和船員將可獲得一筆優厚的賞金。因為外國商人一向都是分秒必爭。

忽然敘利亞人和希臘人之間起了口角，原來敘利亞商人想用一些次等寶石串成的項鏈，和希臘人換取羅得島製造的瓶罐，但希臘人卻認為不划算而不肯答應。希臘人的態度讓帕札爾頗感驚訝，因為這樣的交易似乎還算合理。

這起突發狀況降低了眾人的買賣意願，一路上便都沉默不語，各自想著心事。商船經由「大河」穿越三角洲後，轉向東行，然後由支流「拉神之河」航向通往迦南與巴勒斯坦的水道交叉口。

中途在一處曠野間作短暫停留時，希臘人都下了船，凱姆、帕札爾和殺手也隨後跟著。碼頭破破爛爛的，似乎已經荒廢許久，四周則是一片紙莎草原與沼澤地。有人到來，驚動了幾隻鴨子慌忙游開。

「孟莫西就是在這裡和一群希臘商人接頭的。」凱姆說：「他們由陸路向東南走。我們只要跟著這些人，就能找到孟莫西他們了。」

下了船的商人對這三個來路不明的旅客起了疑心，一陣七嘴八舌地討論之後，其中一個腳有點跛的人便向他們走來，問道：

「你們想做什麼？」

「借錢。」帕札爾說。

「到這麼偏僻的地方來借錢？」

「因為在孟斐斯已經借不到了。」

「破產了嗎？」

「因為我們意見太多，所以有幾樁生意做得很不順利。我想，跟著你們也許能找到一些比較容易溝通的人。」

那個希臘人似乎對他的回答十分滿意，「你們的確找對人了。你這隻狒狒……打算賣嗎？」

「目前還不想賣。」凱姆答道。

「有些人對狒狒很有興趣的。」

「這隻畜生性情很好，很溫和，又沒有攻擊性。」

「反正也算是一個保障，可以賣到好價錢的。」

「你們的路程遠嗎？」

「兩小時路程，我們在等驢子。」

商隊終於出發了。驢子馱著沉重的負擔，一步一步穩穩地向前走，牠們的眼神安詳平和，似乎早已習慣如此艱困的工作了。隊員喝了幾口水解渴之後，帕札爾也拿了點水潤潤驢子的嘴巴。

穿越一片荒蕪的田野，他們來到了旅途的終點：一個四周圍著城牆、牆內房屋低矮的小城。

「怎麼沒有神廟？」帕札爾驚訝地說：「而且沒有塔門，沒有大城門，也沒有迎風飛揚的旗幟。」

「在這裡不需要什麼宗教的東西。」希臘人打趣地反駁道：「這座城裡唯一的神就是『利益』。我們都是祂的虔誠子民。」

驢子和商人的隊伍浩浩蕩蕩地從主要入口進了小城，入口旁有兩名態度溫和的警衛守著。城中則是亂成了一片；狹窄的巷道裡開了各式各樣的店鋪，擠得人山人海，行人互相推擠、彼此責罵，還不時踩到旁人的腳。人群當中可以見到打著赤腳、留著山羊鬍、頰髯濃密、用布條纏起雜亂頭髮的巴勒斯坦人，正炫耀著一些五顏六色的外衣，這些都是從有心算大師之稱的黎巴嫩人那兒買來的。迦南人、利比亞人和敘利亞人則猛攻希臘商鋪，裡面擺滿了進口商品，尤其以細長的瓶子和梳妝用品最多。就連赫梯人也忙著採購日常生活與宗教儀式上都不可或缺的蜂蜜和酒。

在一旁觀察的帕札爾很快就發現了，買賣過程中有一個不尋常的現象，那就是買方並沒有拿出自己的物品來交換。只見雙方激烈議價之後，只和對方握了握手便算成交了。

於是在凱姆與狒狒嚴密的注視下，帕札爾向一名個子矮小、留了一把大鬍子的希臘人走去，他正在滔滔不絕地推銷他的高級銀杯。

「我想要這個。」

「你太有品味了！真是叫我太驚訝了……」

「為什麼？」

「因為這是我最喜愛的一只杯子。如果賣掉了，我可不知要有多難過。唉！沒辦法，做生意就得有規矩。摸摸看，年輕人，你好好地撫摸一下；這只杯子絕對是極品，再也沒有其他手工藝匠能做得出來了。」

「你出什麼價格？」

「盡情地欣賞它的美吧。你想想，當你把它擺飾在家中所呈現的美感，還有朋友們那種羨慕忌妒的眼光。剛開始，你一定不願意透露到底是在哪裡買到這麼高級的貨色，不過最後你還是會說：除了培里克雷還有誰有這麼美的杯子？」

「這一定很貴吧。」

「當藝術品登峰造極，價錢又算得了什麼？你出價吧，我聽著呢。」

「一隻有斑紋的母牛，如何？」

培里克雷露出了極度震驚的神色，說：「你這個玩笑開得實在一點也不高明。」

「太少了嗎？」

「你的玩笑太過分了，我可沒時間跟你耗。」

培里克雷氣沖沖地便去招呼另一個客人。帕札爾失望之餘卻又不解，出這樣的價損失的可是他自己，為什麼商販一點也不領情。

接著他又去找了另一個希臘商人，討價還價的內容與剛才大同小異。最後成交時，帕札爾也伸出手來。商販輕輕一握，卻滿臉驚愕地將手縮了回來：

「怎麼……是空的！」

「不然該有什麼呢？」

「你以為我的瓶子是免費的呀?當然要給錢啊！」

「可是……我沒錢。」

「那就到銀行去借吧。」

「銀行在哪裡？」

「在大廣場上，那裡有十來間呢。」

帕札爾滿心訝異，但還是聽從了商人的指點。

他沿著巷子走到一個方形廣場，四面全是一些奇怪的鋪子。一問之下，原來就是商人說的「銀行」，這個字眼在埃及從未聽說過。他於是朝最近的一家走去，跟著排在隊伍後面。

銀行門口站著兩個手持武器的人，他們把首相從頭到腳檢查了一遍，確定他身上沒有帶刀之後，才讓他通過。

裡面的幾個人顯得非常忙碌。其中一人將一些小小的圓形金屬片放在天秤上秤重，然後再分別放進不同的籠子裡。

「存款或提款？」一名職員問帕札爾。

「存款。」

「把財物列舉一下。」

「這個嘛……」

「快點，還有其他客人等著呢。」

「因為我的財物實在太多了，我想跟你們的負責人討論一下總值。」
「他現在沒空。」
「那麼我什麼時候可以見他？」
「等一下，我去問問。」
幾分鐘後，職員回來告訴帕札爾，主管跟他約在日落時見面。

＊　＊　＊

錢就這樣流入了這個封閉的城市，這種可以流通的錢幣，希臘人幾十年前就發明了，只不過埃及一直沒有採用，因為以物易物的經濟會因而式微，社會也會從此一蹶不振（※註1）。錢幣不但使財物的重要性超過了人的本身，突顯了人類貪婪的本性，並且讓人對一種脫離現實的價值深信不疑。通常首相都會依某一特定的標準訂定物品與食品的價格，這個標準是不能流通，也不製作成圓形的小銀片或小銅片的，以免人民深陷於錢幣的牢籠中。

銀行的經理體態渾圓，有一張方方的臉，大約五十來歲。原籍邁錫尼的他，把室內裝飾得家鄉味頗濃：小小的陶土雕像、希臘英雄的大理石雕像、紙張上抄寫了《奧德賽》中幾段重要的詩句，長頸瓶上也描繪了海克力斯的壯舉。
「聽職員說你要存入為數可觀的財物。」
「是的。」
「是什麼東西？」
「種類很多。」
「牲畜？」

「有牲畜。」

「穀類？」

「有穀類。」

「船隻？」

「有船隻。」

「那……還有其他的嗎？」

「還多著呢。」

經理顯得很驚訝，帕札爾反問他：

「你有足夠的錢幣嗎？」

「應該有，只不過……」

「你擔心什麼？」

「你看起來實在……不像這麼有錢的人……」

「旅行的時候，我通常不喜歡太招搖。」

「這個我了解，但是我想……」

「看看我的財產證明？」

經理點了點頭。帕札爾便說：「拿一塊黏土板給我。」

「我想記錄在紙張上比較好。」

「我可以給你更好的證明，拿黏土板來吧。」

銀行經理不明白他的用意，只得照做。

只見帕札爾用力地在黏土上蓋了一個章，然後問道：

「這個證明夠了吧？」

經理則是瞪大了雙眼，看著首相的印鑑，結結巴巴地問：

「你……你想做什麼？」

「因為有一名累犯來找過你。」

「找我？根本沒有的事。」

「他叫孟莫西，在他犯罪被驅逐出境之前，曾經擔任過警察總長。他偷偷回到埃及可是重罪一條，你應該報警處理的。」

「我可以保證……」

「別再說謊了。」帕札爾打斷道：「我知道孟莫西奉了白色雙院院長之命到這裡來過。」

銀行經理終於不再強辯：

「我怎麼能不跟他談？他代表了主管的機關啊。」

「他要你做什麼？」

「在三角洲擴展銀行業務。」

「他人躲在哪裡？」

「他已經離開這座城，到拉寇提斯港去了。」

「你難道忘了在埃及不許使用貨幣，違者重罰嗎？」

「我的一切業務都是合法的。」

「你收到我親手簽名的政令了？」

「孟莫西說銀行已經是既存的事實，將來也將會納入制度之中。」

「你太大意了。在埃及，法律不是說說就算了。」

「銀行業務你是抵制不了太久的，因為這是進步的基礎……」

「這種進步我們不想要。」

「可是這不是我一個人的事，還有其他人……」

「我們去見見他們吧，順便帶我參觀一下這個城市。」

※註1；雖然根據記載，第三十王朝便有貨幣存在，但貨幣制並不通行。一直到了希臘的托勒密家族統治埃及，才正式建立了貨幣制度。

第三十四章

銀行經理滿懷希望地為由殺手陪同的首相引見所有負責進口非法貨幣、管理顧客帳戶、訂定貸款利率與從事其他銀行業務以增進收益的人。他們都不斷強調銀行的好處，就像一個強盛的國家，不也會將人民繳交的財物加以利用藉以謀利嗎？

就在這些人開導首相的同時，凱姆的手下也都在總長的一聲令下，卸下了利比亞人與希臘人的裝扮，並在一大群人的抗議聲中封鎖了小城入口。有三個人企圖攀牆逃跑，卻因為過於肥胖，行動遲緩而遭到逮捕。當他們被帶到警察總長面前時，其中一人激動地反抗，「馬上把我們放了！」

「你們都犯了窩藏貨幣之罪。」

「你沒有權力審判我們。」

「但我必須將你們移送法庭。」

三名犯人見到了首相，又聽他說出了自己的頭銜時，滿腔怒氣化為烏有，卻開始哭哭啼啼起來：

「請原諒我們……是我們的錯，我們實在不應該犯這樣的錯。我們其實都是誠實的商人，我們……」

「報上你們的名字和職業。」

這三個人是三角洲地區的埃及人，從事家具製造業，他們總會將一部分的產品偷偷運到這個城市來。

「看來你們是以非法的營利活動來戕害自己的同胞啊。你們還要否認嗎？」

三人不再辯解，只求道：「請首相留情……我們是一時利欲薰心。」

「我只會依法行事。」

帕札爾便在大廣場上召開了法庭，陪審團員包括凱姆以及凱姆從最近的農耕區找來的五名埃及農民。

以希臘人為主的眾多被告都沒有對判決的理由與結果表示異議，陪審團也一致通過了首相的決定，立刻將被告驅逐出境，並永世不得再踏上埃及國土。查獲的貨幣一律熔化，所得金屬盡數充公，供給神廟製造神器之用。至於這座小城，只要外國商人恪守埃及的經濟規定，仍可繼續在此進行交易。

銀行的總負責人謝過首相後，坦承道：

「我以為會有更嚴厲的懲罰呢。我一再地聽說卡吉勞營簡直是人間地獄。」

「我在那兒待過。」

「你？」

「孟莫西就巴不得讓我在那裡變成一堆枯骨。」

「換作是我，我絕不會低估他的，他這個人太狡猾、太危險了。」

「我知道。」

「你知不知道，阻礙了貨幣制度的推行，你將會招致一個可怕的敵人？這可是美鋒一條主要的發財之道，卻被你給斷了。」

「幸好是被我斷了。」

「你想你還能當多久的首相?」

「法老讓我當多久,我就當多久。」

* * *

帕札爾、凱姆和狒狒搭著快船航向臨海城市拉寇提斯。帕札爾全心全意地欣賞著三角洲綠油油的景致,以及水道縱橫的壯觀氣象。越往北走,水域的分布就越廣,尼羅河向外擴張,漸漸與夢幻般溫柔的海水交融在一起,最末端那些不規則的國土就這樣沉醉在這片河海之中。土地隱沒在微藍的汪洋裡,卻生出了一朵朵的浪花。

拉寇提斯居民的主要活動就是處理生魚。三角洲有許多漁場都把總部設在這個漁產種類豐富的小港口的近郊。露天處、市場上或是倉庫裡,都有專家負責刮魚鱗、清魚肚,再把魚拍扁。然後或是掛到木架上讓太陽晒乾,或是埋到熱沙或具有消毒作用的泥巴裡。最後才是醃漬的手續;最好的部位要浸泡在油裡面,而鯔魚子則另外處理作魚子醬。一般民眾只吃魚乾,這就像麵包一樣重要,只有那些講究美食的人才會享受烤鮮魚,並佐以枯茗、牛至、芫荽與胡椒調製成的醬料。通常一條鯔魚可值一罐啤酒,而一籃尼羅河鱸魚則可換得一個漂亮的護身符。

令帕札爾感到驚訝的是這個商業城市竟然靜悄悄的,沒有人唱歌、沒有聚集的人群、沒有激烈的討價還價聲,也沒有驢隊來來往往。狒狒也變得有些煩躁。

碼頭上,有幾個人躺在漁網上睡覺,港邊見不到一艘船,只有一棟低矮的平頂大屋,是登記船貨進出情形的行政中心。

他們走了進去。

辦公室卻是空的。一份文件也沒有，就像從來沒有放過任何檔案似的，甚至沒有筆、沒有書寫的草稿。完全看不出曾經有書記官在這裡辦公過的樣子。

「孟莫西一定就在附近。」凱姆說：「殺手會有感應的。」

狒狒繞著建築物轉了一圈，然後往港口方向走，凱姆和帕札爾就跟在後面。當狒狒走近一艘破舊不堪的小船時，立刻驚醒了五個滿身惡臭、手裡拿著剖魚刀的大鬍子：

「滾開，你們不是這裡的人。」

「拉寇提斯只剩下你們幾個人嗎？」

「滾開。」

「我是警察總長凱姆，你們要是不想有麻煩，就實話實說。」

「南部才有黑人，這裡沒有，回你老家去吧。」

「首相在此，你們敢不服從命令？」

「首相現在還在孟斐斯的辦公室裡享清福呢。」一名漁夫大笑道：「在拉寇提斯，我們說的才算數。」

「我要知道這裡出了什麼事。」帕札爾嚴肅地說。

那個人卻轉頭向同伴說：「你們聽到了沒？他自以為是大法官呢！他還以為帶著一隻大猩猩，我們就會害怕了。」

殺手雖然有很多優點，卻也有一個很大的缺點：敏感易怒。牠既身為警察，就不喜歡有人嘲弄公權力。

牠出其不意地往前一跳，咬住了漁夫的手腕，也咬掉了他手中的武器，另一名同伴正要出手相救，卻被牠擊中頸背昏死了過去。狒狒接著往第三人的腿上一摺，也立刻讓他倒地不起。至於其餘二人，由凱姆對付，也是三兩下就解決了。

凱姆攙著唯一還能說話的漁夫，問道：

「城裡怎麼都沒人了？」

「因為首相下了命令。」

「誰傳令的？」

「他的專屬傳令官孟莫西。」

「你遇見他了？」

「這裡每個人都認識他。他好像本來有點麻煩，但是後來就解決了。自從他重新回到司法界，和港務單位的關係一直很密切。聽說他給了他們一些金屬做成的希臘硬幣，將來還會讓他們飛黃騰達，所以每個人都對他言聽計從的。」

「他要他們做什麼？」

「他說有傳染病即將爆發，要他們把儲存的燻魚全丟到海裡，並且立刻離開拉寇提斯。書記官第一個離開，後來居民和工人也都跟著走了。」

「你們怎麼沒走？」

「我們幾個沒有地方可去。」

狒狒聽了又跺起腳來。於是凱姆便說：

「你們被孟莫西收買了，對不對？」

「沒有，我們……」

狒狒不等他解釋，便將他的喉嚨掐得更緊了，眼中露出兇暴的眼神，那人馬上改口道：「是的，是的，我們在等他！」

「他躲在哪裡？」

「在西邊的沼澤地。」

「他為什麼要這麼做？」

「他要毀掉我們從辦公室搬出來的書板和紙張。」

「他什麼時候走的？」

「日出後不久。等他回來，我們就帶他到大運河去，再跟他一起回孟斐斯。他答應給我們一棟房子和一畝田。」

「他要是把你們忘了呢？」

漁夫驚惶地抬起頭看著凱姆，「不可能，他都給了這樣的承諾了……」

「孟莫西天生就是個騙子，他才不在乎什麼承諾。他從來沒有替帕札爾首相工作過。上船帶我們去找他吧，只要你幫助我們，我們會對你從輕發落的。」

＊　＊　＊

他們四人進入了一片水草叢生的沼澤地，若無漁夫帶路，凱姆和帕札爾絕對無法辨識出方向。黑　受到驚擾，紛紛朝天空裡幾片隨風飄蕩的小白雲飛去。偶爾還會有幾條青如綠水的水蛇從船邊游過。

在這荒涼的迷宮裡，漁夫卻仍是飛快地前進，毫不感到窒礙。他說：

「我抄近路。雖然他超前了許多，不過我們還是能在他到達主要河道，搭上交通船之前追上他。」

於是凱姆幫著漁夫划槳，帕札爾凝視著天邊，狒狒則打起了瞌睡。時間一分一秒過得好快，太快了。帕札爾不禁懷疑這名漁夫該不會在作弄他們吧，但見到殺手如此平靜，他也才安了心。最後當牠忽然直起身子時，其餘三人也開始相信這趟並沒有白跑。果然，幾分鐘後，就在距離大運河不到一公里處，他們發現了另一艘船。

船上只有一個人，那人頂著個大光頭，發紅的頭皮在陽光下顯得油亮精光。

「孟莫西！」凱姆大喊：「停下來，孟莫西！」

孟莫西反而加快了速度，不過兩艘船的距離還是越拉越近。

孟莫西知道自己逃不了了，便轉身面向著來船，拿起一根長槍擲了過來，恰好射在漁夫的胸口上。可憐的漁夫一個踉蹌，落入了池沼。

「站到我身後去。」凱姆連忙對帕札爾說。

狒狒則跳入了水中。

孟莫西又射出第二槍，這次瞄準的是凱姆，幸虧他及時彎下腰躲過了這一擊。帕札爾吃力地划著船槳，可是船困在睡蓮池中幾乎動彈不得，後來好不容易脫困，才得以繼續前進。

此時孟莫西已經拿起了第三枝槍，心裡卻遲疑著不知該先殺狒狒或凱姆。

就在他遲疑的當兒，狒狒突然從水中冒出來，扳住孟莫西的船頭使勁地搖，想讓他翻船，可是他卻拿起錨石往狒狒的指爪上砸，還企圖把牠的手掌釘穿在木板上。就在受了傷的狒狒鬆手的同時，凱姆也一躍而上了孟莫西的船。

儘管孟莫西身形臃腫，又沒有實際的經驗，但是他抵抗的猛烈程度卻是出人意料之外。凱姆腳下一個不穩，整個人跌坐在甲板上，孟莫西趁機又補上一槍，幸而他及時用手臂擋了開來，槍插入了兩塊木板之間，但他的臉頰卻也被劃傷了。此時，帕札爾已經把船搖近，孟莫西正用力要把對方的船推開時，竟被凱姆抓住右腳往上一提，人也跟著跌落水中。

「你已經被捕，不要再反抗了。」帕札爾喝令道。

不過孟莫西並未鬆開武器。他揮舞著槍威脅首相之際，忽然發出了一聲慘叫，並用手摀住頸後，不一會兒便顯然不支，而沉入了青綠的池水。帕札爾也隨即看見一隻六鬚鯰鑽進運河邊的蘆葦叢中，一轉眼便不見蹤影。這種魚在尼羅河中並不常見，但若有人在水中被牠們猛力一撞，便會立刻昏厥而造成溺水事件（※註1）。

凱姆心急如焚地找尋著狒狒，終於發現牠正奮力地對抗著水流，他連忙跳下水幫助牠上船。狒狒很慎重地伸出了受傷的手，好像為自己不能親手逮捕犯人感到愧疚。凱姆則一臉歉意地說：

「抱歉，孟莫西再也不能開口了。」

＊　＊　＊

帕札爾又沮喪又震驚，回孟斐斯的一路上他都沒有說話，雖然他再次重創了美鋒的地下王國，卻也害死了一名漁夫，儘管他曾經替孟莫西做事，但畢竟是一條人命啊。

殺手只受了輕微的外傷，凱姆稍微幫牠包紮了一下，等回到孟斐斯，奈菲莉自然會讓牠痊癒。凱姆注意到了帕札爾的沉默，便說：

「孟莫西這樣的下場，我可一點也不難過，這傢伙簡直就像被蟲蛀爛了的果子。」

「為什麼美鋒這幫人要犯下這麼多暴行呢？他們的野心只會帶來不幸啊。」

「你是對抗這群魔鬼的壁壘，你可要堅持下去。」

「我本以為我的職責只在於讓人民守法，根本沒想到竟然要來調查恩師的死因，還要歷經這麼多的不幸。『首相的職務比膽汁更為苦澀。』我就任時，法老就已經警告過我了。」

狒狒把受傷的手掌搭在帕札爾的肩上，一直到孟斐斯才放開。

* * *

帕札爾在凱姆的協助下，寫了一份關於最近所發生的事件的詳細報告。

有一名書記官拿來了一捲密封的紙軸。這是由拉寇提斯上呈給首相的公文，上面還註明了「急件」與「機密文件」等字樣。

帕札爾啟封之後，大聲念出了其中驚人的內容：

「本人孟莫西，曾任警察總長，並遭誣陷而判刑，今在此舉發無能、不守法又不負責的首相帕札爾。在無數證人親眼見證下，他派人將儲存的魚乾丟入海中，剝奪了三角洲人民幾個星期的基本食糧。我要向他本人提出這項控訴，他也必須依法開庭審判自己。」

「原來如此，所以孟莫西才要銷毀漁場的所有文件，這樣也就沒有證據反駁他的說詞了。」

「他說得沒錯。」帕札爾說：「雖然他扯了個無恥的謊言，但我還是得在法庭上證明自己的清白。我們得追溯事實、傳喚證人、證明其中的手法與詭計。而這段時間，剛好可以讓美鋒為所欲為。」

凱姆搔搔木鼻說：「光是寄這封信給你還不夠，孟莫西還會透過美鋒或其他高層官員提出告訴，逼使你不得不正視他的指控。」

「當然是這樣。」

「不過現在只剩下這份文書了。」

「不錯，但是只要啟動訴訟程序，他們就算達到目的了。」

「如果這封信不存在，又哪來的訴訟程序？」

「我不能擅自毀掉它。」

「我可以啊。」

凱姆一把從帕札爾的手中搶過了紙張，撕個粉碎，只留碎紙片飛散在風中。

第三十五章

科普托思城內成群的白屋曝晒在五月的陽光下，蘇提和豹子正目不轉睛地注視著這個位於尼羅河右岸、卡納克西北四十多公里處的美麗城市。這裡是上埃及第五大省的省府所在，無論是要出發到紅海邊各個港口的商隊，或是要前往東方礦區的礦工隊伍，都以此為起點。當初蘇提便是在科普托思加入了礦工行列之後，追蹤到了叛國的將軍亞舍，並就地將他正法的。

通往城門的道路上設了一個小堡壘，蘇提帶著他那支奇特的隊伍向堡壘走去，由於未經許可不能在四周任意走動，他們便請出了隊伍中的警察證明他們的身分，並為他們作擔保。

崗哨的衛兵實在感到不可思議，這支由利比亞人、努比亞人和埃及警員組成的怪隊伍是從哪冒出來的？他們一群人看起來處得很融洽，可是特警隊所押解的俘虜不是應該不能自由行動的嗎？

蘇提獨自朝著手持利劍的衛兵長走了過去。

他一頭長髮，膚色黝黑，裸露的胸前掛著一大串的金項鏈，粗粗的手鏈也更突顯了他手臂的結實壯碩，他自然流露的威儀，就像一個剛剛凱旋歸來的將軍。

「我叫蘇提，跟你一樣都是埃及人，我們何必自相殘殺呢？」

「你們打哪兒來的？」

「你也看到了，從我們所征服的沙漠來的。」

「但是這……是違法的呀！」

「沙漠的法則是由我和我的手下訂定的；如果你違背的話，你將會死得很不值得。我們現在馬上就要攻占這座城市，歸順我們吧，少不了你的好處。」

衛兵長遲疑了一下，問道：「特警隊也服從了你？」

「他們都很講理，我會給他們意想不到的獎賞。」蘇提丟了一塊金塊在衛兵長的腳邊，又說：「這只是一個小小的見面禮，以避免不必要的屠殺。」

衛兵長兩眼睜得大大的，急忙撿起了金塊，只聽蘇提繼續說道：「我有取之不盡的金子。趕快去通知你們的司令官，我在這裡等著。」

就在衛兵長去傳話時，蘇提的手下已經將科普托思團團圍住了。由於科普托思也和其他埃及城市一樣，沒有城牆的保護，蘇提的部隊分成了數個小隊，分別監控幾個重要入口。

豹子輕輕挽著蘇提的左臂，猶如一個忠誠柔順的妻子。她身上金光閃閃的寶石，更讓她像個天空與沙漠結合下所誕生的女神。

「你會拒絕戰爭嗎，親愛的？」她問蘇提。

「沒有殺戮的勝利不是更好嗎？」

「我可不是埃及人，要是能看著你的同胞死在我族人的手下，我會更高興。我們利比亞人可是不怕戰鬥的。」

「現在不是挑釁我的時候吧？」

「我倒覺得隨時都可以。」

她說完便獻上了一記熱吻，而當她一想到馬上就要成為科普托思的女王，熱烈的情緒中不由得夾雜了一絲征服者的驕傲。

司令官一得到消息便馬上趕來。他以銳利的眼光打量著眼前的入侵者，他在軍中服務多年，並曾經對抗過赫梯人，如今他正打算要退休，到卡納克附近的小村落安度餘年。他由於關節的毛病，平常只做一些例行公事，根本不上操練場。其實，在科普托思也不怕有什麼衝突，因為此地極具戰略價值，平時總有警察巡邏保護，非法商人和竊賊向來是望之卻步。即使真要出兵，也不過就是鎮壓一些盜匪之類的，從來還沒有遇見過真正勇猛的戰士。

此時，只見蘇提身後有多輛全副武裝的戰車，右手邊是努比亞弓箭手，左手邊是利比亞的擲槍手，而路口和山丘上則有埃及特警守著。還有他身旁那個留著金髮、一身古銅色肌膚、滿身金飾的美女！雖然司令官並不相信神話，卻也不由得懷疑她是否來自另一個世界，也許來自天盡頭處那些神祕的島嶼呢。

「你們想怎麼樣？」司令官定了定神之後問道。

「要你交出科普托思，做為我的根據地。」

「不可能。」

「我是埃及人。」蘇提又說了一次，「我也曾經在軍隊裡待過。如今我不只手下有精兵，還擁有大批的寶藏財富，因此我決定回饋這座屬於礦工與淘金者的城市。」

「當初指控亞舍叛國與謀殺的人是你嗎？」

「正是我。」

「你說得沒錯，他的確是個狡猾、不守信用的人。但願眾神保佑他不會再出現了。」

「你放心，他已經被沙漠吞噬了。」

「他罪有應得。」

「我很希望避免一場同胞相殘的悲劇。」

「但是我必須維護治安。」

「有誰想破壞治安嗎？」

「你的這隊人馬看起來可不像什麼和平使者。」

「只要別人不去惹他們，他們不會生事的。」

「那麼你有什麼條件？」

「科普托思的市長雖是名門之後，卻毫無野心，他已經不適任了。我要他讓位給我。」

「這樣的人事調動案必須經省長同意，並報請首相批准之後，才能生效。」

「我們先把這個老傢伙趕走，然後再任由命運安排吧。」

聽豹子這麼決定了，蘇提便說：「帶我去見他吧。」

* * *

科普托思市長正一邊品嘗肥美的橄欖，一邊欣賞一名琴藝高超的女孩彈奏豎琴。由於他對音樂十分喜愛，因此花在這上頭的時間也越來越多。治理科普托思其實一點也不難，不但有強悍的沙漠警察維護治安，居民衣食無虞，還有專家為寶石與貴金屬加工，神廟更是一片繁榮氣象。

軍隊司令來訪雖然很掃興，不過他還是答應接見了。

「這位是蘇提。」司令向市長介紹道。

「蘇提……控告亞舍將軍那個蘇提？」

「正是他。」

「很高興你蒞臨科普托思。要不要來點新鮮啤酒？」

「樂意之至。」

彈豎琴的女孩悄悄退下後，便有一名侍者送上了杯子和美味的啤酒。

「我們面臨大災難了。」司令官忽然說道。

市長嚇了一跳，連忙問：「你說什麼？」

「蘇提的軍隊已經包圍了本城，如果他們進攻的話，將會造成無數的死傷。」

「軍隊……是真的士兵嗎？」

「有努比亞人，都是神箭手，有善於擲槍的利比亞人，還有……沙漠警察。」

「太離譜了！我要這些叛賊馬上束手就擒，接受杖刑。」

「要說服他們恐怕不太容易。」蘇提反駁道。

「不太容易……你以為你現在在哪裡？」

「在我的城市裡。」

「你瘋了呀？」

「他的軍隊恐怕是辦得到的。」司令官說。

「趕快請求支援！」

「援軍抵達之前，我已經先進攻了。」

「司令官，馬上逮捕這個人。」

「最好不要犯這個錯誤。」蘇提建議：「否則黃金女神會立刻在城裡大開殺戒。」

「什麼黃金女神？」

「她來自遙遠的南方，手中掌握著無盡的寶藏。好好迎接她，你將可以繼續過安樂繁榮的生活，否則就準備迎接災難吧。」

「你這麼有把握能贏？」

「因為我沒有什麼可以輸的，你卻不然。」

「你不怕死嗎？」

「長久以來，死神就一直陪伴著我了。無論是敘利亞的黑熊、叛國賊亞舍或努比亞的盜匪，都打不倒我。你若不信，大可以試試看。」

一個好的市長就得懂得談判的技巧，他不正是利用這種手腕解決了無數的問題嗎？於是他說道：「看來我是不能小看你了，蘇提。」

「最好是這樣。」

「那麼你有什麼提議？」

「你把位子讓給我，由我來當市長。」

「太不實際了。」

「我能透視這座城市的靈魂，她也會接受我和黃金女神的統治。」

「你要奪權是痴心妄想，只要消息一傳出去，埃及軍隊馬上就會趕來了。」

「這場仗一定很有看頭。」

「解散你的軍隊吧。」

「我要回黃金女神身邊去了。」蘇提說：「我給你一個小時的時間考慮。你若不答應我的要求，我們就進攻。」

＊　＊　＊

蘇提和豹子相擁在一起，望著科普托思。他們想到了那些投入未知路徑、尋找夢寐以求的寶藏的探險隊伍，有多少人曾得到羚羊的指引找到礦脈？又有多少人能生還，回到這淘金者之城，欣賞尼羅河向東劃出的大河灣呢？

努比亞人唱歌，利比亞人吃東西，沙漠特警則忙著檢查戰車，在等待中，誰也沒有說話，只是等著即將血洗道路與田地的一場戰役。有些人已經倦於奔波流浪，有些人做著發財夢，還有些人想藉由打仗證明自己的勇猛，但是每個人都深受豹子的美貌與蘇提堅定的意志所吸引、所影響。

「他們會屈服嗎？」豹子問道。

「我覺得無所謂。」

「你不會殺自己的同胞的。」

「我保證妳會得到這座城市，埃及人一向很尊崇神明所化身的女性。」

「就算你死在戰場上，也別想逃出我的手掌心。」

「妳這個利比亞人卻深愛著我的土地，妳已經被埃及的魔力征服了。」

「這片土地要是吞沒了你，我也會跟著你去，我的魔法才是最強的。」

就在最後一刻，軍隊司令帶來了答覆，「市長答應了。」

豹子露出了微笑，蘇提卻不為所動。只聽司令又說：

「他答應了，但有一個條件，你必須保證絕不進行掠奪。」

「我們是來奉獻，不是來掠奪的。」蘇提冷冷地說。

於是蘇提和豹子便帶領著軍隊進城去了。

消息傳得很快，居民很快便都湧向了主要道路與交叉口，蘇提則命努比亞人掀掉蓋在車上的篷布。

金子立刻發出耀眼的光芒。

科普托思人從來沒有見過這麼多的金子，有一些小女孩朝著努比亞人撒花，也有小男孩跑到士兵旁邊去。不到一個小時，城裡已經充斥了熱鬧歡慶的氣氛，大家一起歡迎女神從遠方歸來，並讚頌傳奇英雄蘇提戰勝了夜魔，因而成為龐大金礦的主人。

「你好像有心事。」豹子看著蘇提說。

「這也許是個圈套。」

他們一行人往市長住處前進，那是一棟位於市中心的華宅，四周圍有一個大庭園。蘇提看了看屋頂，手裡緊握著弓，隨時準備著若有人埋伏便一箭將他射下。

但一切都很順利。成群熱情的民眾從四面八方的郊區湧來，只為了一看剛剛發生過的奇蹟，大家都相信，遠方歸來的女神將會使科普托思變成全埃及最富足的城市。

女僕在別墅門口撒了許多金盞花，鋪成了一張橙黃色的地毯，她們手裡還拿著蓮花歡迎黃金女神和蘇提將軍的到來。豹子高興地對她們微笑示意，然後氣度莊嚴地走上了檉柳夾道的小徑。

「這間屋子真美！你看那白色的外牆、又高又細的柱子，還有裝飾著棕櫚葉的大門過梁……住在這裡一定很舒服。哇，那邊有馬廄耶！我們騎過馬之後，可以去泡泡水、喝喝酒。」

屋子內部更叫豹子喜愛極了。市長是個很有品味的人，牆上彩繪了野鴨展翅的情景與豐富的池塘生態。有一隻野貓沿著紙莎草桿往上爬，攀在一個滿是鳥蛋的鳥窩旁，垂涎欲滴。

接著豹子走進了臥室，拿下金項鏈，躺在烏木床上，柔媚地說：

「你是勝利者，蘇提，好好愛我吧。」

科普托思的新主人自然抵擋不住這麼一聲魅人的呼喚了。

* * *

當天晚上，蘇提就為市民舉辦了一個盛大的餐會，讓一些較為清寒的人家也能夠嘗嘗烤肉和葡萄美酒的滋味。街道巷弄裡更是點亮了數百盞燈，大夥兒就這樣狂舞了一夜。城裡的顯貴承諾會聽從蘇提和豹子的吩咐，並且盛讚黃金女神的美麗，聽得豹子心花怒放。

「怎麼一直沒看見市長？」蘇提問軍隊司令。

「他離開科普托思了。」

「他沒有我的允許，就擅自離開？」

「你就好好把握時間吧。市長去通知軍隊，首相馬上就會派兵來收復科普托思了。」

「你是說帕札爾？」

「他的名氣越來越大，他是個正直的人，但卻很嚴厲。」

「這麼說好戲很快就要上場了。」

「你要是聰明的話，還是投降的好。」

「司令官，我是個瘋子，因此我的行為難以預料。我只遵守沙漠的法則，而沙漠法則向來都不在乎規章制度的。」

「至少放過老百姓吧。」

「死神從來不會放過任何人。趁現在及時行樂吧！明天我們就要飲血與淚了。」蘇提忽然用手遮住眼睛，說道：「去把黃金女神找來，我要跟她說話。」

豹子正興高采烈地聽著豎琴的演奏，演奏者並請在座的賓客在享受瞬間歡愉的同時，也體驗一下永恆的感覺，在一旁則有許多愛慕者以貪婪的眼神緊盯著她不放。司令官來報之後，她立刻回到蘇提身邊，卻見他雙眼無神地看著前方。

「我又看不見了。」他小聲地說：「帶我回房裡去。我會靠著妳的手臂，絕不可以讓別人發現我這個弱點。」

於是他二人便離開了會場，臨走前許多賓客都向他們行禮致意，宴會也因而告一段落。

蘇提進房之後，躺上了床。豹子堅定地告訴他：

「奈菲莉會治好你的病的。我去找她。」

「已經沒有時間了。」

「為什麼？」

「因為帕札爾馬上就要派兵來消滅我們了。」

第三十六章

奈菲莉向拉美西斯的母親圖雅行了禮，「見過皇太后。」

「應該是我向妳這位御醫長致意才是。妳才上任幾個月，便已經有如此輝煌的成績了。」

圖雅的神情傲然，鼻子又尖又挺，雙眼炯炯有神，臉頰上布滿了皺紋，還有一個方方正正的下巴，確實權威感十足。她在每個大城都有一座宮殿，手下宮人無數，但她只勸導而不下絕對的命令，最主要的是她維護了使埃及帝國屹立不搖的固有價值。她也跟歷代舉足輕重的女性一樣，在朝中擁有絕對的影響力。想當初驅逐了亞洲入侵者，建立底比斯王國，而代代相傳至今的，不正是像她如此強勢的皇后嗎？

然而，圖雅心中的不滿卻與日俱增，因為兒子已經幾個月沒有向她吐露心事了。拉美西斯漸漸疏遠她，卻又沒有表示對她有何不滿，好像是獨自保守著一個天大的祕密，連母親這邊都不能洩漏。

「皇太后身子可好？」

「多虧了妳的治療，我現在好極了，只不過眼睛有點灼熱感。」

「為什麼不馬上召我前來診治呢？」

「瑣碎的事太多了……妳難道真的很注意自己的健康嗎？」

「我根本沒有時間去想這個。」

「唉，妳這樣就錯了，奈菲莉！要是妳病倒了，會讓多少病人陷入絕望呀！」

「讓我來替太后檢查一下吧。」

診斷結果很快就出來了，太后得的是角膜炎。奈菲莉開給她一道以蝙蝠屎製成的藥，這種藥可以消炎，並且沒有副作用（※註1）。

「一個星期就會痊癒了，平常用的眼藥水也要繼續點。太后的眼睛已經好多了，不過還是得持續治療。」

「我實在無法花那麼多心思照顧自己，要是別的醫生跟我說，我一定不會聽的。在我心中只有埃及才最重要。妳丈夫還承受得了首相的職務吧？」

「這份職務重於花崗岩，苦比膽汁，但是他絕不會放棄。」

「我第一眼看到他就知道了。朝臣們對他是又敬仰、又畏懼、又忌妒，他的能力也就可見一斑了。任命他為首相讓很多人吃驚，批評的聲音也源源不斷，但是他卻以行動封住那些造謠人士的嘴，甚至還取代了巴吉首相的地位。他的功勞不可謂不大呀。」

「其實帕札爾並不在乎別人的看法。」

「這樣最好，只要他對褒貶無動於衷，就會是個好首相。國王便是看中了他的正直，才會對他推心置腹，也就是說帕札爾知道一些連我都不知情的祕密。而奈菲莉妳和帕札爾又是一體的，因此妳也知道這些祕密，對吧？」

「是的。」

「國家面臨了危機是不是？」

「是。」

「自從拉美西斯不再對我說實話，我就知道了，他怕我會採取過於激烈的手段。也許他顧慮得沒錯，如今是帕札爾在打這場仗。」

「對手們都好可怕。」

「所以也該是我出面的時候了。首相不敢要求我直接支援，但是我得幫他。現在誰最讓他頭痛？」

「美鋒。」

「我最討厭這些暴發戶了，幸好他們最後總會因貪婪而自食惡果。我想他的妻子西莉克斯也幫了不少忙吧？」

「她的確也是其中一分子。」

「她就交給我來解決。她每次向我行禮時，脖子扭來扭去活像隻鵝，看了就叫人生氣。」

「太后可千萬不要小看了她。」

「奈菲莉，妳已經醫好我的眼睛，讓我能看得透澈了。我知道怎麼對付這個害人精。」

「有件事我也不想瞞太后，帕札爾對於主持外國使節進貢典禮一事深感困擾，他很希望國王能及時從皮拉美西斯趕回來，親自主持。」

「他錯了。法老的情緒越來越低迷，他現在根本不出宮，也不上朝，並且把一切事務都交給首相處理了。」

「法老病了嗎？」

「大概是牙齒的毛病吧。」

「需不需要我替他檢查一下？」

「他才剛剛辭退御用牙醫，還譴責他無能。我看典禮過後，妳就陪我到皮拉美西斯一趟好了。」

* * *

船隊由北而南載來了外國的顯要；使船在河警的指揮之下靠岸，這段期間所有船隻一律不許通行。碼頭上，則有外國事務處的處長負責接待貴賓；使節坐上了舒適的轎椅，其餘代表團人員則緊跟在後，大隊人馬浩浩蕩蕩便往皇宮走去。

每一年，附庸國與經濟合作國都會前來向法老進貢致意。而每到這個時節，孟斐斯便會放兩天假，慶祝英明睿智的拉美西斯所帶來的昇平歲月。

帕札爾戰戰兢兢地坐在矮背寶座上，穿著因上了漿而直挺挺的首相官服，右手持權杖，頸間則掛著瑪特的小神像。他的右後方是皇太后，而法老的「特殊友人」們則立於眾朝臣的首列，其中也包括了滿面春風的美鋒。西莉克斯穿了一件新衣，看在幾個較不富裕的官夫人眼裡，真是羨慕得不得了。還有前任首相巴吉也答應了協助帕札爾有關禮儀的事項，他的出席讓帕札爾安心多了。他胸前佩帶的銅心，對外國使節而言，代表了拉美西斯對他不變的信任，也證明了首相交替並不意味著政策的轉變。

帝王出宮，帕札爾確實有權代替他主持這個典禮，就像去年，也是由巴吉首相代理的。帕札爾其實寧願不出這個鋒頭，但是他也知道這整件事的重要性，他必須讓來賓滿意地離去，如此雙方才能繼續保持良好的外交關係。在交換禮物的同時，他們都希望對方能尊重並理解自己國家的經濟狀況，因此帕札爾在舉止態度上必須拿捏得恰到好處，不能太過嚴苛，也不能太過寬容，否則一旦犯下大錯，就可能破壞了兩國和諧的關係。

這樣的大典也許是最後一次了吧。

像這種毫無利益可言的古老儀式，美鋒絕對不會保留下來的。其實金字塔時期的先賢便是在互信互惠、互相尊重禮讓的基礎上，建立了這個幸福快樂的文明社會，但他就是不懂。

看到美鋒一副稱心如意的模樣，帕札爾不禁困惑了。希臘銀行的關閉對他應該是個重大的打擊，他卻像沒事一樣，難道是自己動作太慢，已經煞不住他前進的腳步？再過不到兩個月的時間就要舉行再生儀式，屆時國王也不得不讓位，看來這段期間內美鋒大可放心等著，不必再製造什麼亂子了。

等待……對於一個不在動亂中就無法生存的野心家而言，這是最難熬的。帕札爾已經聽到太多抱怨，大家都希望他撤換美鋒，重新派任一個性情較為溫和冷靜的人。因為他不斷地折磨下屬，不給他們一點喘息的空間，而且還常常以緊急情況為藉口，塞給屬下一堆偽造的公文，讓他們無暇多想而更容易掌控。於是抗議聲開始此起彼落，美鋒的手段實在太過極端，完全不替屬下設想，而為他工作的人也不甘心淪為技術工具。不過他才不在乎，他的政策裡就只有「生產力」一詞。誰不服就走路。

他有幾個盟友甚至還暗地裡向首相吐露心聲。他們都累了，都不想再聽美鋒滔滔不絕的言詞，與那些如山堆積般的承諾，也都對他的虛偽與謊言感到厭倦了。他想要掌管一切的企圖心，在在暴露了他的貪得無厭。有幾名省長起初受他蠱惑煽動，如今也都客客氣氣地與他保持距離了。

帕札爾倒是一直有進展。他漸漸看清了美鋒的真面目，識破了他意志的薄弱不堅定。他所製造的危機並未解除，但是他的說服力卻一天不如一天了。

可是他為什麼顯得滿心歡喜呢？

禮官宣布貴賓抵達，首相的晉見廳裡的眾人隨即肅靜以待。

使節分別來自大馬士革、比布羅、帕邁拉、阿勒波、烏加利、喀得什、赫梯、敘利亞、黎巴嫩、克里特、塞浦路斯、阿拉伯、亞非諸國，還有來自各港口、商業城與重要大城的；每個人都帶了禮物前來。

神祕國度、非洲天堂的朋特，由一個身材矮小、皮膚黝黑、頭髮濃密的人代表，他獻上了獸皮、乳香樹、蛋以及鴕鳥羽毛。努比亞使者由於盛裝隆重，在場人士都讚嘆不已，他穿了一件豹皮剪裁的纏腰布，外覆一件褶裙，頭上插著七彩的羽毛，還戴了銀耳環和大大的手鏈。他的隨從在首相的座位下方放了幾罈油、一些盾牌、金銀器具、乳香，並且牽來了幾頭獵豹和一隻小長頸鹿。

克里特人的穿著打扮也吸引了眾人的目光：一綹綹長短不齊的黑髮，光潔的臉上高聳著尖尖的鼻子，呈內凹型的纏腰布有飾帶鑲邊，並有菱形或四方形的圖案裝飾，腳上的鞋子尖端還微微翹起。使者命人獻上了匕首、劍、製成獸頭形狀的瓶罐、水壺與杯子。接下來是埃及忠實盟友比布羅的使者，他帶來了牛皮、纜繩與紙軸。

每一名大使都向首相行禮，並高頌既定的禮節用語：「請接受敝國為上下埃及之王所獻上的一點敬意，以維繫和平。」

小亞細亞的軍隊曾與埃及軍隊發生過激烈惡戰，不過如今拉美西斯已不再追究，而當地的代表也偕同妻子前來進貢。代表穿的纏腰布上裝飾著橡栗，身上一件紅藍色的長袖長袍，袖口還用繫繩束了起來，代表夫人則穿著鑲邊的裙子和彩色的短披風。不過他們所獻上的貢品卻出人意外地少。通常，在典禮最後出席的亞洲代表總會在法老或首相面前，放置銅條、天青石、綠松石、珍貴的木梁、香脂罐、鞍轡、弓與裝滿了箭的箭袋、匕首，當然還有熊、獅子與公牛等等。然而這次卻只有幾個杯子、幾罈油和一些價值不高的珠寶。

當使者向首相行禮時，首相並無任何情緒反應。但使者所要傳達的訊息已經十分清楚：亞洲方面對埃及極度不滿。如果不盡快釐清原因，而任由誤會繼續擴大，那麼雙方再度交戰的日子也就不遠了。

＊　＊　＊

正當孟斐斯從碼頭到手工藝區都一片喜氣歡騰之際，帕札爾獨自接見了亞洲使者。沒有書記官在場，因為在正式記錄並對外宣布之前，雙方必須先達成協議。

亞洲大使約四十多歲，眼神鋒利，言詞尖銳，一開口便問：

「為什麼拉美西斯沒有親自主持典禮？」

「跟去年一樣，他還在皮拉美西斯監督一座神廟的建造工程。」

「那麼巴吉首相是不是失勢了？」

「我想你也見到了事實並非如此。」

「他的出席以及他所佩帶的銅心……不錯，我注意到了，這些都是法老對他依然信任有加的鐵證。可是你太年輕了，帕札爾首相。為什麼拉美西斯會把這麼沉重的擔子交給你呢？」

「因為巴吉自以為已經負荷不了，國王便答應了他辭職的要求。」

「你並沒有回答我的問題。」

「誰猜得透法老的心思呢？」

「當然是他的首相。」

「這點我不敢苟同。」

「這麼說來，你只是個傀儡囉。」

「這得由你來判斷。」

「我的想法自然是有事實根據：你本來只是一個鄉下的小法官，而拉美西斯卻讓你當上了首相。我認識國王已經十年了，他絕不會錯估他親信的能力。因此你一定是個了不起的人啊，帕札爾首相。」

「現在是不是能換我問你幾個問題？」

「當然，這是你的職責所在。」

「你們這次進貢的態度有什麼涵義呢？」

「你覺得亞洲的貢品太少了？」

「你應該知道，這番舉動可以說是在挑戰我們忍耐的極限。」

「的確是極限沒錯，因為在經歷那些侮辱之後，這也是我保持冷靜與進行和解的極限了。」

「我不明白你的意思。」

「聽說你凡事追求事實真相，這該不會只是傳說吧？」

「我可以以法老的名義發誓，我真的毫不知情。」

亞洲代表有些動搖了，語氣也不再那麼尖酸：

「這就奇怪了，難道你的行政部門已經不再受你管制？尤其是白色雙院。」

「由於在我上任前的一些措施並不妥當，因此我正在進行改革。會不會其中有什麼我不知情的舞弊情事，而使得貴國蒙受其害？」

「事情可沒有這麼簡單！這其中所牽涉的嚴重過失，可能招致兩國失和，甚至引發戰爭。」

帕札爾極力想掩飾內心的不安，但聲音仍忍不住發抖：

「你願意向我說明事實嗎？」

「我實在無法相信這件事與你無關。」

「我身為首相，當然不能推卸責任。不過即使你覺得荒唐，我還是得承認我並不知情。如果你不讓我知道我們犯了什麼錯，又叫我如何彌補呢？」

「你們埃及人總笑我們喜歡玩弄陰謀詭計，但這回玩弄詭計的人恐怕是你吧。你這麼年輕，似乎不是到處受歡迎哦？」

「請你解釋清楚吧。」

「你若不是演技太好，就是很快就要下臺了。你有沒有聽說過我們之間的交易？」

面對亞洲大使尖刻的諷刺，帕札爾還是不死心。就算對方把他當成一個頭腦簡單而無能的人，他也要問得實情。

「我們把產品運過來，」大使接著說：「雙院就給我們等值的黃金。自從和平協定以來，交易都是這麼進行的。」

「難道這次你們沒有收到黃金？」

「金子是送來了，可是品質非常地差，質地不純，而且容易斷裂，根本只能拿去騙騙那些落後的游民。貴國送來一些不能用的貨，豈非惡意嘲弄？拉美西斯必須負起這個責任，我們認為他違背了他的諾言。」

是了，這就是美鋒興奮不已的原因：先破壞法老在亞洲的聲譽，然後再由他出面當好人，彌補國王所犯的過錯。

「這只是一時的疏忽，絕對不是我們有意挑釁。」帕札爾解釋道。

「據我所知，白色雙院並非獨立的單位！而是要聽從命令行事的。」

「這真的只是我手下部門之間機制運作與溝通上的一點瑕疵，請你千萬見諒，我們絕無惡意。我會親自去向法老請罪的。」

「你手下有人在搞鬼，是嗎？」

「我一定會加以徹查，並採取必要的措施，否則你很快就會見到新首相了。」

「這倒是很令人惋惜。」

「你願意接受我誠心的致歉了嗎？」

「我相信你說的話，但是貴國必須依照慣例補償我們，盡快送來兩倍的黃金。否則，衝突是避免不了的了。」

* * *

帕札爾和奈菲莉正準備動身前往皮拉美西斯，突然有一名傳令官要求立刻晉見。

「出事了。」傳令官說道：「科普托思來了一群利比亞人與努比亞人組成的軍隊，剛剛已經把市長驅逐出城了。」

「有人傷亡嗎？」

「沒有。他們沒有動武便占領了城區。沙漠特警也加入了他們的行列，軍隊司令更不敢反抗。」

「這支隊伍由誰率領？」

「一個名叫蘇提的人，還有一個黃金女神幫他，所以才能使這些人順服。」

帕札爾實在太高興了，蘇提還活著，而且活得好好的！這真是個天大的好消息，雖然情勢似乎有點混亂，不過他左盼右盼，終於盼到蘇提出現了！

「底比斯的駐軍已經準備出兵援助，現在將領只等著首相的指示。公文一寫好，我就馬上送去。據將領所言，叛亂應該很快就能弭平。即使亂賊擁有精良的武器，但人數畢竟不多，是無法抵擋正規軍的攻勢的。」

「等我從皮拉美西斯回來，我會親自處理這件事，這段期間先派兵包圍科普托思，只守不攻。補給車隊與商人可以照常進出，不要讓城裡的居民有所匱乏。派人通知蘇提，我會盡快前往科普托思與他交涉協商。」

※註1：蝙蝠屎富含維他命A，也是極佳的抗生素；換句話說，現代醫療技術與古埃及是一致的。

第三十七章

帕札爾和奈菲莉站在專為他二人安排的華麗別墅的陽臺上，看著拉美西斯二世最喜愛的這座皮拉美西斯城（※註1）。皮拉美西斯位於阿瓦利斯附近，阿城曾被入侵的亞洲人立為首府，後於新王國初期收復，而皮拉美西斯則在法老的全力推動下，成了三角洲最大的城市。此地居民十幾萬人，並有數座廟供奉阿蒙神、拉神、普塔赫神、可怕的暴風之神塞托、醫藥女神塞克美以及亞洲來的女神亞絲塔德。城裡有四座軍營，南側的港口四周則全是倉庫與手工藝坊。至於市中心，除了皇宮之外，還有貴族與高層官員的宅邸，以及一個供人休閒娛樂的大湖。

夏季期間，皮拉美西斯卻因為有尼羅河的兩條支流拉神之河與阿瓦利斯河環繞，氣候舒爽宜人；市區裡有運河水道縱橫，多魚的池塘更是喜愛釣魚的人士最佳的休閒去處。

這座城址可是經過精心挑選的。皮拉美西斯所在之處，最利於觀測三角洲與亞洲情勢，也是鄰近保護國發生動亂時，法老出兵平亂的理想據點。貴族子弟們總會極力爭取進入戰車隊，也希望能有機會騎上那些風馳電掣的駿馬背上。而國王也十分關心木匠、造船工與冶金工的工作情形，經常會前去探視。

「住在皮拉美西斯多麼快樂。」有一首民歌是這麼唱的：「再也沒有比這裡更美的城市，小小的地方都能受到重視。金合歡和無花果為路人提供樹蔭，皇宮閃耀著黃金與綠松石的光芒，微風輕吹，鳥兒在池塘邊歡唱。」

首相夫婦在果園、橄欖樹園以及生產葡萄酒供節慶宴會之用的葡萄園，度過了一個上午，但寧靜平和的時光卻似乎過得特別快。高高的穀倉有如聳入雲霄，華麗住宅的大門裝飾了藍色的琉璃瓦，也因此使得皮拉美西斯有了「綠松石之城」的美名。錯落在大別墅之間的磚屋門前，有幾個小孩吃著蘋果和石榴、玩著木偶。他們才不把那些野心勃勃的書記官放在眼裡，他們只仰慕馳騁沙場的戰車尉。

幻夢著實短暫，儘管果子甜如蜜，宅院也有如天堂，但帕札爾還是得去面對法老。據皇太后吐露，國王已經不再相信他的首相會成功了。他如今就像一個被判了刑而毫無希望的人一樣，離群索居。

奈菲莉上了點妝，她用兩端圓鼓鼓的小棒子，在眼睛周圍塗上一種硫化砷成分的眼影。她的這個眼影盒還有個特別的名稱，叫作「開眼之盒」。隨後帕札爾又替她繫上了她最喜愛的那條紫水晶珠配上壓花金飾的腰帶。

「妳會陪我進宮嗎？」

「太后希望我去看看。」

「我好怕，奈菲莉，好怕國王已經對我失望。」

她頭向後一仰，靠在帕札爾的肩膀上，輕聲地說：

「我會永遠牽著你的手，我的幸福就是跟你一起漫步於無人的庭園，耳邊只有風聲。你會永遠牽著我的手，因為每當我們在一起，我的心便沉醉於喜樂之中。我們還有什麼好奢求的呢，首相大人？」

* * *

守護在宮廷每個入口的警衛，每個月的一號、十一號與二十一號都會更換一次，他們除了正常發放的穀糧之外，還可以領取到肉、酒和糕點。這一天，所有的人都在宮外列隊歡迎首相到來，這回想必又有一筆可觀的獎賞了。

帕札爾和奈菲莉在一名內侍的接待下，參觀了法老的夏宮。白色牆壁配上彩色地板的候見廳後面，接連了幾間晉見廳，廳中裝飾著以黃、棕為底，襯上藍、紅、黑點的瓷磚。王殿中有一排小圓柱圍成的圍欄，每根柱子上都刻了法老的名諱。還有幾間專門用來接見外國元首的廳室，彩繪得美輪美奐：裸泳的女子、鼓翅的鳥禽、青蔥的綠野，著實賞心悅目。

「法老在花園等候兩位。」參觀過後，內侍說道。

拉美西斯很喜歡種樹；其實依照先人的心願，埃及不就應該像一座大花園，飄散著各式各樣的花香嗎？他們走進花園時，法老正一腳跪在地上，在為一棵蘋果樹接枝。他的手腕上還戴著他最喜歡的飾物：前半部以野鴨裝飾的金手鐲與天青石手鐲。

十多公尺外，有拉美西斯最優秀的貼身侍衛守著。那是一頭半野半馴的獅子，在法老剛登基時，牠曾陪著他征戰亞洲戰場。這頭獅子被賜名為「殺敵者」，向來只聽從主人的命令，無論是誰意圖接近並傷害國王，都會喪生在牠的爪下。

帕札爾向國王走去，奈菲莉則在魚池旁的涼亭等著。

「現在國家的狀況如何，帕札爾？」國王背對著首相問道。

「已經跌到谷底了，陛下。」

「進貢典禮上有什麼麻煩嗎？」

「亞洲大使非常不高興。」

「亞洲對我們一直是個威脅，那裡的人太好戰了，他們總是利用太平期間準備著下一次的戰役。朕已經加強了東西邊防的戒備，那一連串的堡壘將能同時抵禦利比亞人與亞洲人的入侵。朕也下令弓箭手與步兵必須日夜警戒，並互相以肉眼可見的信號傳遞訊息。朕在皮拉美西斯每天都能掌握亞洲各附屬國的動靜，同時也會收到關於朕的首相的行事報告。」

法老頓了一下，站起來面對帕札爾，又說：

「有貴族抱怨，有省長抗議，朝廷大臣都覺得受到蔑視。律法說了：『首相若犯了錯，不能隱瞞真相，必須向大眾認錯並改過。』」

「陛下，我犯了什麼錯？」

「你難道沒有將一些達官顯要處以杖刑？行刑的人甚至還幸災樂禍地說：『送你們一份前所未有的大禮物。』」

「這些細節我不知道，不過法律之前，無論貧富人人平等。犯罪者頭銜越大，所受的刑罰就應該越重。」

「那麼你是不否認囉？」

「不否認。」

拉美西斯點點頭說：「朕很欣慰，你並沒有因為得到權勢而改變作風。」

「我只怕讓陛下失望。」

「希臘的商人呈上了一份好長的訴狀。你該不會是妨礙了他們的交易吧？」

「我只是結束了一樁非法的貨幣交易，並且禁止他們在埃及國土上設立銀行罷了。」

「美鋒當然會採取報復行動了。」

「罪犯已經都驅逐出境，美鋒的主要經濟來源也斷了，他的一些盟友在失望之餘，都漸漸疏遠他了。」

「一旦讓他得勢，他一定會讓錢幣流通。」

「我們只剩幾個星期了，陛下。」

「再找不到眾神遺囑，朕就非讓位不可了。」

「美鋒勢力減弱了，他還能統治國家嗎？」

「他必定是寧可毀滅一切也不會放棄的。像他這種人多得很，不過到目前為止，都沒有讓他們得逞奪得王位。」

「我們還有希望。」

「亞洲對我們有什麼不滿？」

「美鋒送了一批劣質的黃金給他們。」

「這真是奇恥大辱！亞洲大使提出了什麼威脅嗎？」

「只有一個辦法可以避免衝突，那就是送出雙倍的黃金。」

「我們有這麼多黃金嗎？」

「沒有。美鋒已經掏空國庫了，陛下。」

「亞洲方面會認為朕違背了諾言。如此又多了一個逼朕下臺的藉口……然後美鋒剛好可以出面彌補。」

「我們也許還有一個機會。」

「那就快說吧。」

「蘇提現在人在科普托思，身邊還有一個黃金女神，他或許知道什麼寶藏的下落，可以馬上取得呢。」

「你馬上去找他，問個清楚。」

「事情恐怕沒有這麼容易。」

「為什麼？」

「因為蘇提帶領了一隊人馬，趕走了科普托思市長，並控制了該城。」

「他們要造反？」

「我們的軍隊目前已包圍科普托思，但我下令暫時不許進攻。他們占領科城的過程十分平和，並無人傷亡。」

「你想向朕要求什麼嗎，帕札爾？」

「如果我能說服蘇提協助我們，就請陛下赦他無罪。」

「他不但從努比亞堡壘逃走，剛剛又犯下了滔天大罪。」

「他其實是冤枉的，而且他對埃及一向忠心耿耿，這難道還不足以赦免他嗎？」

「不要感情用事，帕札爾，一切要遵循律法，以重建社會秩序。」

帕札爾行了禮，沒有再多說，而拉美西斯則帶著獅子走向奈菲莉所在的涼亭，問道：「妳準備好要折磨朕了嗎？」

＊　＊　＊

奈菲莉為法老檢查了一個多小時。她發現拉美西斯有風溼的毛病，便為他開了一帖柳皮（※註2）煎劑，讓他每天服用，另外還幫他重新補了幾顆牙。她在宮殿的實驗室中，用黃連木樹脂、努比亞土、蜂蜜、石磨碎片、綠眼藥和少許的銅混合成補牙劑，補好之後，又建議法老不要再吃甜的紙莎草苗，以避免蛀牙與牙齒的磨損。

「妳覺得樂觀嗎，奈菲莉？」

「老實說，陛下左上方的牙齦似乎有膿腫的現象。陛下應該定期檢查，只要經常用金盞花酊劑塗抹牙齦，就可以不必拔牙了。」

奈菲莉洗手的同時，拉美西斯也以天然含水蘇打漱了漱口。

「我並不擔心我的未來啊，奈菲莉，我擔心的是埃及。我知道妳跟我的父親一樣，對於潛藏在外表底下的無形力量，有一種特別的感應。因此我要再問一次，妳覺得樂觀嗎？」

「我一定要回答這個問題嗎？」

「難道妳已經絕望到這個地步了？」

「布拉尼的靈魂會保護埃及，他不會白白犧牲的。在最陰暗的深淵中，將會出現光芒。」

* * *

努比亞人守候在科普托思城內的各個屋頂上，觀察著四周的動靜。每三個小時，長老就會向蘇提作一番口頭報告。

「有數百名士兵……已經經由尼羅河抵達了。」

「我們被包圍了嗎？」

「他們保持了一定的距離，並且按兵不動。如果他們進攻的話，我們一點機會也沒有。」

「讓你的手下去休息吧。」

「我覺得利比亞人不可靠，他們一心只想偷竊、賭博。」

「沙漠特警會看著他們。」

「誰知道這些警察什麼時候會背叛你？」

「我可是有用不完的金子呢。」

長老滿心疑惑地回到市長官邸的陽臺上，注視著尼羅河。他已經厭倦沙漠了。科普托思真讓他感到窒息。

每個人都知道軍隊馬上就要展開猛烈的攻勢。如果蘇提的部隊投降，便能避免一場腥風血雨，但是豹子卻毫不動搖，並且不斷遊說部下要奮戰到底，否則將會遭到埃及政府的嚴酷刑罰。黃金女神千里迢迢從南方回來，當然不可能在第一場戰役就輕易退縮。不用多久，她的帝國便將延伸到海界，只要服從她，將來自然有享不盡的富貴榮華。

叫人怎能不相信全能的蘇提呢？他身上散發著另一世的光芒，他的儀表更有如半神英雄。他不知畏懼為何物，還能把這份勇氣傳給那些膽小的人。沙漠特警們一直嚮往著這樣的領袖，他平靜的聲調中自然流露一股威嚴，他能拉開最重的弓，還能讓那些懦夫頭破血流。蘇提的神話一傳十、十傳百，大家都知道他識破了山的祕密，因而從山腹中取得了稀有的金屬。若有人敢與他作對，立刻會被地底竄出的火焰所吞噬。

「妳已經使這座城市和其中的居民著魔了。」蘇提對剛剛泡完水，懶懶地躺在水池邊的豹子說。

「這只是個開端呀，親愛的。再過不久，科普托思對我們而言就太小了。」

「妳的美夢很快就會變成噩夢。面對正規軍，我們是抵擋不了太久的。」

豹子抱住蘇提的頸子，拉著他躺下：

「你不再相信你的黃金女神了嗎？」

「我當初怎麼會瘋狂到這個地步？竟然聽了妳的話。」

「因為我不顧一切地救你性命。不要管什麼噩夢了，想想我們的美夢吧，是不是充滿了黃金的色彩呢？」

蘇提原想抗拒她，但很快就認輸了。一碰觸到她金黃的肌膚，再聞到她身上天仙似的香味，他心底的欲望便如洪水般洶湧而來。他不等她有所動作，雙手便開始輕撫了起來。豹子先是溫順地任由他的手在身上游移，隨後一個翻身，兩人雙雙落入水中。

他們正繾綣難分之時，忽見努比亞長老匆匆趕來：

「有一名軍官要跟你談談，他現在在尼羅河畔的大門邊。」

「他一個人？」

「一個人，而且沒有帶武器。」

蘇提在一片靜悄悄的氣氛中，去會見了穿著彩色鎖子甲的阿蒙神軍團的軍官。

「你就是蘇提？」軍官問道。

「市長已經讓位給我了。」

「你是這些叛軍的領袖？」

「我很榮幸能領導一群自由的人。」

「你的哨兵已經看到了我軍的人數。無論你們再如何驍勇善戰，終究還是會被殲滅的。」

「記得在戰車團中，我的長官曾經教導我不能狂妄自大。而且，我從來不受威脅。」

「這麼說你是不願意投降了？」

「這還用說嗎？」

「以現在的情勢，你們是插翅也難飛。」

「進攻吧，我們已經準備好了。」

「進不進攻不是我能決定，而是首相。在他尚未抵達之前，你們的糧食依舊正常供應。」

「他什麼時候會到科普托思？」

「趁現在好好喘口氣。等帕札爾首相一到，他立刻會領導我們邁向勝利，重建此地的秩序。」

※註1：「皮拉美西斯」是「拉美西斯的領地（或廟宇）」的意思。

※註2：即現今阿斯匹靈的萃取來源。

第三十八章

西莉克斯一會兒跺腳，一會兒叫喚女僕，一會兒又跑到花園去，整個人激動焦躁地等著美鋒回來。她為了女兒偷吃一塊蛋糕，賞了她幾個耳光，又任由兒子去追一隻躲到棕櫚樹梢的貓。等她開始準備晚餐，又突然換了菜色，一邊還不斷斥罵孩子。終於美鋒到家了，她馬上奔向大門，喊道：

「太好了，親愛的！」

不等丈夫下轎，她就使勁地拉扯他披在肩上遮太陽的亞麻布，沒想到一個用力過猛，竟把布扯破了。

「小心點！這很貴的。」

「告訴你一個天大的好消息……快來，我已經用你最喜愛的杯子幫你盛了陳年美酒了。」

這一小段路上，西莉克斯不停地向丈夫撒嬌，媚態更勝以往，還不時發出尖銳刺耳的笑聲。她興奮地說：「今天早上，宮裡的傳令官來傳旨了。」

接著，她從一只草箱中拿出一份蓋了法老印璽的詔令，說：「是皇太后宣我入宮……宣我耶，這是多麼榮幸的事啊！」

「宣妳入宮？」

「是到她的宮殿！這件事將會詔告整個孟斐斯。」

美鋒訝異地看了詔令。

那是皇太后親筆所寫，她並未動用祕書部門，由此證明她必定有非常重要的原因要見西莉克斯。

「多年來，有多少官夫人都在期待這項榮耀……如今，竟然落到我身上了！」

「的確是令人意想不到。」

「意想不到？怎麼會！這都是你的功勞啊，親愛的。圖雅是個聰明的女人，她跟兒子的關係又十分親密，拉美西斯一定已經告訴她，他的王朝就即將結束了，因此她才急著為未來打算。她是想趁現在跟我攀關係，以便日後還能保留他們的特權。」

「也就是說拉美西斯已經向她吐露實情了。」

「他可能只提了退位的事。說他倦怠、說他身子一天不如一天、說他無力使埃及現代化……不管他用什麼原因，圖雅都已經發現馬上就要改朝換代，也明白了你將來所要扮演的角色。而她攏絡你最好的方法，當然就是先讓我成為她的親信了。這個老婦人非常狡猾……但也知道他們輸定了。如果跟我們作對，她就會失去她的宮殿、僕人與安逸的日子。她都這把年紀了，怎麼能忍受自己忽然間一無所有呢？」

「利用她的聲望倒也是個好主意。有她為我們的新政權作擔保，我們很快就能紮根，也不會有任何反對的聲音。我真不敢相信我們會有這樣的好運氣。」

「那麼我應該怎麼因應？」西莉克斯問道，口氣興奮異常。

「要表現得恭敬友善。引她提出請求，並且讓她了解我們很樂意接納她，並接受她的幫助。」

「可是……如果她提到對她兒子的安排呢？」

「我們會讓拉美西斯歸隱努比亞的某座神廟，和一些隱居的祭司一塊兒終老。不過，等新政權根基穩固、無任何轉圜餘地之後，我們就除掉這對母子，不能讓過去的人事物妨礙了我們的大業。」

「你實在太棒了，親愛的。」

* * *

凱姆簡直是坐立不安。帕札爾雖然不喜歡社交活動、禮儀排場，卻還不像他如此深惡痛絕。穿著這一身與警察總長的身分相符的服飾，他真覺得可笑至極。理髮師替他理了髮、戴上假髮、刮了鬍子、噴了香水，畫師也在他的木鼻上塗了黑色顏料。他已經在候見廳等了一個多小時了，這樣浪費時間，他頗不以為然，但是皇太后召見，又怎能不來呢？

最後，終於來了一名內侍帶他到圖雅的工作室去，在那間裝飾簡單的房間裡，只放置了一些埃及的地圖和先祖的紀念碑。雖然太后比他矮小得多，但那種氣勢威嚴，卻比一隻蓄勢待發的猛獸更叫他印象深刻。

「我是故意考驗你的耐性。」太后坦白地說：「警察總長是不能魯莽而失去理性的。」

此時的凱姆完全不知道該站著、坐下、回答或是保持緘默。只聽太后又問：

「你對帕札爾首相有什麼看法？」

「他是個正直的人，也是我所認識唯一的一個！如果太后想聽到有關於他的批評，就請找其他人吧。」

凱姆一說完，馬上就發現自己的回答實在太莽撞失禮了。

「你比前任的警察總長更有個性，但卻比較不懂得圓融。」

「我只是實話實說，太后。」

「身為警察總長，這麼魯莽不太合適吧。」

「我根本不在乎這個頭銜和地位，我之所以會接受，完全是為了幫助帕札爾。」

「首相真是好運氣，我就喜歡運氣好的人。那麼你就好好幫他吧。」

「怎麼幫法？」

「讓我知道西莉克斯夫人的一切。」

* * *

獲知首相的官船即將抵達，河警連忙在通往孟斐斯港大碼頭的河道上為他開路。笨重的運輸船移動起來卻輕盈得好似蜻蜓，每艘船都能迅速找到定位，而不致互相碰撞。

暗影吞噬者就在連接海關與一座紙莎草倉庫的穀倉頂上過了一夜。他打算一得手就馬上從海關這邊溜走。在港務長的辦公室裡，他只要豎耳傾聽，便不難得知有關帕札爾行程的資訊，以及他自皮拉美西斯返回的時間。凱姆的防備再嚴密，也防不了他臨時起意的突襲。

暗影吞噬者會有這次的計畫，是因為他假設：帕札爾為了躲避爭相目睹他的人潮，必定不會走連接碼頭與宮殿的大道，而會在一組警員的戒護下，改走穀倉底下可供馬車行駛的小巷。

果然，來了一輛馬車就停在暗影吞噬者的下方。

這回飛棍不會再射偏了。這隻飛棍造型簡單，因為用得久了，被主人拿到市場上拍賣。暗影吞噬者混在嘈雜的人群中，商販並沒有注意到他，他也跟其他人一樣，用幾個新鮮的洋蔥達成了交易。

事成之後，他會再和美鋒聯絡。美鋒的地位越來越不穩當，很多人都預測他不久就要下臺了。如今要是殺了帕札爾，就等於讓美鋒又有了勝利的把握。不過，美鋒肯定不會獎賞他，而會殺他滅口，因此他必須特別留意。他會和美鋒單獨約在偏僻的地方碰面，若能達成共識，美鋒就能以勝利者的姿態活著離開，否則他就讓他永遠不能再開口說話。其實，他的要求對美鋒來說根本沒有什麼，他只要多一點金子、各種的豁免權、改名換姓擔任公職，以及位於三角洲的一間大別墅，如此而已。美鋒一開始就不該找暗影吞噬者的，一找了他，將來就隨時會再需要他……因為建立在謀殺之上的政權，也只有靠著謀殺才能更加鞏固。

碼頭上，凱姆和狒狒出現了。

暗影吞噬者最後的一絲疑慮也消除了：風的方向對他有利。如此一來，狒狒便感應不到他的存在，自然也來不及攔截猶如閃電一般從天而降的飛棍了。現在唯一棘手的是，射擊的角度非常狹窄。不過，在他冷靜的怒氣與求勝的欲望驅使之下，這次出手絕對完美無缺。

首相的船靠岸了。帕札爾和奈菲莉一下船，凱姆和手下便立刻迎上前去保護。而殺手也在向他們夫妻倆點頭致意後，走到了隊伍的最前頭。

隊伍果然改行小巷，未走大道。風呼呼吹著，讓狒狒頗為不安，鼻孔也動得更加厲害。

再過幾秒鐘，首相就會站到車旁，等他上車時，也就是飛棍刺穿他太陽穴的時刻。

暗影吞噬者手臂彎曲了起來，全神貫注。凱姆和狒狒分站在馬車兩邊。凱姆伸出手扶奈菲莉上車，她身後，便是帕札爾。暗影吞噬者緩緩站起身來，他看著帕札爾的側面，最後將飛棍用力一握，眼看武器就要出手了。

突然間閃出一個人影，擋住了帕札爾。

美鋒竟在無意中救了這個他恨之入骨的人。

「我必須馬上和你談談。」美鋒急促的聲音與誇大的手勢，驚動了狒狒。

「這麼急嗎？」帕札爾驚訝地問。

「我聽你辦公室的職員說，你取消了好幾天的約見。」

「我需要向你報告我的行程表嗎？」

「事態嚴重，我要求瑪特女神為我作見證。」

美鋒這兩句話不是隨便說說，在場眾人，包括警察總長都聽到了。他說得如此鄭重，首相也不得不同意他的請求：

「女神會依循律法為你解決的。兩個小時後到我的辦公室來吧。」

風停了，殺手抬頭往上看。暗影吞噬者趴在穀倉頂上，然後貼著屋頂慢慢後退。當他聽見首相的馬車漸行漸遠，氣得嘴唇都咬出血來了。

* * *

帕札爾滿意地稱讚著巴克，他現在已經是首相的特別助理了。他年輕、審慎又勤奮，對公文的撰寫一絲不苟，因此帕札爾便讓他負責檢查諭令與文書，這樣在屬下與民眾的眼裡，他才是真正無懈可擊的首相。

「我對你真的很滿意，巴克，不過你最好還是換個單位。」

巴克一聽，臉都白了，「我犯了什麼錯嗎？」

「沒有。」

「求求你，老實告訴我。」

「真的沒有。」

「那麼為什麼要調我的職？」

「這是為了你好。」

「為我好……我在你身邊做事很好啊！是不是我冒犯了什麼人？」

「你做事謹慎，書記官們對你的評價都很高。」

「請告訴我實情。」

「這個嘛……離我遠一點是比較明智的做法。」

「我不要！」

「我的未來很不樂觀呀，巴克，就連我的親信也會受到連累。」

「是那個美鋒，對吧？他想打倒你。」

「你犯不著跟著我受罪。調到另一個部門，你就會沒事了。」

「我才不屑做這種懦夫。不管發生什麼事，我都會站在你這邊。」

「你還年輕，何必拿自己的前途做賭注？」

「我不在乎我的前途，你曾經信任我，現在我也信任你。」

「你知道這麼做是多麼不智嗎？」

「換作是你，你難道不會這麼做？」

「好吧。這是孟斐斯北區林園的相關文件，你去查驗一下，看看有沒有人對分配的地點有意見。」

巴克見首相不再堅持，欣喜若狂地便接下了工作。

但當他一看見美鋒走進首相辦公室，臉色卻馬上沉了下來。

帕札爾正盤坐著在擬寫一份公文，他要各省省長在下次滿潮之前，檢驗所有的堤防與蓄水池，以便讓民生獲得最大的利益。

美鋒站在旁邊等著，身上那件新袍的褶子大得有點誇張。

「你說吧。」帕札爾沒有抬頭，只說：「麻煩你長話短說。」

「你知道你的權力有多大嗎？」

「我只管我的職責。」

「你現在的職位非常重要啊，帕札爾。如果國家元首犯了重大的過失，就必須由你來伸張正義。」

「我不喜歡聽一些拐彎抹角的話。」

「那我就直說了，如果國王背叛了國家，只有你能夠審判皇族與他本人。」

「你竟敢提到叛國！」

「拉美西斯有罪。」

「誰指控他的？」

「我，為了維護我們的道德價值，我不得不這麼做。拉美西斯竟然將劣質黃金送給亞洲的友邦，因而破壞了和平。希望你能開庭審理此案。」

「送出這批黃金的人是你。」

「法老從不讓任何人干預亞洲政策，有誰會相信他底下的部長竟敢違背他的意願行事？」

「誠如你剛才所說，我必須澄清事實。拉美西斯無罪，我會證明的。」

「我將提出對他不利的證據。而你身為首相，你非得將這些證據列入考慮，並立即開庭。」

「審案的過程將會很長。」

美鋒再也按捺不住，「你還不明白？我是在給你最後一次機會啊！只要你對國王提起告訴，就等於救了自己一命。朝中的權貴都已成了我的盟友，拉美西斯如今只剩一個人，他早已經眾叛親離了。」

「他還有他的首相。」

「你的繼任者將會判你叛國重罪。」

「就把一切交由瑪特裁決吧。」

「你是在自討苦吃，帕札爾。」

「我們每個人的行為都會被置於陰間的天秤上衡量的，你也不例外。」

美鋒走了之後，巴克交給帕札爾一封奇怪的信函，說道：

「我想這封信對你來說可能很緊急。」

帕札爾看了信後，點點頭說：

「你說得沒錯，謝謝你在我離開前把信交給我。」

* * *

五月火熱的太陽下，底比斯的這個小村落應該正趁著棕櫚樹蔭打著盹的，然而卻只有牛、驢在偷閒休息，村民則都聚集在塵土飛揚的廣場上旁聽一場審判。

村長終於逮到機會整治老牧羊人貝比了。貝比向來離群索居，成天只跟白鷺和鱷魚混在一起，每當稅務人員一進村來，他就會馬上躲進紙莎草叢中。由於他已經好多年沒有納稅，因此村長便決定將他位於尼羅河畔的一小塊土地充公。

老牧羊人拄著多節的木棍走出了隱蔽的居所，來為自己辯護。村子裡的法官跟村長交情不錯，而且從小就跟貝比交惡，因此儘管面對一些抗議，他還是不聽貝比的說詞就宣判：

「審判結果如下：本席……」

「調查不充分。」

「誰敢打斷我宣判。」

帕札爾站了出來，凜然說道：「埃及首相。」

每個人都認出了帕札爾，他在這裡出生，法官生涯也是從這裡開始的。大家都帶著驚訝與仰慕的心情向他深深一鞠躬。

「我現在要依法主持這個審判庭。」他宣布道。

「文件內容很複雜的。」村長咕噥著說。

「我已經看過郵遞員所送來的文件了，所以一切都了然於胸。」

「貝比被指控……」

「他的債已經還清，因此本案也不成立了。貝比也將繼續擁有他父親的父親所留下的土地。」

村民們熱烈地歡迎首相，紛紛向他獻上啤酒與鮮花。

喧鬧過後，他才終於有機會和今天的主角獨處。

「我就知道你會回來。」貝比說：「你來得正是時候。雖然你的職業很奇怪，不過你卻不是壞人。」

「你也看到了，還是有正直的法官的。」

「但我還是會繼續保持戒心。你要回來定居了？」

「可惜不是。我得到科普托思去。」

「首相可不好當，大家都希望你能讓每個人幸福快樂。」

「有誰不會被這個重擔壓得直不起腰呢？」

「學學棕櫚樹吧。人越用力往下拉，越用力往下壓，反彈後的棕櫚就會豎得越高越直。」

第三十九章

豹子吃了一片西瓜，泡泡水，做做日光浴，又喝了點清涼的啤酒，然後依偎在蘇提身邊，見他目不轉睛地看著西山邊緣，便問：

「你在擔心什麼？」

「他們為什麼不進攻？」

「是首相下的令，你不記得了？」

「要是帕札爾來了，我們……」

「他不會來的。埃及首相已經背棄你了，你現在只是個叛賊亂黨。你要是再等下去，大夥兒的神經都繃到了極點，一定會爆發衝突。利比亞人很快就會對上了努比亞人，而沙漠特警也會重回崗位上，到時候，根本不必等埃及軍隊動手，我們就先垮了。」

蘇提撫弄著豹子的頭髮問道：「那麼妳有什麼建議？」

「破釜沉舟。趁現在手下還願意順從，好好利用這股士氣打一場勝仗。」

「我們會遭到殲滅的。」

「你怎麼知道？我們倆遇上的奇蹟還不夠多嗎？我們若打勝了，底比斯也將臣服於你我。現在，科普托思對我來說已經太小，而你也不應該這樣一天到晚悶悶不樂。」

蘇提攬著她的大腿，一把將她抱了起來，豹子胸部高聳在愛人的眼前，頭向後仰，金髮沉浸在陽光下，雙臂張開，然後發出了一聲滿足的嘆息：

「好好愛我吧，我死也甘願。」

*　*　*

尼羅河變了，經驗老到的人都看得出來，藍色的河水不再那麼鮮豔，好像從遙遠南方而來的第一批河泥使河水變暗了。六月一到，收割完畢，鄉民就該忙著打穀了。

帕札爾在凱姆與狒狒的守護下，就睡在村子裡的戶外空地。當他還是小法官時，他經常在戶外過夜，享受著黑夜中散發的芬芳與黎明時的燦爛色彩。

「我們到科普托思去。」他對凱姆說：「我會說服蘇提放棄他的瘋狂計畫。」

「你打算怎麼做？」

「他會聽我的。」

「你明知道不可能。」

「我們發過血誓，我們之間無需言語便能互通。」

「總之，我不會讓你跟他單獨見面。」

「但這是唯一的辦法。」

她從棕櫚林中走出來時，帕札爾還以為自己在做夢。體態輕盈、豔光四射，額上戴著蓮花冠，頸間掛著綠松石項鏈的奈菲莉緩緩向他走來。

當他擁她入懷，奈菲莉才忍著淚水說：

「我做了個可怕的夢，夢見你孤單地死在尼羅河畔，死前還呼喚著我。因此我要來改變命運。」

*　*　*

風險的確很大，但是暗影吞噬者已經別無選擇。還有什麼地方比科普托思更容易下手的呢？在孟斐斯，帕札爾是碰不得的。他不但身邊戒護周密，運氣更是好得令人不敢置信。也許有人會說帕札爾有神明護身，就連暗影吞噬者也偶爾會這麼想，不過他還是不願相信。他可不能三心兩意，否則最後的勝利可能就是對方的了。

消息還是走漏了。市場上，大家都在談論那支由沙漠竄出來的叛軍，說他們占領了科普托思並對底比斯造成威脅，雖然軍方已迅速掌控情勢，暫時消除了人民的疑慮，但是令人好奇的是首相將會如何懲處這些亂民呢？民眾對首相親自出面平亂恢復秩序都有好評，帕札爾從來都不是守著辦公桌的公務員，而是道地的行動派人士。

暗影吞噬者隱隱然覺得手指發麻，這讓他回想起第一次為美鋒他們殺人的經驗。因此，當他踏上前往科普托思的船，他就知道這次穩操勝算了。

* * *

「首相來了！」一名努比亞哨兵喊道。

科普托思的居民都跑上了街。大家都說埃及軍隊馬上就要進攻了，說城外有一整個弓箭隊軍團，有好幾個活動攻城塔，還有幾百輛戰車。

蘇提站在市長官邸的陽臺上，要所有人安靜，他以宏亮的聲音說：

「的確是帕札爾首相。他穿著官服，並且獨自前來。」

「軍隊呢？」一名婦人焦急地問。

「他身邊一個士兵也沒有。」

「那麼你打算怎麼做？」

「出科普托思城與他會面。」

豹子試著讓蘇提打消這個念頭，「這是個陷阱，你一出城，弓箭手就會攻擊你的。」

「妳太不了解帕札爾了。」

「要是他的軍隊不聽他指揮呢？」

「他會跟我一起死。」

「你千萬別聽他的話，你絕不能讓步。」

「叫妳的子民放心吧，黃金女神。」

*　*　*

奈菲莉、凱姆與被強行留下的狒狒，在戰船船頭看著帕札爾離去。奈菲莉真是害怕極了，而凱姆則是不斷責罵自己：

「帕札爾許下過承諾，所以才這麼固執……我真應該把他關起來！」

「蘇提不會傷害他的。」

「他現在變成什麼樣，誰也不知道，也許權勢欲望已經讓他沖昏了頭。首相這一回去，將會面對怎麼樣的一個人呢？」

「帕札爾知道怎麼去說服他。」

「我不能靜靜地待在這裡。我跟他一塊兒去。」

「不，凱姆，我們要替他遵守承諾。」

「要是他有個三長兩短，我就把這座城夷為平地。」

帕札爾走到距離尼羅河畔主城門約十多公尺處，停了下來。他從碼頭沿著小石板路而來，沿途有一些小祭壇，每逢祭祀典禮祭司都會在此放置供品。

帕札爾穿著又硬又重的長袍，兩手自然垂放，氣派自是不同。他遠遠地便看見了蘇提。

他還是長長的頭髮，黝黑的皮膚，五官卻比從前更深，頸子上戴著一串金項鏈，纏腰布的腰帶間還插著一把圓頭金柄的匕首。

「誰該走向誰？」

「你還敬重我是首相嗎？」

蘇提於是走向前去。

兩人終於面對面了。

「你離棄了我，帕札爾。」

「從來沒有。」

「我應該相信你嗎？」

「我騙過你嗎？我身為首相，不能違法撤銷對你的判決。你逃離查魯之後，駐軍沒有隨後追捕，那是因為我下令他們留在堡中。後來，我雖然沒有了你的消息，但是我知道你會回來。而等你回來的那一天，我也一定會出現，因此我就來了。要是你悄悄地回來，會省了我許多麻煩，不過這次再見到你，我還是很高興。」

「在你眼裡，我只是個叛賊。」

「我並未接獲任何類似的指控。」

「但我占領了科普托思。」

「可是沒有死傷，也沒有起任何衝突。」

步。」

「市長呢？」

「他向在附近操練的軍隊求援，但我以為尚未造成無可彌補的憾事。」

「你忘了，依法我必須成為塔佩妮的奴隸。」

「塔佩妮已經被褫奪公權了。這是她和美鋒串謀的後果，她沒想到他憎恨女人到如此地步。」

「也就是說……」蘇提有點不敢相信。

「也就是說你隨時可以宣布離婚。你甚至可以要求她的一部分財產，不過我不建議你這麼做，因為訴訟過程很可能拖很久。」

「她那一點財產我才看不上眼。」

「你的黃金女神給了你更多嗎？」

「豹子在努比亞救了我，而埃及的法律竟然將她永久驅離。」

「錯了，既然她是因為你才受此判決，現在當然也無效了。何況，她為了一個埃及人所表現的英勇行為，也足以讓我對她重新量刑。從今天起，豹子可以在埃及自由行動了。」

「你說的是真的？」

「我是首相，當然不能說謊。這些決定完全合法，我將會在法庭上正式宣布。」

「我不相信。」

「你不能不信。因為我不只是和你立下血盟的兄弟，還是埃及的首相。」

「你這樣做不會有損你的地位嗎？」

「無所謂。等河水氾濫之初，我就會遭到罷免入獄了。美鋒和他的同黨終究是要贏的，而且可能隨時爆發戰爭。」

「是亞洲人？」

「美鋒給了他們劣質的黃金，還把錯都推到法老身上。為了彌補這個過失，我們必須賠給他們雙倍的黃金，而國庫早就被美鋒掏空，我一時間也籌不出這麼一大筆數目。我無論往哪裡轉，到處都是陷阱。不過，至少我會救你和豹子，趁拉美西斯退位之前還有幾個星期的時間，好好享受埃及的一切，然後就可以離開了。這裡很快便將成為地獄，一個只以希臘貨幣、利益與最殘酷的物質主義為依歸的地獄。」

「我有金子。」

「你說的是亞舍將軍所偷取，又被你奪回來的那批金子？」

「大概就足夠清償埃及的負債了。」

「我們若能避免被侵略的命運，可就是你的功勞了。」

「你應該更好奇一點吧。」

「難道你不願意幫忙？」

「你沒有聽懂，我發現了荒廢在沙漠中的黃金城。那裡有數不盡的寶物！我願意送給科普托思一車的金條，並為埃及償還負債。」

「豹子會答應嗎？」

「你恐怕得費盡唇舌了，現在正是證明你能力的最好時機。」

二人至此終於前嫌盡釋，緊緊地擁抱在一起。

＊　＊　＊

每到守護神敏神節期間，科普托思便會陷入一片他處難得一見的狂歡氣氛中。因為敏神不僅支配了天地萬物的繁殖，也鼓舞了男女，使其在兩情相悅的欲望中結合為一體。而當和平的協定一宣布，全城的歡騰喜氣一點也不遜於這個傳統節慶。

根據首相的決定，科城市民均可獲得蘇提的黃金，並免予課稅。利比亞人編入底比斯駐軍的步兵團，努比亞人編為弓箭手，而沙漠特警則繼續擔任保護商隊與礦工的職務，無須受罰。

正規軍的士兵們也從未如此輕鬆愉快過；六月炎熱的夜裡，在月光的籠罩下，處處歡笑聲不絕於耳。蘇提和豹子便在已經正式交由首相處理的市長官邸，接待帕札爾與奈菲莉。

豹子雖然一身金光閃耀，卻是滿臉的不高興：

「我不離開這裡。這座城被我們征服了，就是我們的。」

「別再做夢了。」蘇提說：「我們的軍隊都已經解散了。」

「可是我們的金子，可足以買下整個埃及了！」

「那就先用來救她吧。」帕札爾提議。

「什麼？你要我救我的死敵！」

「如果亞洲人入侵，對妳也沒有好處。萬一真的發生戰爭，妳的寶藏恐怕也就沒有價值了。」

豹子看了看奈菲莉，希望她支持自己。但奈菲莉卻說：

「我也同意首相的看法。妳空有一筆寶藏而無法利用，有什麼用呢？」

豹子一向很尊重奈菲莉。由於心中難以取捨，她焦躁地站了起來，在寬闊的宴客廳中，來來回回地踱著大步。

「妳有什麼條件嗎？」帕札爾問她。

「我們能救埃及，」豹子驕傲地回答：「當然會有很多條件。既然首相在這裡，我也不妨直接一點，請問你打算用什麼報答我們？」

「什麼也沒有。」

豹子嚇了一跳，「什麼？什麼也沒有？」

「你們兩人將洗清一切罪嫌，並毫無前科紀錄，因為你們根本沒有犯罪。而科普托思市長也會接受你們的道歉，以及你們送給市民的黃金。這樣你們還不滿意嗎？」

蘇提不禁放聲大笑，「我這個好弟兄真是太厲害了！說話不但不脫理法，還說得圓融得體。看來你真的像個首相了。」

「我是很努力在做。」

「拉美西斯選擇了你，果然聰明，我能當你的朋友也算運氣。」

豹子一聽，簡直怒不可遏：

「蘇提，你現在還能給我什麼王國啊？」

「我命都交給妳了還不夠嗎，黃金女神？」

豹子立刻衝向蘇提，舉拳就往他胸口一陣捶打，口中恨恨地說：

「早知道就該殺了你！」

「不用絕望嘛。」蘇提牽制住她的雙手，把她往懷裡一拉。

這回卻換豹子哈哈大笑：「你以為你是什麼達官貴人嗎？」她掙脫之後，奪過一罈酒便大口喝了起來。當她正要把酒遞給蘇提，忽然見他用手遮住了眼睛。

「他被毒蠍子咬過後，就瞎了！」豹子尖叫道，酒罈也應聲落地。

奈菲莉安慰她說：「不用擔心，夜盲症的確是一種罕見的疾病，不過這種病我知道，我可以醫好他的。」

他們的憂慮很快就消除了，因為科普托思的醫藥處有必需的藥品。奈菲莉將由豬隻眼睛抽取的眼液混合方鉛礦、黃色赭石與發酵過的蜂蜜，研磨濃縮成密實的藥塊，讓蘇提服用。

另外，還開了一服以牛肝製成的煎劑，三個月內必須每天服用，才能痊癒。

* * *

豹子放下了心中的大石，睡得好沉，奈菲莉也因過於疲累，剛剛入睡。蘇提望著星星，盡情地感受夜晚的光芒。然後帕札爾又陪著他，穿梭在靜謐的街道間。

「太好了！奈菲莉治好了我的病。」

「你的運氣一向很好。」

「現在國家的情形如何？」

「即使有你的幫助，我都沒有把握救得了埃及。」

「把美鋒抓起來，關進監獄就好了。」

「我也常有這個衝動，可是這麼做卻無法將問題根除。」

「要是真的沒有辦法，也不要犧牲你自己啊。」

「只要還有一絲希望，我就會盡力完成法老所託付的任務。」

「你缺點一大堆，頑固也是其中之一。你幹嘛非得拿頭去撞牆呢？你就聽我一次，我可以讓你過得更好。」

他二人經過一間小酒館，門外有一群利比亞人醉倒在地，酣聲震天。

蘇提又抬頭看了看天空，能再度見到月亮和星星，心裡著實高興。突然間，就在遠遠跟隨在後的狒狒警察發出示警的尖叫聲的同時，蘇提也發現了屋頂上站著一個人，箭在弦上已然就要射出。

他立刻一個跨步，擋在帕札爾身前。

當蘇提中箭倒了下來，暗影吞噬者早已跳上備好的馬車，逃逸無蹤了。

第四十章

手術在黎明前開始，持續了三個小時。睡眠不足的奈菲莉勉強打起精神，耗盡所有的心力，唯恐出了絲毫差錯。另外還有兩名科普托思特警隊的特約外科醫生在一旁幫忙。

箭深深插在蘇提的胸口，差一點就正中心臟。拔箭之前，奈菲莉先為蘇提做全身麻醉。她連續讓傷者吸了十次以鴉片、曼德拉草根與矽石製成的麻醉藥粉，手術期間，助理醫生則將麻醉藥粉加入醋中，然後讓傷者吸取釋放出來的酸氣，以繼續保持睡眠狀態。為了更保險起見，一位外科醫生在蘇提的身上塗了止痛藥膏，其中的主要成分也是強力麻醉劑曼德拉草根。

奈菲莉拿起以堅硬石材製成的手術刀，試了試刀鋒之後，將傷口割開，以便取出箭頭。傷口的深度讓她有些擔心，幸好血流得雖多，卻未傷及心臟附近的血管。她先用一些含蜂蜜成分的敷料止血，然後以沉穩緩慢的手勢修復了裂口，最後再以牛腸細線縫合主要傷口的邊緣。這中間她遲疑了幾次：需不需要進行移植手術呢？但依著自己的直覺，加上對蘇提身體狀況有信心，她還是決定不用了。從皮膚最初的反應看來，她的決定並沒有錯，因此她開始動手在縫合處貼上了塗有油脂與蜂蜜的紗布膠帶，再用一種非常柔軟的植物纖維布條纏住蘇提的胸部。

以技術層面而言，這次的手術算是成功了，但是蘇提會醒過來嗎？

* * *

凱姆勘查了暗影吞噬者發射暗箭的屋頂。他拾到了一把努比亞人使用的弓，暗影吞噬者就是用這把弓射箭行刺後，才跳入巷子裡，搭上他從利比亞人那兒偷來的馬車逃走的。殺手雖然立刻衝向前去，卻仍未能追上刺客，被他逃進田野裡去了。

凱姆到處尋找可靠的目擊證人，可是他們都只看到一輛馬車在大半夜裡出了城，誰也沒見到車夫的模樣。凱姆氣得直想把木鼻拽下來，踩它幾下。但狒狒的大手掌握住了他的手腕，這才讓他稍微控制住情緒。

「謝謝你的幫助，殺手。」

然而狒狒並未鬆手。他怪道：「你想做什麼？」

只見殺手把頭轉向左邊。

「好，我跟你去。」

狒狒帶著凱姆來到一條巷道的轉角，並指指一塊牆角石，上面有馬車經過所留下的擦撞痕跡。

「他從這兒逃走的，沒有錯，可是……」

狒狒又拉著主人循著馬車行經的路線，往前走了幾步。牠彎下身朝路上的一個凹洞裡看了一眼，然後作勢讓凱姆也去看看。凱姆感到好奇，便也湊了上去。洞裡赫然躺著一把黑曜岩製的刀子。

「是刺客不小心掉了的。」

凱姆檢視了刀子之後，說：「殺手警官，我想你為我們找到一條重要的線索了。」

* * *

蘇提一睜開眼，就見到了奈菲莉的盈盈笑臉。

「我真替你擔心。」她坦承道。

「熊都要不了我的命了，一枝箭算什麼？妳又救了我一次。」

「只差幾公分，就正中心臟了。」

「會不會有什麼後遺症？」

「也許會留下疤痕，不過只要經常換藥，應該就可以避免了。」

「我什麼時候可以下床走動？」

「你體格健壯，不用太久的。你這次的身體狀況好像比第一次手術的時候還要好。」

「我是越死越起勁了。」

奈菲莉不由得激動地說：

「你為了帕札爾犧牲自己……我真不知道該怎麼謝你。」

他輕輕執起她的手說：

「豹子把我的愛全都搶走了，要不然我怎能不瘋狂地愛上妳？誰也無法將妳和帕札爾分開的，你們緊密的結合，就連命運之神也無可奈何。今天神明選擇了我做他的盾牌，我覺得很驕傲啊，奈菲莉，非常驕傲。」

「你願意和帕札爾說說話嗎？」

「如果醫生許可的話。」

帕札爾和妻子一樣激動：

「你實在不應該冒這個險的，蘇提。」

「我還以為首相是不會說廢話的。」

「傷口痛不痛？」

「奈菲莉當真是神醫，我幾乎一點感覺也沒有。」

「我們當時的談話還沒有結束呢。」

「我記得。」

「你說吧，你打算給我什麼建議？」

「你覺得我最大的心願是什麼？」

「從你的談話看來，應該是過一個特別的人生、做愛、行樂、陶醉於每一個日出。」

「那你呢？」

「你知道的，我只想跟奈菲莉退隱家鄉的村落，遠離目前的是是非非。」

「沙漠改變了我，帕札爾，那裡才是我的未來、我的王國。我學會了沉浸在它的神祕色彩裡，分享它的祕密。遠離沙漠，我就覺得沉重而蒼老，而當我的腳一踩進沙地，我就變得年輕甚至不死。這世上只有沙漠的法則才是真理，跟我來吧，你也是這種心性的人。我們一塊兒離開，離開這個充滿妥協與謊言的地方。」

「蘇提，埃及之所以有首相，就是為了對抗妥協與謊言，讓正直與公理得以重新抬頭啊。」

「你做得到嗎？」

「每一天我都要面對未知的勝利與挫敗，不過瑪特依然主宰著埃及。一旦美鋒奪了權，正義也就隨著消逝了。」

「那就不要等到那個時候呀。」

「幫助我打這場仗吧。」

蘇提拒絕似地轉過身去，說道：

「讓我好好睡覺。要是睡眠不足，還怎麼打仗啊？」

＊　＊　＊

皇太后的船載著西莉克斯從孟斐斯碼頭出發到皮拉美西斯。船艙裡，通風又好，又能遮蔽六月吃人的陽光，更有專人服侍著她；有人幫她按摩、塗香油，有人替她倒果汁，有人拿清涼的布巾墊在她的額頭和頸後以消暑氣，這趟行程可真是舒適到了極點。

碼頭上，有一頂轎子來接她，轎子上還撐了兩把陽傘。不一會兒，轎子來到了皇宮湖畔，兩名打傘的僕人陪著西莉克斯上了一艘藍色的小舟。船夫穩穩當當地把他們送到一座小島，只見圖雅正在小島上的木亭裡讀著古王國的詩集，詩句中所歌頌的盡是埃及風景的壯麗以及凡人對神明所應有的尊敬。

穿著一身耀眼華麗的亞麻布衫的西莉克斯，此時卻忽然感到驚慌。她身上再多的珠寶都無法讓她安心，一想到即將面對埃及最富有、最具影響力的女人，她一點把握也沒有。

「過來坐在我身邊，西莉克斯夫人。」

但出乎她意料之外的是，眼前的皇太后與其說是拉美西斯大帝的母親，倒不如說是一般平民婦人來得恰當。她披散著頭髮，打著赤腳，一件簡單的白色吊帶連身裙，沒有項鏈，沒有手鐲，也沒有化妝……然而她的聲音卻直刺人的肺腑：

「妳一定熱壞了吧，孩子。」

西莉克斯一句話也說不出來，只是呆呆地坐在草地上，根本沒想到珍貴的布料會染上草綠。

「放輕鬆一點，如果想涼快一下，就去游泳吧。」

「我……我不想游泳，太后。」

「那要不要喝一點清涼的啤酒？」

西莉克斯戰戰兢兢地接過一個附有金屬吸管的長形容器。她喝了幾口啤酒，眼睛一直低垂著，幾乎無法忍受圖雅逼視的眼神。

「我很喜歡六月。」圖雅說：「因為六月的陽光直率而耀眼。妳怕熱嗎？」

「皮膚……會變得很乾。」

「妳不是有很多保養乳液和化妝品嗎？」

「是的，當然有。」

「妳花很多時間在打扮上頭囉？」

「每天幾個小時吧……我丈夫要求很嚴格。」

「聽說他成就非凡。」

西莉克斯稍稍抬起了頭，皇太后倒是馬上就導入正題了，她心裡也比較不害怕了。這個鼻子又尖又挺、雙頰高聳、下巴方方正正且氣度不凡的婦人，不是馬上就要成為她的階下囚了，有什麼好怕？突然間，一股恨意油然而生，當初也就是這股力量促使她在司芬克斯衛兵長面前褪去衣物，使他失去理智，美鋒也才能趁機將他擊斃。西莉克斯雖然對美鋒百依百順，卻希望其他人都拜服在她的腳底下。現在若能大大羞辱皇太后一番，必定會是個痛快的開端。

「的確是非凡啊，太后說得一點也沒有錯。」

「一個小小的會計人員竟成了國家重量級的官員……這種事也只有在埃及才會發生。不過，晉升到了高位，是不是也該有較為寬宏的氣度呢？」

西莉克斯皺了皺眉頭，「美鋒不但誠實、勤奮，而且只為大眾利益著想。」

「但想要謀得權勢就會引發一些矛盾衝突，我卻是無能為力。」

西莉克斯大喜過望：魚兒上鉤了！為了讓自己鎮靜下來，她喝了點清涼可口的啤酒，人果然輕鬆了不少。

「孟斐斯到處都在傳說國王生病了。」

「他的確很疲倦，肩上的擔子太重了。」

「他不是很快就要舉行再生儀式了嗎？」

「根據神聖的傳統，是的。」

「那麼……如果儀式失靈了呢？」

「那就表示眾神希望有新的法老上任。」

西莉克斯臉上出現了一抹殘酷的微笑：

「只跟神明有關嗎？」

「妳似乎語帶玄機。」

「不也因為美鋒具備了當國王的條件？」

圖雅若有所思地看著湖面上一群綠頭鴨悠閒地游來游去，然後緩緩說道：

「我們又怎麼有能力揭開未來的面紗呢？」

「美鋒就能啊，太后。」

「太令人敬佩了。」

「美鋒和我都希望能獲得太后的支持。大家都知道妳的判斷是非常可靠的。」

「這正是皇太后所該扮演的角色：細心觀察，提供建議。」

西莉克斯獲勝了；她頓時感覺自己輕如飛鳥、快似豺狼、利若刀刃。埃及已然屬於她。

「妳的丈夫是如何發跡的？」

「他以經營紙廠起家。當然了，他無論到了哪裡，都能夠靈活地運用金錢，這一點是任何金融專家都比不上的。」

「他從未舞弊嗎？」

西莉克斯開始像連珠砲似地辯解了起來：

「太后！在商言商，不是嗎？如果想往高處爬，有時候就不得不拋棄道德的包袱。一般人都會因此陷入兩難，但是美鋒卻擺脫了這個桎梏。在行政上，他顛覆了傳統。沒有人發現他曾經盜用公款，他讓國家獲利，也讓自己得到了好處。現在要指控他已經太遲了。」

「他向妳保證過一定會賺大錢？」

「當然了！」

「怎麼保證法？」

西莉克斯喜孜孜地說：「他採取了有史以來最大膽的計畫。」

「說給我聽聽。」

「妳一定不敢相信，他進行了『死者之書』的地下交易。由於大部分官宦人家的『死者之書』都由他供應，因此他得找書記官，繪出有關陰間死者復活的圖像，並寫下相關的內容。」

「其中玄機何在？」

「有三重呢！他首先選用質地較差的紙，然後又縮減文章內容，如此一來，付給書記官的價錢降低了，售價卻維持不變。至於圖案也是用同樣的手法。喪家因為憂傷過度，根本不會去注意到這些細節。此外，我也擁有大量的希臘貨幣，現在都安穩地放在我的錢箱裡，只等著貨幣通行的那一天了……這是多麼大的變革啊，太后！妳將再也見不到那個因無用的傳統與過時的習俗，而綁手綁腳的古老埃及了。」

「如果我想得沒有錯，這些一定都是妳丈夫的說詞吧。」

「這也是埃及所應該傾聽的唯一說法！」

「妳有沒有自己的想法呢，西莉克斯？」

這個突如其來的問題把美鋒的妻子澈底問住了：「妳的意思是……」

「謀殺、竊盜、謊言，妳覺得這些能做為治理國家的基礎嗎？」

西莉克斯毫不退縮，語調激昂地說：

「必要的話，又有何不可？我們走到今天，早已沒有轉圜的餘地了。我也加入了這項陰謀計畫，我也有罪！我只後悔沒能親手除掉布拉尼和帕札爾，他們阻礙了……」

忽然一陣頭暈目眩，她急忙按住額頭：

「我是怎麼了……我怎麼會向妳說這些……」

「因為妳喝了加有曼德拉草精的啤酒，它無味無臭，卻能讓人說實話。有了它，便能讓意志力薄弱的人說出心底的祕密。」

「我說了什麼？我都說了些什麼？」

「曼德拉草這麼快就發揮了效力，」太后說：「表示妳有吸毒的習慣。」

「我的肚子好痛。」西莉克斯站了起來，眼前卻天旋地轉的。她雙膝一跪，立刻用手摀住了眼睛。

「你們非法交易『死者之書』，罪無可逭。」圖雅說道：「你們竟然利用別人的痛苦來謀取利益，實在太過冷血殘酷了。我會親自向首相法庭提出告訴。」

「沒有用的！妳很快就會成為我的奴隸了。」西莉克斯抬起頭說。

「妳不會成功的，西莉克斯，因為妳生來就注定要失敗，妳永遠也無法成為宮廷貴婦。妳那些卑鄙的勾當終究會為眾人所知，到時候，就算妳擁有什麼樣的權力，也絕不會有人接納妳。妳等著看吧，這種情勢是維持不了多久的，曾經有許多比妳更熱衷權勢的女子，最後也都被迫低頭了。」

「美鋒會讓妳一敗塗地。」

「我這個老人可不怕他這種惡匪，我的祖先也曾經對抗過跟他一樣危險的入侵者，而且最後都得勝了。如果他希望得到妳的幫助，他恐怕要失望了，因為妳對他一點用也沒有。」

「我會幫他，我們會成功的。」

「妳辦不到，因為妳智力有限、神經過敏、缺乏個性，又常因怨恨與虛偽而壞事。妳不但會毀了他，還會背叛他，遲早的事罷了。」

西莉克斯氣得直跺腳，還用緊握的雙拳猛捶地板。

圖雅打了個手勢，讓藍色小舟靠岸，然後命令船夫：

「帶這名女子回碼頭去，讓她立刻離開皮拉美西斯。」

西莉克斯感到昏昏欲睡，她倒在小舟中，只覺耳邊嗡嗡聲轟鳴，好像有好多蜜蜂在腦子裡鑽動似的。

而皇太后則安詳地注視著平靜的湖面，和幾隻自由飛舞的燕子。

第四十一章

在返回孟斐斯的船上，蘇提搭著帕札爾的肩膀，試著走了幾步。奈菲莉在一旁觀看，對於他的恢復情況感到很滿意，豹子也以不勝仰慕的心看著她的英雄，並幻想著一條即將屬於自己的湯湯大河。他們將搭乘一艘載滿了黃金的大船，由北到南，再由南到北，把金子分散給沿岸村落的居民。既然無法以武力征服這個帝國，那麼用禮物收買也未嘗不可。等到失落之城的黃金用光了，也將是全國人民高聲頌揚豹子與蘇提的時候。她躺在船艙頂上，古銅色的軀體便任由夏天的太陽刺射著。

奈菲莉幫蘇提換藥，一邊問道：

「傷口結痂的情形很好。你自己覺得如何？」

「還沒有辦法作戰，不過可以站得直了。」

「能不能求求你多休息？要不然，皮膚組織就不容易重生了。」

於是蘇提便到由四根柱子撐起的布篷下，躺在草席上好好睡一覺。體力應該很快就會恢復了。

奈菲莉正自望著河水發呆，帕札爾忽然從後面抱住她，問道：

「妳覺得河水會提早氾濫嗎？」

「水勢是變大了，不過顏色變得很慢。也許我們會多出幾天的時間。」

「當天空出現了索提斯星，伊西絲神便會開始掉淚，再生的能量也將賦予冥世之河新的活力，死神仍將一如往年被擊敗。可是我們祖先遺留下來的埃及卻將消失了。」

「每天晚上我都會向恩師的靈魂祈禱，我相信它一定就守候在我們身邊。」

「奈菲莉，我是澈澈底底失敗了。我既沒有查出兇手是誰，也沒有找到眾神遺囑。」

這時，凱姆走向他二人，說：

「對不起，打擾你們了，不過我想向首相要求一項晉升案。」

帕札爾感到不可思議，「凱姆？你現在也關心遷升了？」

「殺手警官的確值得獎勵。」

「其實我早該想到的，要不是牠，我已經不在人世了。」

「牠不但救了你的命，還能替我們找出暗影吞噬者的身分。這項功勞難道不值得升官加俸？」

「牠要怎麼找呢，凱姆？」

「讓殺手用牠的方法辦案吧，我會加以協助。」

「誰的嫌疑最大呢？」

「我還要進行一些驗證工作，才能知道嫌犯是誰，無論如何，他是逃不了了。」

「你的調查需要多少時間？」

「最少一天，最多一星期。只要他一出現，殺手就能認出他來。」

「別讓殺手傷了他，我要他接受審判。」

「暗影吞噬者已經犯下多起謀殺案了。」

「如果你不能制止殺手，我只有讓牠退出這次的調查行動了。」

「暗影吞噬者曾經利用另一隻狒狒，想要除掉殺手，這個仇牠怎麼忘得了？若不讓牠完成這項任務，對牠太不公平了。」

「但是我們必須知道布拉尼是不是他殺的，還要問出幕後主使者是誰呀。」

「這點你放心，至於其他的，我不能保證。如果殺手的生命受到威脅，我怎麼去制止牠？勇者與惡魔之間，我的選擇也就不必再說了。」

「那麼你和殺手可都要特別當心啊。」

* * *

美鋒回到別墅大門時，竟然沒有人前來迎接。他生氣地叫喚著總管，卻只見一名園丁匆匆跑來。

「總管呢？」

「他帶著小姐、少爺和兩名女僕走了。」

「你該不是喝醉了吧？」

「沒有，我說的是真的。」

美鋒盛怒之下衝進屋子，迎面就撞上了西莉克斯的貼身女僕。

「我的孩子呢？」

「到三角洲的家去了。」

「誰叫他們去的？」

「是夫人。」

「她人在哪裡？」

「在她房間裡，可是……」

「說啊！」

「她整個人好消沉。自從她從皮拉美西斯回來以後，就哭個不停。」

美鋒立刻邁開大步，穿過幾個廳室之後，來到了妻子專屬的房間。她像個嬰兒似地縮著，還發出嚶嚶的哭聲。

「又生病了？」他用力地搖著，她卻毫無反應。他又質問道：「妳為什麼把孩子送到鄉下去？回答我啊！」

他扭著妻子的手腕，要她坐正，「我命令妳說話！」

「他們……有危險。」

「妳在胡說什麼？」

「我也是，我也有危險。」

「發生了什麼事？」

西莉克斯於是一面抽泣，一面說出了她和太后談話的經過，最後還加了一句，「這個女人太可怕了，她真是讓我筋疲力盡。」

美鋒可不敢把妻子這番話當耳邊風，他還要她把太后對他的指控再說一遍，然後才安慰道：「振作起來吧，親愛的。」

「陷阱！她竟然設計陷害我。」

「妳放心好了，她很快就會變得無權無勢了。」

「你還不明白？我已經不可能入朝為后了。我的一舉一動都會受到質疑，我的態度會受到抨擊，就連一點小動作也會受到詆毀……這種折磨誰受得了？」

「妳冷靜一點。」

「我的名譽都被圖雅給毀了，你還叫我冷靜！」

西莉克斯的情緒在狂怒中失去了控制，她吼著一些模糊難懂的句子，一下子又是解夢師、又是暗影吞噬者，一下子又是兒女、又是遙不可及的王位，還不停抱怨肚子痛得受不了。

美鋒只得丟下她出來，臉上神色十分凝重。圖雅是個頭腦清晰的女人，西莉克斯老是這麼精神錯亂的，的確無法成為埃及王朝的一員。

* * *

豹子正幻想著未來。這趟尼羅河之行，有首相和奈菲莉陪著，又有警力戒護周密，讓她享受到了難得的平靜時光。她一直夢想著能有一棟花園華宅，但從未告訴蘇提，因為她覺得放棄征服的欲望，儘管只有短短幾個小時，都是可恥的。而奈菲莉的出現，讓她體內那股為了求生存而燃燒不息的熊熊烈火終於降溫了，更讓她體會了溫柔的好處，她可是向來都把溫柔當成一種致命的疾病呢。埃及，這塊曾經讓她憎惡至極的土地，如今竟成了她的避風港了。

「我要跟你談談。」她嚴肅地對盤坐著的帕札爾說。

帕札爾正在擬一份動物保護法令，規定各省必須嚴禁某一類動物的捕殺與食用。

「妳說吧。」

「我們到船尾去，我喜歡看著尼羅河。」

帕札爾和豹子倚著船舷，順著水流聊著，就好像兩個為風景著迷的旅客。

山丘頂的泥巴路上，馱負著穀物的驢子，正一步一步地往前走，還有一群孩子繞著溫馴的驢子，嘰嘰喳喳地叫嚷不休。村莊裡的棕櫚樹下，婦人忙著製造啤酒，田裡的農夫則在古老曲調的笛聲中打完了穀。每個人都在等著河水滿潮。

「首相，我把我的金子給你。」

「既然蘇提和妳發現了這個廢棄的礦坑，那就是妳的財產。」

「把這些財富留給眾神吧，祂們應該比凡人更懂得利用。不過，我想請求你讓我留下來，過去的事就忘了吧。」

「我不能瞞妳，再過一個月，這個國家就要變色了。她將會遭受一連串的動盪，而面目全非。」

「一個月的平靜，夠多了。」

「到時候，我身邊的友人將會遭到追蹤、逮捕，甚至可能被處決。妳若是幫我，將來也會被檢舉的。」

「我不會改變主意的。金子你拿去吧，不要和亞洲起衝突。」

接著她又回到船艙頂上，她就是深愛那已被她馴服的熾熱陽光。

她走後，蘇提接替了她的位置：

「我可以走，可以晃動左臂了，有點痛，不過情況還算好。你那妻子可真是魔術師。」

「豹子也一樣。」

「她呀，是貨真價實的女巫！我到現在還離不開她，就是最好的證明。」

「她把你們的金子給了埃及，以避免亞洲與我們發生衝突。」

「我是不得不順從的。」

「她希望和你過幸福的日子。我想埃及是征服她了。」

「多可怕的未來啊！我是不是得殺了一大群利比亞人，才能讓她恢復以往的氣燄呢？」蘇提頓了一下，轉口說：「算了，別想她了，現在我最關心的是你。」

「你已經知道事實了。」

「只不過一部分罷了。不過，我發現你最大的障礙也就是你最大的缺點：太尊重別人了。」

「這是瑪特的律法。」

「廢話！你現在在作戰啊，帕札爾，你平白忍受太多打擊了。幸虧奈菲莉神乎其技，再過一個禮拜，我又能再度採取攻勢了。你讓我放手去做，到時一定把敵人搞得頭昏腦脹。」

「你該不會做些違法的事吧？」

「一旦宣戰之後，一定要自闢道路，否則就會陷入敵人的陷阱之中。美鋒跟其他的敵人並沒有兩樣。」

「不，蘇提，他手中握有一項關鍵性的武器，你我都無能為力的。」

「什麼武器？」

「我不能說。」

「你剩下的時間不多了。」

「河水一氾濫，拉美西斯就得讓位。他將無法舉行再生儀式。」

「你這種態度開始有點荒謬了。不錯，直到目前為止，你或許有理由懷疑任何人。可是現在，你必須將你信任的人結合起來，告訴他們美鋒手裡有什麼武器，並且讓他們知道拉美西斯失去力量的真正原因。我們同心協力總能想出解決之道。」

「我得先問過法老，只有徵得他同意，我才能答應你的要求。到了孟斐斯你先下船，我要繼續前往皮拉美西斯。」

＊　　＊　　＊

奈菲莉在開放供生者追思的小禮拜堂內，奉上了蓮花、矢車菊與百合，藉此與恩師的靈魂相通。布拉尼的光明軀體在奧塞利斯復活儀式上，受神寵召，如今已安息於后土之下的石棺中。

她透過墓壁的一道裂縫，注視著恩師的雕像。他直立著，好像正在走路的樣子，兩眼朝上看著天。

今天墳墓裡似乎比平日亮了一些，更讓她驚訝的是，布拉尼似乎用一種很不尋常的眼光盯著她看。那已經不是死者的眼睛了，而是從陰間返回的人活生生的眼神，他想傳遞一些人類言語與思想所無法表達的訊息。

震驚之餘，她立刻摒除一切雜念，希望能用心體會到不可言喻的事實。接著，布拉尼開始如往常一樣，以低沉穩重的聲音對她說話。他提及了正直人士身上所散發的光芒，以及任由思想遨遊星際的天堂之美。

當他不再說話，奈菲莉知道老師已經為帕札爾打開了一條路。惡勢力的勝利並非不可避免的。

離開薩卡拉大墓園時，奈菲莉遇見了臉色蒼白、手指極長、雙腳細長的木乃伊工人裘伊，他正要往工作坊去。

「我已經依妳的吩咐，整理過布拉尼的墳墓了。」

「謝謝你，裘伊。」

「妳的情緒好像很激動。」

「沒什麼。」

「要不要喝點水？」

「不用了，我還得趕回醫院去。改天見了。」

裘伊頂著毫不留情的大太陽，步伐疲憊地回到鑿了許多小窗的屋子，屋內牆邊擺了幾副質地不一的石棺。工作坊所在之處極為荒涼，遠處，有金字塔與墓園，還有一座遍布著碎石的山丘，隔開了沙漠邊緣的棕櫚樹林與農田。

裘伊往裡一推，門吱吱嘎嘎地開了。他重新穿上沾滿了褐色汙漬的山羊皮圍裙，兩眼無神地看著剛剛送到的屍體。死者家屬付了二級木乃伊的價錢，因此必須使用油料與香脂。裘伊懶懶地拿過鐵鉤，伸進死者的鼻孔便開始挖起腦漿來了。

忽然有人將一把黑曜岩製的刀子丟到了他的腳邊，說：

「你把這個掉在科普托思了。」

裘伊非常緩慢地轉過身去。

警察總長凱姆就站在工作坊的門口。

「你弄錯了。」

「你切割屍體用的就是這種刀。」

「木乃伊工匠又不只我一人……」

「可是這幾個月只有你到處跑。」

「到處旅行也不行嗎？」

「你每次離開工作崗位都必須報告，否則其他人就會抱怨。巧的是你每次出門的時間都剛好跟首相，也就是你多次企圖殺害不成的帕札爾一樣。」

「這份工作壓力太大，所以我經常需要出去散散心。」

「從事這一行的人都習慣獨居，而且也不會擅離崗位。何況你在底比斯並沒有親戚。」

「那個地區很美呀。我跟所有的人一樣，都有旅行的自由。」

「還有你對毒藥十分熟悉。」

「你怎麼知道？」

「我查過了你的服務經歷。在成為木乃伊工匠之前，你曾經在醫院的實驗室擔任助理。就因為你對醫院瞭若指掌，才能輕易偷取藥物。」

「換工作並不犯法。」

「另外，你還是個擲飛棍的高手，你的第一份職業就是獵鳥。」

「這樣也犯法了？」

「所有的線索都很吻合，你就是企圖刺殺帕札爾首相的暗影吞噬者。」

「分明是惡意汙衊。」

「我有真憑實據，就是這把價格不低的黑曜岩刀。在刀柄上，刻了木乃伊工人特有的記號，還有一個薩卡拉工作坊的編號。你不該把刀弄丟的，裘伊，你與刀是不能分的。這次是你對工作的熱愛，也是你對死亡的熱愛，使你洩了底呀。」

「光是這把刀作為呈堂證供是不夠的。」

「當然不只如此，我相信最後一個關鍵性的證據就藏在這裡。」

「你要搜查？」

「當然了。」

「我不同意，因為我是清白的。」

「既然清白，又有什麼好怕呢？」

「這是我的地方，誰也無權侵犯。」

「但我是警察總長。在帶我搜尋你的地窖之前，先放下手上的鐵鉤。我不想看你拿著武器。」

裘伊照做了。

「走吧。」

裘伊走下了又滑又老舊的階梯。兩把隨時點燃的火炬，照著放滿了棺木的巨大地窖。深處則有二十多只罐子，是用來裝死者的肝、肺與胃腸的。

「把罐子打開。」

「這樣做對死者是大不敬。」

「有什麼風險由我來承擔。」

於是凱姆打開了第一個做成狒狒頭形的蓋子，第二個狗頭形蓋，第三個鷹頭形蓋，裡面都只有內臟。

直到打開第四個人頭形蓋時，赫然發現很粗的一塊金條。凱姆便繼續找下去，又發現了三塊。

「這就是你殺人的酬勞。」

裘伊雙臂交叉在胸前，一副滿不在乎的模樣，問道：

「你要多少，凱姆？」

「你想給我多少？」

「你既然沒有帶狒狒和首相前來，就表示你願意談條件。我酬勞的一半夠不夠？」

「你還得滿足一下我的好奇心：是誰付的錢？」

「美鋒和他的同黨。其中大部分的人都被你和首相消滅了，現在只剩美鋒和他的妻子西莉克斯還繼續跟你們作對。說真的，她還真是個美人兒。每次要殺某個人證滅口，都是她來傳達指令的。」

「布拉尼是你殺的？」

「我把成功的案例都記錄得清清楚楚，以便老了以後可以回憶回憶。不過，布拉尼並不在我的名單之中。老實說我會很樂意接下這個任務，可惜他們沒有來找我。」

「那麼是誰幹的呢？」

「不知道，我也不在乎。凱姆，你的行動都在我的意料之中。我就知道你要是發現了我的身分，絕不會告訴首相，而會來跟我要錢。」

「你不會再騷擾帕札爾了吧？」

「他將是我唯一失敗的經驗……除非你肯助我一臂之力。」

凱姆掂了掂金條，說：「上等金子。」

「人生苦短啊，要懂得好好把握。」

「裘伊，你犯了兩個錯誤。」

「過去都過去了，談談未來吧。」

「第一，你錯估了我真正的價值。」

「莫非你想要全部？」

「就算你把整座金山給我也不夠。」

「你在開玩笑？」

「第二，你找了另一隻狒狒來重創殺手，你竟以為牠會輕易就原諒你。換成別人也許會同情你吧，但我只是個野蠻的黑人，而牠則是一隻又敏感又會記仇的狒狒。殺手是我的朋友，牠差點因為你而死去，牠若決定要復仇，我就不得不聽牠的。你也該感謝牠，因為從此以後你再也不需要吞噬暗影了。」

話才說完，狒狒已經出現在樓梯底端。

凱姆從未見牠如此憤怒。牠雙眼的血絲更加鮮紅，毛髮直豎，齜牙咧嘴地發出了一聲怒吼，讓人全身的血液都凝住了。裘伊的罪行已經是無庸置疑的了。

他一步步往後退，但只一瞬間，殺手便撲了上去。

第四十二章

「躺下。」奈菲莉對蘇提說。

「我已經不痛了。」

「我要幫你檢查一下心脈與氣血的運行。」

奈菲莉用手腕上的水鐘替蘇提測了幾處脈搏，水鐘裡面有許多小點排列成十二條直線，構成了刻度。她計算出各處脈動的節奏，相互比較了一下，發現蘇提的心跳不但規律而且強有力。

「要不是我親自開的刀，我還真不敢相信你剛剛受過傷呢。你傷口結痂的速度比一般人快了兩倍。」

「明天，我就可以射箭了……如果御醫長允許的話。」

「不要太刺激你的肌肉，要有耐心一點。」

「不可能，這樣我會覺得是在浪費生命。生命不是應該像鷹鷲高飛一樣，既猛烈又難以逆料嗎？」

「我接觸過那麼多病人，的確各人有各人的生活方式。不過，我還是得幫你換上會妨礙你這隻老鷹飛躍的繃帶。」

「帕札爾什麼時候回來？」

「最遲明天。」

「希望他能說服法老。我們一定要脫離被動的狀態。」

「其實你誤會帕札爾了。自從你不幸被遣往努比亞之後，他就不斷地在對抗美鋒和他的同黨。」

「結果顯示他做得不夠。」

「他已經削弱他們的勢力了。」

「卻還沒有完全消滅他們。」

「首相是法律的最高監督者，他不能違法。」

「美鋒只遵守他自己的律法，因此他們這場仗打得一點也不公平。從小開始，帕札爾就是個會環顧局勢的人，而我則是勇往直前型的。只要設定了目標，我絕不會失手。」

「有你在，對他將是一大助益。」

「前提是我得和妳一樣，知道一切實情。」

「我包紮好了。」

* * *

皮拉美西斯往日歡愉的氣氛消滅了許多。街上來往的全是穿著軍裝的士兵與戰車，海軍也進駐了港口。軍營全面進入戒備狀態，步兵不斷重複實戰演練，弓箭手加緊操演，高層軍官也一再檢查馬具裝備。空氣中瀰漫著一股戰爭的味道。

宮殿的守衛人數加倍了，大家對於帕札爾的到訪毫無興奮之情，倒反而更增添了心中的疑慮。

法老早已無心園藝，他和幾名將軍正就著攤開在會議室地板上的亞洲大地圖，仔細地研究著。士兵見到首相都一一行禮。

「我能跟陛下談談嗎？」

拉美西斯遣走所有的將軍後，說：

「我們已經做好準備了，帕札爾，塞托神軍團也都沿著邊界部署好了。根據探子回報，亞洲諸國確實正在積極聚集兵力，看來這將是一場硬仗。雖然各個將軍都主張先採取攻勢，以免將來措手不及，但是朕還想再等一等，讓敵人以為朕勝券在握，而心生膽怯。」

「不會起衝突了，陛下。」

「怎麼可能？」

「因為我們有了廢棄礦坑的金子。」

「消息可靠嗎？」

「我已經派探險隊拿著蘇提畫的地圖上路了。」

「金子的量夠多嗎？」

「足以讓亞洲各國滿意了。」

「那麼蘇提想要什麼做為回報？」

「沙漠。」

「你是認真的嗎？」

「他是認真的。」

「派給他特警隊隊長的職務如何？」

「也許他只嚮往僻靜的生活。」

「他葫蘆裡究竟賣什麼藥？」

「蘇提想知道事實真相；他建議我召集幾個可靠的人，向他們吐露陛下讓位的真正原因。」

「祕密會議……」

「也是最後的軍事會議。」

「你以為如何？」

「我的任務失敗了，因為我沒有找到眾神遺囑。假如陛下允許，我將會盡我們最後的力量，讓美鋒受到最嚴重的衝擊。」

*　*　*

天亮之後，西莉克斯已經是第三次情緒失控了。先後請來三個醫師為她看診，但成效不大，最後一位還讓她服用了鎮靜劑，希望她睡一覺之後便能恢復理智。可是當她下午三、四點醒來時，瘋病還是發作了，她又是尖叫又是抽搐，把全家上下搞得雞犬不寧，只有再服用鎮靜劑才能讓她安靜下來。但鎮靜劑的後遺症卻很可怕，可能影響腦部的正常運作，並破壞腸腔的油脂成分。

*　*　*

美鋒終於做了必要的決定。他找來一名書記官，列出了他要留給孩子的遺產，並且在法律規範內，將留給妻子的部分減到最低。當初，他一反常例地簽了一份非常詳盡的結婚合約，合約中聲明若是西莉克斯在行為或心智能力上，明顯無法管理自己的財產，將由他全權代理。因此他以高價收買了三個治療醫師，開出這樣一張證明。有了醫生證明之後，孩子的監護權將只歸屬美鋒一人，西莉克斯便再也不能干涉他們的教育了。

這回皇太后倒是幫了他一個忙，讓他看清妻子的真性情；她有時幼稚，有時殘酷，個性喜怒無常，實在不適合居高位。她曾經在一些宴會場合中，扮演了稱職的花瓶角色，但如今卻反而成了障礙。

除了專門收容照顧精神病患的機構之外，還能把西莉克斯送到哪兒去呢？等她精神狀態稍微穩定可以出遠門時，他就要立刻把她送往黎巴嫩。

現在只剩簽定離婚書了，既然西莉克斯還住在家裡，非得趕快弄到這份文件不可。美鋒不能再等下去，現在只有擺脫了妻子，他才能安心迎接美夢成真前的最後一個階段。一個人也只有沿途剷除失去了價值的夥伴，方可順利邁向霸權之路。

* * *

埃及全國人民都殷切地期待著河水滿潮。地面龜裂猶如枯死，大地在熱風吹拂下已經乾涸、發紅、變焦，好像隨時都可能乾渴而死，一心只等著滋潤的河水早早越過河堤，將沙漠往外推去。一種隱約不明的疲憊感襲上了人畜，塵沙覆蓋了樹木，最後的一絲綠意也逐漸乾枯、萎縮。然而，準備工作並未鬆懈下來；工程人員馬不停蹄地疏通運河、修護水井與桔槔、填土或修補裂縫以鞏固堤防。連小孩子也要負責裝滿一罐罐的乾果，因為這是淹水期間的主要食糧。

從皮拉美西斯回來時，帕札爾彷彿感受到了鄉土的痛苦與期盼，將來，難保美鋒不會將矛頭指向洪流，指責河水一整年竟只滿潮一次。在他的治下，國家與眾神、大自然之間原有的和諧關係，將從此斷絕。這份微妙的平衡已經維持了十九個王朝，如今被他所破壞，惡勢力也將隨之入侵了。

孟斐斯的主要碼頭上，凱姆和狒狒正等著迎接首相。

「裘伊就是暗影吞噬者。」凱姆一見到帕札爾就說。

「布拉尼是他殺的嗎？」

「不是，不過他是美鋒的殺人工具。司芬克斯存活的守衛和美鋒其他的同黨，都是他殺的。多次想要謀害你的人也是他。」

「你把他關起來了？」

「殺手無法饒恕他。我已經向一名書記官錄了證詞，其中包括對美鋒的指控，還有詳細的人名與日期。現在，你安全了。」

北風背著一袋清水和蘇提一起走向帕札爾。蘇提問道：

「拉美西斯答應了嗎？」

「答應了。」

「那就馬上召集眾人吧，我隨時都可以出戰了。」

「在這之前，我想再試試最後一個方法。」

「時間很緊迫了。」

「傳令官已經帶著召集令出發，明天起，人員就會陸陸續續到來。」

「這可是你最後的機會。」

「是埃及最後的機會。」

「你說的最後一個方法是什麼？」

「蘇提，我是不會冒任何險的。」

「讓我陪你吧。」

「讓殺手也一起去。」凱姆緊接著說。

「不行。」首相堅持，「我必須一個人去。」

＊　＊　＊

位於薩卡拉大墓地以南三十公里左右的利喜特，依然充滿了中王國時代的平和與繁榮。那裡有幾座紀念阿門內姆哈特一世與塞索斯特里斯一世的廟宇與金字塔，他們兩人都是第十二王朝時期聲名顯赫的法老，在經歷一連串變亂之後，他們為埃及子民建立了一個太平盛世。那個時代距離拉美西斯二世已經有七百年了，但是這兩位英明君主卻永遠活在人民的心目中。供養護衛靈的祭司每天都會舉行祭拜儀式，祈求先王的靈魂留在人世，對後世帝王有所啟發。

塞索斯特里斯一世的金字塔距離農田耕地不遠，建造該金字塔的白色石灰岩乃是來自土拉採石場，由於部分表面已經脫落，目前正在進行翻修工程。

美鋒搭著一名前軍官駕駛的馬車，經由沙漠邊緣的道路奔馳而來，最後在通往金字塔的密閉通道入口停了下來。美鋒神情慌張地跳下車，開口便呼叫著祭司。在這一片寂靜中，他惱怒的聲音對先人尤顯得大不敬。

一見到一名光頭的祭司從禮拜堂中走出，他立刻就說：

「我是美鋒，首相召我來的。」

「跟我來。」

美鋒心裡著實不安。他不喜歡金字塔，也不喜歡建築師用一大堆巨大石塊堆積而成的古老聖殿，至於其中的神妙技巧他根本就不屑一顧。由於神廟造成了美鋒分析經濟的困擾，因此新政府一成立，首要的工作就是摧毀所有廟宇。只要有人不願受利益通則的約束，不管人數多少，都一樣會阻礙國家的發展。

祭司帶著美鋒往前走，狹窄通道的牆壁上刻了一些浮雕，描繪的是法老獻祭的情景。因為祭司走得慢，美鋒也只得放慢腳步，暗地裡卻不斷詛咒帕札爾浪費他的時間，還把他叫到這偏僻的鬼地方來。

通道的頂端有一座神廟連接著金字塔。祭司左轉之後，穿過一個小小的柱子廳，最後在樓梯前停下，「上去吧，首相在金字塔頂端等你呢。」

「為什麼到那上頭去？」

「他在監督工程。」

「爬上去危不危險啊？」

「內部的臺階已經都露出來了，你只要慢慢地爬，不會有危險的。」

美鋒沒有告訴祭司說他有懼高症，因為若是此時退卻，未免可笑。不得已只好從六十幾公尺高的金字塔三分之一高處開始爬起。

他在負責修繕的石匠們注視之下，沿著尖脊往上爬。他眼睛緊盯著石塊，笨手笨腳地爬到了頂端，那裡只剩一個平臺，原來的小方尖塔已經拆下，送到金銀匠那兒去鍍純金了。

帕札爾伸出手扶美鋒站穩，並說：

「好壯觀的景象，是吧？」

美鋒搖搖晃晃的，便先閉上眼睛以保持平衡。

「從金字塔高處望去，」帕札爾又繼續說：「整個埃及一覽無遺。你看到了嗎？農地與沙漠、黑土與紅土、何露斯之地與塞托之地之間那道界線多麼突兀，但是這些土地卻又是接連不可分，並且是互補互成的。耕地代表了四季持續不斷的舞動更迭，而沙漠則是永恆之火。」

「為什麼叫我到這裡來？」

「你知道這座金字塔的名稱嗎？」

「我才不在乎。」

「叫『上下埃及的觀測員』，它矗立在此遙望著兩地，也促成了兩地的結合。先祖之所以不遺餘力地建造這類建築，我們之所以興建神廟與永恆的居所，就是因為有了這些建築才可能產生和諧。」

「根本只是一堆沒有用的石頭。」

「這是我們社會的基石。我們的政府需要冥世的啟發，我們的行為舉止也需要永恆的啟發，因為日常生活是無法讓人成長茁壯的。」

「這種理想主義已經過時了。」

「你的政策會毀滅埃及的，美鋒，而你的名聲也會遭到玷汙。」

「我會找最好的人為我漂白。」

「靈魂不是那麼容易就能淨化的。」

「你到底是祭司還是首相？」

「首相就是瑪特的祭司！這位正義女神難道從來沒有感動過你？」

「我考慮過了，我向來討厭女人。如果你沒有其他的話說，我要下去了。」

「當初我們互相扶持的時候，我一直把你當成朋友，那時候你不過是個紙商，而我也只是個迷失在大都市裡的小法官。我甚至從來沒有懷疑過你的誠意，我覺得你對你的工作、對國家，都有著極大的熱忱。每當我回想起這段日子，我實在不敢相信這一切竟全都是假的。」

這時忽然起了一陣強風，美鋒沒站穩，一手便抓住了帕札爾。只聽他又說：「打從我們第一次見面，你就一直在演戲。」

「我本來想說服你然後利用你，但我不得不承認，結果卻是失敗了！你的頑固和你的缺乏遠見，真的很令我失望。不過操控你倒也並非難事。」

「逝者已矣，趁現在改變你的生活吧，美鋒。把你的能力奉獻給法老與埃及的子民，拋下那些難以成就的野心，你將會體認到正直人士的快樂。」

「太荒謬了……你該不會真的這麼想吧？」

「為什麼要把人民帶向不幸呢？」

「雖然你是首相，你卻不知道權力的滋味。但是我知道。這個國家終將屬於我，因為我能強制執行我自己的規則。」

風呼呼地吹，兩人必須扯著喉嚨說話，語句也斷斷續續的。遠處的棕櫚樹被吹彎了腰，枝葉也都糾纏在一起，發出即將斷裂的呻吟聲。陣陣旋風沙朝著金字塔猛撲而來。

「忘了你個人的利益吧，美鋒，否則你只會自取滅亡。」

「你的恩師布拉尼真該以你為恥；當初你幫助我，證明了你的無能，如今你如此哀求我，更顯示了你的愚蠢。」

「是你殺了他的？」

「我從來不屑於弄髒我的雙手，帕札爾。」

「從今天起，不許你再提起布拉尼的名字。」

霎時間，美鋒從帕札爾的雙眼，看到了自己的死亡。他驚惶地退了一步，卻失去了平衡。

帕札爾伸手抓住他的手腕，美鋒這才帶著忐忑不安的心，攀著石塊一步一步地爬了下去。

首相鋒利的眼光一直盯在他的身上，狂風也在這時候到來了。

第四十三章

五月底開始，尼羅河水轉綠了，到了六月底，則因為夾帶河沙淤泥而變成栗子色。田裡的活兒都停止了，打完穀子之後，緊接著便是一段長長的休耕期。有些人想多攢點錢，便到大工地去打工，因為淹了水，以船載運巨石就容易多了。

每個人都很擔心，不知道這次的漲水量是否足以補充土地所需的水分與養分。為了求神保佑，無論村莊或都市的居民都會拿一種用陶土捏製或上了彩釉的小土人往河裡丟；這個做成肥胖、雙乳下垂、頭上裝飾著植物模樣的土人，象徵了「哈比」，也就是河水氾濫的活力以及讓農地欣欣向榮的神奇力量。

再過二十幾天，亦即七月二十左右，哈比將會膨脹到淹沒所有土地，使埃及陷入一片水鄉澤國，屆時村莊之間的交通都得靠船隻來維繫。再過二十幾天，也就是拉美西斯讓位給美鋒的時候了。

*　*　*

帕札爾輕輕撫摸著他的愛犬，而愛犬則忙著從一個隱密的地方挖出先前藏起來的一根骨頭。其實，勇士也感覺到了，這段時間確實充滿了恐懼與不確定。帕札爾最放心不下的就是他的忠實夥伴；將來他若被捕並遭到流放，誰來照顧他的狗兒和驢子呢？早已習慣悠閒生活的北風，可能又得重新馱負重物，來往於塵土飛揚的小徑上。這兩個夥伴跟了他這麼久，卻恐怕難逃抑鬱而終的命運。

帕札爾不由緊摟著妻子說：

「奈菲莉，妳一定要走，趁現在還來得及，趕快離開埃及。」

「你是要我丟下你不管？」

「美鋒實在太冷酷了，貪婪與野心已經讓他變得無情，什麼都感動不了他了。」

「你之前難道不知道？」

「我本以為金字塔的聲音或許能喚醒他的良知……結果卻反而助長了他的權力欲望。我求妳，救救妳自己，也救救勇士和北風。」

「你身為首相，你能允許御醫長在國家深染重病之際棄守崗位嗎？不管將來結果如何，我們都要一起面對。你可以問問勇士和北風，牠們一定也都不願意離開的。」

帕札爾於是和奈菲莉手牽著手，凝視著住宅四周的庭園，而綠猴小淘氣則還無憂無慮地在園中嬉戲玩耍、尋覓甜食。災難將至的前夕，他們倆在這遠離紛爭的避風港，享受著最後一刻的寧靜平和。清晨，他們在池中泡過水之後，才一塊兒散步於樹蔭下。

「首相大人，客人到了。」下人來報。

* * *

凱姆和狒狒向守衛打過招呼後，走上了檉柳小徑，他們在祖先禮拜堂前默思片刻，又在住宅門口洗淨了手腳，然後才穿過側廊來到四柱廳，首相夫婦已經在裡面等著了。隨後圖雅太后、前首相巴吉、卡納克大祭司卡尼與蘇提也依次抵達。

「經法老允許，」帕札爾說道：「我要向各位宣布：向來只有法老才能進入的齊阿普斯大金字塔日前已遭人劫掠，竊賊包括美鋒與他的妻子，以及另外三名同黨運輸商戴尼斯、牙醫喀達希和化學家謝奇。雖然後三者已經死亡，但是他們的陰謀卻已得逞，他們褻瀆了王棺，盜走了金面具、大金鏈、金聖甲蟲、天青石護身符、神鐵製的橫口斧鑿以及金手肘。這些寶藏已經有部分失而復得，但是還缺最重要的一樣：裝於皮匣內的眾神遺囑，也就是再生儀式時，法老必須以右手持握，然後向所有人民與祭司展示的寶物。這份由帝王代代相傳的文件，可以證明王權的合法性。有誰料想得到竟然有人如此大膽，敢褻瀆並偷竊聖物呢？我的恩師布拉尼遭到殺害，正因為他妨礙了這群亂賊。甚至連木乃伊工匠裘伊也被美鋒收買，而成了暗影吞噬者，但凱姆和狒狒已經出面結束了他一切的罪行。不過，這些都只是微不足道的成果，因為我們並未找出殺死布拉尼的兇手，也無法找回眾神遺囑。新年一到，拉美西斯便不得不將王位拱手讓給美鋒了，而美鋒也將關閉所有的神廟、促成貨幣流通，並使利益成為唯一的法則。」

帕札爾解釋過後，眾人沉默了許久，氣氛十分凝重。所有參與祕密會議的成員都驚呆了，彷彿應驗了古老的預言，天就這麼塌下來了（※註1）。第一個有反應的人是蘇提：

「就算這份文件再珍貴，也不足以讓美鋒成為一個受萬民景仰的英明君主。」

「所以他才會花那麼多時間腐蝕國家行政、敗壞國家經濟，還建立了對他有利的人脈網絡。」

「你不是曾經試著加以瓦解嗎？」

「只可惜這隻多頭怪獸每次被剁頭之後，就馬上會再長出一個新的。」

「你太悲觀了。」巴吉說：「有很多公務員是不會聽從美鋒的命令的。」

「不，」帕札爾反駁道：「埃及的行政制度向來很重視階級尊卑，法老的話沒有人敢違抗。」

「那我們就來組織反抗運動。」蘇提提議道：「我們這幾個人就已經掌控了不少部門，首相大可以好好地利用這些力量啊。」

這時候卡尼要求發言。這個曾經當過菜農，如今滿臉皺紋的大祭司直言不諱，「神廟是絕對不會接受美鋒所進行的經濟顛覆，因為這些政策只會把我們的國家帶向苦難，甚至引發內戰。法老是神廟的精神信徒，如果連這個首要的義務都無法實踐，那麼他只不過是個難以服眾的政治領袖罷了。」

「如此一來，整個行政體制就不再受到約束了。因為當初他們宣誓效忠的是維持天地間和諧的君王，而不是一個獨裁的暴君。」巴吉也附和道。

「衛生處也將停止運作。」奈菲莉語氣堅定地說：「衛生單位向來和神廟關係密切，絕不接受新的政權。」

「有了你們這幾個人，我們就還不算輸。」太后圖雅顯得十分激動，「你們也知道後宮一向與美鋒敵對，當然更不可能接納行為卑劣的西莉克斯了。」

「太好了！」蘇提高呼：「太后終於讓這對可惡的夫妻失和了嗎？」

「我也不知道，不過，這個心性幼稚卻又殘酷變態的女人，精神狀態不是很穩定。如果我沒有看錯，美鋒一定會離棄她，否則就是她會背叛美鋒。當西莉克斯到皮拉美西斯來要求我與他們合作時，她似乎是信心滿滿，可是當她離開時，腦子卻已經不清楚了。對了，帕札爾首相，我有一個疑問：為什麼法老的『特殊友人』都沒有出席呢？」

「因為法老和我都還無法確認美鋒其餘同黨的身分。當初法老決定隱瞞真相，就是為了要讓敵人無法得知我們的情況，以便多爭取一點時間。」

「你的幾番作為，對美鋒的打擊可不小。」

「可惜都未曾正中要害。要想全面反抗並不是件簡單的事，因為美鋒的勢力已經滲透到軍隊與運輸界了。」

「警察會站在你這邊。」凱姆說：「而且蘇提現在的聲望如日中天，讓他來動員特警隊，應該沒問題。」

「法老在皮拉美西斯不是有一批駐軍嗎？」蘇提問道。

「這就是他一直待在那裡的原因。」

「駐紮在底比斯的軍隊會聽我的。」卡尼說。

「任命我為孟斐斯軍隊的將軍吧，我自有辦法讓士兵順服。」蘇提的這個提議受到了其他人一致的支持。

「現在剩下的除了受控於白色雙院的水上運輸之外，」帕札爾提醒道：「還有美鋒已經運作了好幾個月的灌溉部門與運河官。至於各省省長方面，有些人是脫離了他，但也還有人相信他的承諾。我很擔心會釀成內部衝突，而使多數人受害。」

「難道還有其他辦法嗎？」太后說道：「要嘛，我們就向美鋒屈服，讓瑪特女神的埃及從此滅亡，否則我們就一起對抗暴政，替未來保留一線希望，即使犧牲性命也在所不惜。」

* * *

巴吉到底還是說服了妻子，接下了首相委任給他的繁重工作。在他的協助下，帕札爾擬定了關於氾濫之後土地開墾以及恢復灌溉池用途的政令，並計畫在三年之中，大興土木，進行各種重大的土木與宗教工程。這些公文顯示了首相打算在這段期間有所作為，任何動亂也撼動不了拉美西斯的政權。

再生儀式的場面必然十分盛大，各省省長都帶著當地的神祇雕像先後抵達了孟斐斯。宮中已經按著各人的官階安排好了住所，而省長們也都趁此機會和那位威嚴之中又不失謙恭的首相帕札爾交談。在薩卡拉的左塞王金字塔圍牆內，祭司們更是忙得不可開交，頭戴雙冠的拉美西斯很快就要在這個大院中，以象徵的形式結合北埃及與南埃及了；法老也將在這個神奇的空間裡，與每一種神力交流溝通，藉以重拾他治國的力量。

蘇提的傳奇故事已然眾所周知，因此當首相任命他為將軍時，孟斐斯營區的士兵個個都興奮莫名。將軍一到任便集合了所有部隊，宣布與亞洲之間的危機已經解除，而且大家都可以獲得一大筆獎金。在當晚所舉行的慶祝會中，這位青年將軍的聲望更是達到了顛峰。除了拉美西斯，還有誰能為士兵們帶來他們所渴望的永久的和平呢？

至於警察團隊對凱姆也越來越欽佩，大家都知道他對首相的忠誠至死不變。凱姆根本無需多費唇舌，就能夠凝聚屬下的向心力了。

卡尼在徵得法老與首相的同意後，向各大神廟發出了預警，廟方也都做了最壞的打算。不過，神聖能量的專家們從早到晚的儀式卻是絲毫未受影響，從第一王朝流傳至今，每天早、午、晚的三次禮拜也依舊照常舉行。

皇太后的接見廳更是無一刻空閒，她不斷地與朝中最具影響力的人士、行政機關的高層官員、皇室家族的專侍人員、負責人才培訓的書記官，以及官夫人、禮官等等交換意見。被眾人視為過度焦躁的美鋒以及精神失常的西莉克斯，竟妄想打進這帝王的圈子裡來，這無非只是他們的瘋言瘋語，一笑置之也就算了。

但美鋒可笑不出來。

* * *

由帕札爾所引導的大規模攻勢果然有了一些收穫。在他監督的行政單位裡，已經開始有人不服從他，他也越來越常對那些漫不經心的下屬發脾氣。現在人人都在謠傳，一等拉美西斯舉行再生儀式之後，首相就會任命新的雙院院長，而野心太大、太過激進、又老是穿著庸俗不合身的衣服的美鋒，也將被遣回三角洲的紙莎草種植區去。有些人也不知道從哪兒得來的消息，聽說皇太后要上首相法庭控告美鋒違法販售「死者之書」，於是在街上逢人便說。美鋒爬升得的確很快，誰敢說他不會跌得更快呢？除了這些風風雨雨之外，還有西莉克斯長期躲在家裡不外出，也引人疑猜；聽說她是得了不治之症，因而無法再參加那些她最喜歡的宴會了。

美鋒一邊咒罵著，也一邊準備要報復，無論遇到什麼障礙，他都一定能掃除。成為法老，就等於擁有了神聖的權力，所有的人民都將屈服於他。反叛帝王是重罪，自然也得處以極刑。因此性格優柔寡斷的人終究會重新回到他身邊，而支持帕札爾的人最後也會棄他而去，美鋒不相信這些人會遵守諾言幫助帕札爾，因為他自己就從來沒有遵守過承諾與誓言。他堅信只要力量展現出來，自然就會有人膽怯、退縮。

其實帕札爾有當領袖的能力，只可惜為了謹守過時的律法而迷失了方向。一個滿口傳統而無法了解未來需求的迂腐之人，毫無存在的必要。既然暗影吞噬者殺不了他，美鋒打算用自己的方式來除掉他，他不是反對國家進行必要的改革與轉型嗎？那就告他一條首相失職與叛國罪。

只要耐心再等十五天，再過十五天就大功告成，再過十五天那個冥頑不靈的首相也就要下臺了……美鋒因為心情越來越煩躁，乾脆也不回家了。西莉克斯快速變形的外貌，實在讓人不忍卒睹，既然離婚文件都生效了，他根本不想再見到這個已然老醜的女人。

職員都下班以後，美鋒一人留在辦公室裡，仔細想著他的計畫，以及在這麼短的時間內所要做的許多決定。他的出擊一定要又快又猛。

四盞無煙的油燈照得四下亮晃晃的。失眠的美鋒整夜都在反覆檢測他經濟策略的細節，雖然先前受了不小的打擊，不過他背後還有銀行家與希臘商人撐腰，憑他們的影響力想必很快便能將他的觀念深植民心，更何況他還有一項有力的祕密武器，將會發揮極大的功效，而這個武器不到最後關頭他是不會輕易使出來的。

美鋒忽然被一個響聲嚇了一跳。這麼晚，辦公室裡早就沒有人了，他訝異地站起身，開口問道：「是誰？」

沒有回答。他又忽然想到夜裡常常會有人員巡邏，也就放心了。他重新盤坐下來，編審著未來新政權的預算。

「不要出聲，否則我就一刀刺下去。」

這個人的聲音他沒有聽過，便問：「你想做什麼？」

「問你一個問題，你乖乖回答，我就不會傷你性命。」

「你是誰？」

「知道了對你一點好處也沒有。」

「我是不會受人要脅的。」

「你沒有這麼勇敢。」

「我知道你是誰了……蘇提！」

「是蘇提將軍。」
「你不會傷害我的。」
「那你就錯了。」
「你敢動我一根寒毛，就得接受首相法庭的制裁。」
「帕札爾不知道我要來，折磨你這種敗類我可不會心軟。如果獲知真相必須付出如此的代價，我也認了。」
美鋒感覺得出來蘇提並非開玩笑，「你想問什麼？」
「眾神遺囑在哪裡？」
「我不……」
「夠了，美鋒，現在已經不容你說謊了。」
「放開我，我說就是了。」
蘇提鬆了手，美鋒揉揉頸子，還瞥了他手上不停晃動的匕首一眼：
「就算你刺死了我，你還是什麼也得不到。」
「我們試試。」
他說著便以刀鋒刺進美鋒的肌肉，然而美鋒臉上的微笑卻叫人驚訝，他不由問道：「你都要死了，還笑得出來？」
「殺了我也無濟於事，我不知道眾神遺囑藏在什麼地方。」
「你說謊。」
「你再刺吧，你所犯的罪行將毫無價值。」

蘇提遲疑了，美鋒那麼有把握的神情的確讓他困惑不已。

照理說，美鋒應該會嚇得發抖，而且自己這番突如其來的動作將會讓他功敗垂成，他也應該要崩潰了才是呀。

「走吧，蘇提將軍，你這麼做一點用也沒有。」

第四十四章

蘇提乾了一大杯啤酒，仍解不了渴。

「不可能。」他一邊說，帕札爾則非常仔細地聽著。

「不可能……不過美鋒沒有說謊，這點我可以確定。他真的不知道眾神遺囑藏在哪裡。」

奈菲莉又幫蘇提斟了一杯，這時小綠猴竟跳到蘇提肩上，偷偷用手指沾了一下杯中的啤酒，然後立刻跳上最近的一棵無花果樹，躲到濃密的枝葉裡頭去。

「你恐怕被他騙了。美鋒不但有一張利嘴，就連偽裝的技術也是一流的。」

「雖然難以置信，但這次他說的是實話。真的，當時眼看我的刀就要刺進他的身體，可是聽他這麼一說，我卻又不想殺他。我失敗了……現在一切都看你了，首相。」

別墅的門房來通知奈菲莉，說有一名女子堅持要見她，於是她要門房把來客帶到花園裡來。西莉克斯的貼身女僕一見到奈菲莉，便撲身下跪：

「我的主人快死了，她希望妳去看看她。」

*　*　*

西莉克斯再也見不到她的孩子了，看了書記官背著美鋒偷偷拿來的離婚書，她再度陷入歇斯底里的狀態，這些日子以來幾度的發作，她早已精疲力竭。她的四周到處血跡斑斑，雖然有醫生幫她做了手術治療，但是腸胃依然不斷地出血。

看到鏡中的自己時，西莉克斯嚇了一大跳，這個雙眼浮腫、臉型扭曲、滿口蛀牙的醜老太婆是誰呀？即使踩爛了鏡子，心裡的驚恐仍未能消除，她可以感覺到自己身體的狀況正在快速惡化，誰也挽救不了。

最後她兩腳癱軟，便再站不起來了。偌大的宅邸如今只剩園丁和貼身女僕，他們合力將夫人抬到床上去。只見她胡言亂語、高聲尖叫一陣之後，忽然變得痴痴呆呆的，過了一會兒，卻又開始胡言亂語起來。

西莉克斯已經爛到骨子裡頭去了。

等她好不容易清醒一點，馬上就要女僕去請奈菲莉，而奈菲莉也果真來了。她注視著西莉克斯，外表一如往常的美麗、耀眼、平和。

「要我送妳到醫院去嗎？」

「沒有用的，我快死了……妳敢說不是嗎？」

「我得幫妳聽診以後才會知道。」

「以妳的經驗，應該一看就知道了……我很嚇人是吧？」西莉克斯用指甲抓破了臉，恨恨地說：「我恨妳，奈菲莉，我恨妳，因為妳擁有了我夢寐以求卻又永遠得不到的東西。」

「美鋒對妳不是有求必應嗎？」

「他拋棄了我，因為我現在又醜又病……我們已經正式離婚了。妳和帕札爾，我恨你們！」

「妳的不幸難道是我們造成的？」

西莉克斯把頭歪到一邊，頭髮上沾滿了冷汗：

「我差一點就贏了，奈菲莉，我差一點就打垮了妳和妳的首相了。我虛偽造作的功夫，沒有一個女人比得上，我贏得了妳的信任與友誼……而我卻只是一心想打敗妳、毀滅妳。妳本應成為我的奴隸，分分秒秒聽我吩咐的。」

「妳丈夫把眾神遺囑藏在哪裡？」

「我不知道。」

「妳受美鋒的毒害太深了。」

「妳不該這麼想的！打從計畫的一開始，我們的意見就是一致的，我從來沒有反對過他的決定。謀殺退役軍人、買通暗影吞噬者行刺、除掉帕札爾……這一切我都贊同，也都很滿意！一直以來，傳達指令的人是我，寫紙條引帕札爾到布拉尼家的也是我……帕札爾被控謀殺老師，被送進苦役勞營，這是多麼光榮的勝利啊！」

「妳心裡為什麼有這麼多恨呢？」

「因為我要凡事以美鋒為優先，他才會讓我跟他有著一樣高的地位。為了達到目的，我不惜說謊、耍心機，不惜欺騙任何人。可是他竟離開了我……他離開我只因為我的身材走了樣。」

「殺死布拉尼的細針是妳的嗎？」

「我沒有殺布拉尼……美鋒是不應該離開我，可是真正的罪魁禍首卻是妳！要是妳答應替我治療，我就可以留下丈夫，也不致於一個人孤零零地死在這裡。」

「到底是誰殺了布拉尼？」

西莉克斯那張變形的臉，忽然浮現出陰陰的笑容：

「妳和帕札爾都走偏了……等你們了解事實真相時，一切都遲了，太遲了！我就算在地獄忍受魔鬼的焚燒酷刑，我也會睜大眼睛看著你們一敗塗地的，美麗的奈菲莉！」

西莉克斯說完便開始嘔吐，奈菲莉急忙喚來女僕：

「幫她把身子洗乾淨，然後用煙熏消毒房間，我會從醫院派醫生過來。」

西莉克斯突然挺起身子，眼中盡是狂亂的眼神：

「回來吧，美鋒，回來吧！我們一起把他們踩在腳底下，我們……」她一口氣喘不過來，頭往後一仰，雙手交叉在胸前，整個人就倒了下去，一動也不動了。

* * *

七月是星辰女王伊西絲的統治期，這位神奇的魔術師以祂那源源不絕又豐富的母乳哺育了天地萬物。為了回報祂的恩惠，婦人女孩都準備好要以最美的打扮，出席滿潮期第一天的盛大宴會。在位於埃及極南端，伊西絲女神的聖地菲雷島上，女祭司也認真地練習著漲水時所要演奏的樂曲。

薩卡拉的祭司們也已準備就緒。舉行再生儀式的大庭院裡，每間禮拜堂都安放了一尊神像。屆時法老將會步上石階，親吻擁有超自然力量的石像，如此這股力量便能進入法老的身軀，使他重獲青春活力。法老受神力所陶冶，由宇宙定律孕育、神廟塑造而成，他是有形與無形之間的媒介，再生儀式過後，他將再度獲得足夠的能量來維持上下埃及的統一，使其子民團結一致，跟隨著他邁向富足圓滿，無論冥世或人間。

就在再生儀式舉行前三天，拉美西斯大帝抵達了孟斐斯，文武百官都入朝歡迎。皇太后祝福他能通過這次儀式的考驗，許多身居要職的人也都表達了他們對國王的信心。法老堅定地宣布，與亞洲的和平關係將會持續下去，而他也會在儀式過後，繼續以瑪特的律法治理埃及。

簡單的歡迎會結束後，拉美西斯單獨召見了首相，「有新的線索嗎？」

「有一件事很令人不安，陛下。蘇提試著用比較粗暴的手段想逼美鋒就範，可是美鋒卻堅稱他不知道眾神遺囑的藏處。」

「根本就是謊言。」

「但若不是謊言呢？」

「你的言下之意是……」

「也許根本沒有人能向祭司、朝臣與人民展示眾神遺囑。」

拉美西斯可被弄糊塗了，「難道我們的敵人會把遺囑毀了？」

「他們之間發生了很嚴重的分歧，美鋒甚至殺了其他同黨，還跟妻子離了婚。」

「他手上若無遺囑，他打算怎麼做呢？」

「我曾經嘗試利用最後一次的機會，想喚醒他心中的絲毫良知，但是並未成功。」

「也就是說，他還是不會放棄。」

「西莉克斯在發狂之際，說我們都搞錯了。」

「這是什麼意思？」

「我也不知道啊，陛下。」

「朕將在儀式之初退位，並將權杖與王冠置於薩卡拉唯一的大門前，而祭司們要慶祝的並非再生儀式，而是朕的敵人的登基大典。」

「水務局已經確定：後天就要開始漲水了。」

「帕札爾，這是尼羅河最後一次淹沒法老的土地了。明年河水再度氾濫時，受益的將是一個暴君。」

「陛下，我們已組成了反抗組織，美鋒想統治埃及可沒有那麼簡單。」

「他只要搬出法老的名號，大家便不得不聽命，他很快便能重新占得優勢了。」

「他也沒有遺囑呀。」

「他只是捉弄蘇提罷了。朕要回普塔赫神廟去了，我們到薩卡拉大門前再見。你是個好首相，帕札爾，埃及不會忘記你的。」

「但我失敗了，陛下。」

「這是前所未見的災難，我們是無法對抗的。」

* * *

好消息由南到北傳遍了全國：今年的漲水量將會恰到好處，不太弱也不太強。每個省分都不會缺水，每個村子也都將受益。由於法老使得子民衣食無虞，因此受到了眾神的庇祐，這次的再生儀式將使他成為史上最偉大的君主之一，全國上下也將誠心拜服。在各個尼羅河水位標附近，群眾焦急地觀望著；從那些刻在石頭上的刻度，就能得知漲水的速度與哈比的活力程度。見到河水流得如此急速，水色又呈暗褐，大家知道一年一度的奇蹟已經開始了。人人心中充滿了喜悅，等不及預定的時刻，便提早瘋狂慶祝了起來。

祕密會議的成員卻都難掩悲傷的情緒。太后圖雅抱怨著歲月不饒人，前首相巴吉的背越來越駝，蘇提為身上多處的傷痕所苦，凱姆彷彿為了木鼻感到羞恥而一直低著頭，卡納克大祭司卡尼的皺紋也加深了不少，帕札爾的威嚴之中更刻劃著絕望。他們每個人都在各自崗位上盡了最大的努力，但仍深感挫折。一旦新任法老推行了新的律法，他們這些零零星星的動作又能發揮多少作用呢？

「你們不能留在孟斐斯。」帕札爾建議道：「我租了一艘船前往南部。從愛利芬丁出發，很容易就能前往努比亞躲藏了。」

「我不想離棄我的兒子。」圖雅說。

「西莉克斯就要死了，太后。美鋒一定會怪罪於妳，對妳毫不留情的。」

「帕札爾，我的心意已決，我要留下。」

「我也是。」巴吉說道：「我這一把年紀，什麼都不怕了。」

「很抱歉，我不得不反駁你們。你們所代表的正是美鋒誓言消滅的傳統價值，所以他絕不會放過你們。」

「他敢啃我這把老骨頭，非讓他咬斷幾顆牙不可。有我在拉美西斯和太后身邊，也許他還會節制一點呢。」

「美鋒一登上王位，」卡尼說：「我將代表其他的大祭司，向他強調我們堅守固有律法與經濟體制的決心，也讓他明白神廟是不會支持暴君的。」

「你的性命恐怕會有危險。」

「無所謂。」

「我也要留下來保護你的安全。」蘇提說。

「我也一樣。」凱姆接口道：「除了首相，誰的命令我都不聽。」

帕札爾感動得熱淚盈眶，在結束最後一場會議之前，他再度祈求瑪特女神保佑埃及，因為即使人類滅亡，祂的律法亦將永續不墜。

* * *

向帕札爾詳述了到布拉尼墳上祭拜的經過後，奈菲莉便出發到醫院去了，因為她得幫一名腦部受傷的病患開刀，還要做最後的一些交代。她很肯定她與恩師的心靈交流絕非幻想，雖然她無法將另一世的訊息轉換成人類的語句，但是她相信布拉尼是不會離棄他們的。

帕札爾獨自面對著祖先的禮拜堂，任由思緒飄回到過往。自從他擔任首相之後，便無暇靜思，成天就困在那個他無法左右的現實裡。時時必須加以約束的狂亂的心，如今已平靜下來，解放了的思緒，則有如白鶚的嘴一樣又尖銳又精準。往事一一在他的腦中浮現：在最初也是最關鍵的一刻，他因為駁回了吉薩司芬克斯衛兵長的調職案，而無意中破壞了陰謀分子的計畫。接下來積極尋找真相的過程當中，他更是歷盡了艱難與危險，但他並沒有氣餒。至今，雖然已經查出部分陰謀者的身分，知道了美鋒和西莉克斯乃是主謀，又儘管已經掌握謎團的主要線索，也知道了最後的結局，帕札爾卻自覺受騙了。他一直跟著這陣旋風繞得暈頭轉向，卻忘了退一步冷靜地想想。

勇士抬起頭，輕輕叫了一聲，有人來了。園子裡的鳥兒，也因受了驚動而四散分飛。有人沿著蓮花池悄悄地走向了門廊。帕札爾則緊緊握住了狗兒的頸圈。

會是美鋒派來殺他的人嗎？會是沒有遭到狒狒攔擊的第二個暗影吞噬者嗎？帕札爾已經準備受死了，埃及新王急於殲滅異數，而他將是第一名犧牲者。

沒有見到北風的蹤影，帕札爾擔心牠已經遭到毒手。待會兒，即使枉然，他也會求對方放過勇士。

來人出現在月光下，手裡一把短劍，裸露的胸前畫滿了奇奇怪怪的符號，額前則點綴著黑白條紋。

「豹子！」

「我要殺了美鋒！」

「戰爭的圖案……」

「這是我們族裡的習俗，如此他就逃不開我的魔力了。」

「只怕沒有這麼簡單呀，豹子。」

「他躲在哪裡？」

「在白色雙院辦公室裡，現在那裡的警備森嚴，自從蘇提去過以後，他更不敢掉以輕心了。不要去，豹子，否則妳會被捕甚至被殺的。」

豹子嘟起了嘴巴，說：「夠啦……」

「說服蘇提今晚就離開孟斐斯。你們一塊兒逃到努比亞去，去開採你們的金礦，快樂地過下半輩子。不要受我連累。」

「我答應了夜魔要殺死這個惡棍，就一定要做到。」

「妳何必冒這個險呢？」

「因為美鋒想傷害奈菲莉，我不允許任何人破壞她的幸福。」

豹子一瞬間便衝進了花園，帕札爾看著她越過圍牆，靈動如豹。

恢復平靜之後，勇士又繼續睡覺，帕札爾也重新沉思起來。

他想起了一些奇怪的細節，為了不讓自己分心，他把這些細節全記錄在黏土板上。

漸漸地，調查過程中一些被忽略的事情都明朗化了。於是帕札爾將所有的線索重新整合，再將暫定的結論交叉印證，並且深入思考了一些連他自己都不敢相信的奇怪現象。

破曉時，奈菲莉回來了，勇士和小淘氣立刻興沖沖地迎了上去，帕札爾也伸出雙臂摟住她說：「妳可累壞了。」

「手術花了不少時間，我又得把一切交代清楚。將來接任的人應該不會有問題的。」

「現在，該休息了。」

「我不想睡。」她這時也注意到了地上分類堆放的黏土板，便問：「你也忙了一整夜？」

「我真是太笨了。」

「為什麼這樣罵自己呢？」

「又笨又瞎了眼，竟然不肯看清事實。做為首相犯這種錯誤，實在不可原諒。不過妳說得沒錯：奇蹟出現了，布拉尼的靈魂說話了。」

「你是說……」

「我知道眾神遺囑在哪裡。」

第四十五章

當索提斯星閃耀於東方的天空之後，伴隨著日出而來的便是全國的大氾濫。經過了幾日焦慮的等待，新年終於乘著具有創造力的洪流中到來了，再加上拉美西斯大帝即將舉行再生儀式，到處更是充滿了歡欣鼓舞的熱烈氣氛。

惡魔、病魔與潛在的危險都戰敗了，也幸虧有御醫長的祈福，可怕的塞克美女神才沒有在埃及散播各種疾病。每個人都用一只藍色的瓷瓶裝滿了新年之水，這種水具有原始的光明特性，保存在家裡可以使得家運興旺。

皇宮裡，也依照習俗在王位底下擺了一只裝滿新年之水的銀瓶，而拉美西斯打從天濛濛亮就坐在寶座上了。

他沒有戴王冠，沒有項鏈和手鏈，身上只圍了一件古王國時期傳統樣式的白色纏腰布。

帕札爾向法老行禮後，說：「陛下，今年將是個好年，氾濫的情形好極了。」

「而埃及卻將陷入不幸……」

「但願我並未辜負聖望。」

「朕沒有怪你。」

「請陛下恢復法老的穿著打扮吧。」

「有什麼用呢，首相？朕已經不是法老了。」

「陛下仍是法老，而且永遠都是。」

「你在開朕的玩笑？美鋒馬上就要走進這間寶殿，奪走埃及了呀。」

「他不會來的。」

「你精神沒問題吧？」

「美鋒不是主謀者。他只是帶頭掠奪了大金字塔，事實上，計畫整個陰謀的人並未參與那次的行動。凱姆曾經有所懷疑，還問了我陰謀分子的人數，但我竟充耳不聞，後來當我們逐步揭發他們的計畫，美鋒一直擔任代言人的角色，而真正的操控者則躲在幕後。我想我不只已經知道他是誰，也知道眾神遺囑藏在哪裡了。」

「來得及找回來嗎？」

「一定來得及。」

拉美西斯於是重新戴上了大串的金項鍊、銀手鏈和藍色王冠，右手持著權杖，坐回了王位。

內侍總管突然前來，說巴吉要求晉見。法老盡量壓抑著不耐，問道：

「他在這裡不會有妨礙吧，首相？」

「不會的，陛下。」

前首相走進了寶殿，神色漠然，腳步僵硬，全身上下唯一的飾物就只有佩掛在脖子上、代表了他原先職務的銅心。法老一見到他就說：

「我們還不一定會輸呢，帕札爾以為……」

拉美西斯頓時住了口，因為巴吉一直還沒有向他行禮呢。

「陛下，他就是我剛才所說的人。」帕札爾說道。

法老真是震驚得無以復加，「是你，巴吉？朕的前首相！」

「把權杖交給我，你已經不配再當國王了。」

「你著了什麼魔？竟然如此背叛朕……」

巴吉微笑道：

「美鋒很有說服力，他想要的社會型態我也很喜歡，我願意和他一起塑造。我登上王位，絕不會有人感到驚訝，人民都會安心。當他們發現我和美鋒所進行的變革時，已經太遲了。凡是不願跟隨我們腳步的人，就永遠走不上康莊大道，最後只得抑鬱而終。」

「你已經不是我所認識的那個正直廉潔的法官，那個實事求是的測量專家……」

「時代會變，人也會變。」

帕札爾接口說：

「在認識美鋒以前，你一直很盡心地為法老效力，執法時也一絲不苟。而美鋒卻以另一片天地誘惑了你，他知道該如何收買你的良知，因為你原本就打算出賣了。」

巴吉依舊無動於衷，帕札爾便繼續說：

「你必須保障你的孩子的未來。表面上，你好像一點也不在乎物質享受，可是私底下你卻和一個貪得無厭的人同流合汙。其實你也是個貪婪的人，你要的是至高無上的權力。」

「不要再說教了。」巴吉冷冷地打斷他的話，並伸出手來，「陛下，權杖給我吧，還有王冠。」

「必須要有大祭司與眾朝臣在場。」

「那最好，到時候你就得讓位給我了。」

就在一轉眼間，帕札爾突然抓住了巴吉的銅心，用力一扯，把鏈子扯斷之後，立刻把銅心交給了法老，「陛下請打開這顆心看看。」

拉美西斯拿起權杖，把寶物整個敲碎。裡頭，正是眾神遺囑。

巴吉嚇了一跳，當場愣住了。

「卑鄙無恥到了極點！」法老怒喝道。

巴吉倒退了幾步，並用冰冷的眼神瞪著帕札爾。只聽他以平靜的語調說道：

「我到了昨天晚上才想通。我實在太信任你了，所以根本想不到你會和美鋒這種人勾結，更不用說是幕後主使了。你利用了我輕信別人的弱點，而且差一點就成功了。其實，我老早就該懷疑你的。有誰能夠下達衛兵長的調職令，又把所有責任推到已經叛國的亞舍將軍身上？除了首相，又有誰能夠暗中操縱整個行政體制，策畫如此的陰謀？誰能夠主使那個汲汲營營想保住官位的前警察總長孟莫西，讓他唯命是從呢？又是誰讓美鋒這麼一路暢通地竄升上來？如果不是我當上了首相，我也不會發現首相職權有這麼大，行事範圍有這麼廣。」

「你是受到美鋒的威脅還是勒索？」法老問道。

巴吉沒有出聲，帕札爾便替他回答：

「美鋒為他勾勒了一個光明的未來，讓他可以登上王位，而巴吉也懂得如何成功地利用那個卑鄙小人。巴吉藏身幕後，由美鋒出面。巴吉之所以一直躲在律法制度與枯燥的幾何學背後，那是因為他骨子裡是懦弱的。有好幾次我們面臨了艱困的處境，必須共同對抗敵人，他卻寧可逃得遠遠的也不願幫我，這才讓我發現了他的本質。他根本不懂生命中的感覺與愛，他那副嚴謹的態度只不過是假象罷了。」

「而你竟然還有臉戴著首相的銅心，讓人以為你代表了法老的良知！」

拉美西斯的怒氣讓巴吉又退了幾步，但眼睛仍未離開帕札爾。帕札爾又說：

「巴吉和美鋒的整個策略都建立在謊言之上。其他的同黨並不知道巴吉的角色，甚至還對他有所防備！他們的態度也蒙蔽了我。當老牙醫喀達希成了障礙，巴吉立即下令除掉他。若非哈圖莎王妃先動手報了仇，戴尼斯和謝奇最後也會遭到同樣的命運。至於我呢，一旦除掉了我，就能彌補美鋒當不成首相的遺憾了。最初當我意外受命為首相，他先是希望收買我，後來因無法得逞，氣惱之餘便想破壞我的聲譽。一切企圖都失敗之後，也就只有殺了我了。」

巴吉聽著帕札爾細數他的罪行，臉上一點表情也沒有。

「在巴吉的掩護下，美鋒的計畫進行得十分順利，想那銅心象徵了一個盡職的首相的良心，也是法老為了感謝他多年的努力奉獻而准許他繼續佩帶的聖物，誰會想到眾神遺囑就在裡面呢？巴吉早就料到法老會有此舉動，銅心也因此成了最安全、最保險的藏匿之處。他一直藏身幕後，在真正奪得王權之前，絕不會洩漏身分。直到最後一刻，我們的注意力仍集中於美鋒身上，而巴吉又是祕密會議的成員，剛好可以把我們的決定告知他的同黨。」

距離王位這麼近，似乎給了巴吉一種難以承受的壓力，他又向後退了幾步。

「我唯一沒有弄錯的一點是，」帕札爾又說了下去：「布拉尼被殺和這整件陰謀確實有關聯。但是我又怎麼料想得到你竟然和這樁令人唾棄的罪行有關呢？我天生不多疑，加上對你盲目的信任，著實不是個稱職的首相。不錯，你算計的都很正確……至少到拉美西斯要舉行再生儀式這一天的清晨之前，都很正確。布拉尼是該殺，他若當上了卡納克的大祭司，以他如此顯赫的職位，必定能給予我原先所得不到的幫助。然而，誰知道布拉尼即將擔任此職呢？只有五個人。

其中三人絕無嫌疑：法老本人、卡納克前任的大祭司，還有你。反觀另外兩人的嫌疑卻非常大，一個是處心積慮想除掉我之後娶奈菲莉的御醫長奈巴蒙，另一個則是明知我是清白的，卻仍把我送到勞營去的警察總長孟莫西。我一直認為他們兩人之中必有一人有罪，後來經過多方搜證，才發現他們並未殺害恩師。凶器貝殼針給人的第一個聯想就是女人，因此我又先後誤將箭頭指向了戴尼斯的妻子、塔佩妮與西莉克斯。仔細想想，要在對方毫無反抗的情形下，將貝殼針插入他的頸子，一定是他周遭非常親密的人，而且這個人必須夠冷酷，必須不怕殺了賢人將來下地獄，還必須下手又狠又準。可是經過詳細的調查，這三個女人都不是兇手，她們和前任的大祭司一樣都沒有嫌疑，因為凶案發生當天，大祭司確確實實並未離開卡納克。」

「你難道忘了還有一個暗影吞噬者？」巴吉反問道。

「凱姆的調查也證明了並非他下的手。最後，就只剩下你了，巴吉。」

巴吉沒有否認。

「你知道他的住處，也熟知他的習性，於是你挑了一個沒有人會注意到你的時刻，以祝賀為理由去拜訪他。你向來處於暗處慣了，當然知道如何避人耳目。接著，你趁他背轉過去的時候，拿起貝殼針便刺進了他的頸背，而這根針則是你某次祕密造訪美鋒家時，從西莉克斯那兒偷來的。這真是世界上最卑鄙的行為了。布拉尼死後，你果然是所向披靡：我進了勞營，與你全然無涉；警察總長無能，又抓不到真凶；奈菲莉受制於御醫長奈巴蒙、蘇提一籌莫展、美鋒即將成為首相，最後拉美西斯更迫於無奈必須讓位給你。不過你忘了有冥世的存在，你也太小看布拉尼的靈魂的力量了，光是消滅我不夠，你應該還要防止奈菲莉看清事實。你和美鋒都瞧不起女人，其實她們的影響力不容忽視，要是沒有她，我就不可能成功，而你們也將順利成為埃及的統治者。」

「讓我帶著家人離開埃及吧。」巴吉以瘖啞的聲音請求道：「我的妻子和孩子是無辜的。」

「你必須接受審判。」法老說。

「我曾經對你忠心耿耿，卻沒有得到應有的回報。而美鋒，他察覺了；那個布拉尼，還有這個微不足道的帕札爾，跟我本人和我的學識比較起來，他們又算得了什麼？」

「你根本不配稱賢人，巴吉，而且還是最令人不齒的一種罪犯。你把惡魔豢養在內心裡，終於自食惡果了。」

* * *

節慶當天，白色雙院的辦公室空蕩蕩的。美鋒擔心蘇提又採取什麼行動，便加強了身邊的警力戒備。看到外頭人人歡天喜地，他只覺得好笑，這些人還不知道自己歡呼的是一個已經失勢的君王呢。威信盡失的拉美西斯把王位讓給受人敬仰的巴吉，有誰會感到訝異？大家對這個表面上毫無野心的老首相，一定會充滿信心。

美鋒看了看他的水鐘，這個時辰，拉美西斯該已經退位了，巴吉也已經權杖在手，登上了寶座。書記官也一定記錄了他的第一道旨意：將帕札爾免職，以叛國大罪打入牢獄，並任命美鋒為新任首相。再過幾分鐘，宮裡就會來人接他進宮，參加新帝王的登基大典。

巴吉想必很快就會陶醉在這份他無力承擔的權勢之中，美鋒表面上會盡可能地討好他、巴結他，背地裡則為所欲為。將來一旦掌握了國家的一切情勢，他就會立刻剷除這個老傢伙，除非是病魔已經先替他解決了這個問題。

美鋒正想得高興，忽然從二樓的窗戶看見凱姆率領了一支警隊朝這兒來了。那個努比亞警察怎麼還沒被解職？巴吉竟然忘了找人取代他。美鋒就不可能犯這樣的錯誤，他一定會盡快把心腹親信全都換上來的。

看凱姆那副雄赳赳的模樣，美鋒有點不安，他一點也不像被迫執行勤務的戰敗之人。可是巴吉一再保證絕不會失誤，他說過任誰也找不到眾神遺囑的。

雙院的警衛見到凱姆，都放下武器讓他通過。美鋒不由得緊張起來，一定是出事了。他連忙離開辦公室，跑向建築物最深處的一個太平門，那是火災時逃生用的。好不容易卸下門閂，打開了門，美鋒立刻由通道奔向花園，然後藉著花叢的掩飾，想悄悄地沿著圍牆邊逃跑。

就在他打算敲昏雙院大門守衛時，突然有一股強勁的力道按住他的肩頭，將他推倒在地。由於園丁剛澆過水，地上的泥巴又溼又軟，美鋒一頭就栽陷了進去，而狒狒警察仍繼續用力地摁住他，讓他動彈不得。

* * *

在赫利奧波利斯、孟斐斯與卡納克等大祭司的見證下，法老結合了南北兩地之後，進入了舉行再生儀式的大院。他單獨面對眾神，分享了神明化身的祕密後，才又重返人間。

頭戴著雙冠的拉美西斯，右手緊握著一個皮匣，裡面裝的便是法老世代相傳的眾神遺囑。在孟斐斯王宮的「聖現窗」窗口，法老向全民展示了眾神遺囑，象徵了他是合法的君主。

聖䴉紛紛向四方飛去，以散布這個消息；從克里特到亞洲，從黎巴嫩到努比亞，無論是附庸國、盟國或敵國，都會知道拉美西斯的政權將持續下去。

* * *

滿潮期的第十五天，歡樂的氣氛達到了顛峰。

拉美西斯從皇宮的陽臺上，看著被燈火照得一片通明的市區。在這炎熱的夏夜裡，埃及子民只想到了生命的幸福與歡愉。

「好美的畫面啊，帕札爾。」

「我真不明白為什麼巴吉會著魔？」

「因為打從他一出生，就已經有了心魔，任命他為首相是朕的錯，不過眾神卻讓我有彌補的機會，重新挑選了你。人最潛在的心性是不會改變的，而我們這群身負民族重責、肩挑智慧傳承大任的人，就必須要能洞察機先。現在，也該還給司法正義一個公道了，只有伸張正義的國家，才可能安定而強盛。」

第四十六章

「讓我們明辨是非，」帕札爾宣布道：「保護弱者不受強權欺壓。」

首相法庭開庭了。

三名被告巴吉、美鋒與西莉克斯，必須在帕札爾與一群由卡納克大祭司卡尼、警察總長凱姆、一名工頭、一名紡織工與一名哈朵爾神廟女祭司所組成的陪審團面前，為他們的罪行辯護。由於健康狀態欠佳，首相特許西莉克斯留在家中。

帕札爾宣讀了起訴狀，把被告的罪行原原本本公諸於世。當凱姆事前將西莉克斯的起訴狀拿給她看時，她只是默默不語。巴吉還是一臉的漠然，對起訴書中提到有關他的部分，也毫不在意；而美鋒卻又是咆哮、又是比手畫腳，還咒罵陪審員，並堅稱自己沒有做錯事。

陪審團經過短暫的商議後，做出了判決，也獲得了首相的同意。

「巴吉、美鋒與西莉克斯三人，因陰謀陷害法老、違背誓言、謀殺、共犯關係、叛國與背叛瑪特等罪名成立，判處人間與冥世雙重死刑。從今而後，巴吉名為『懦弱』，美鋒名為『貪婪』，西莉克斯名為『虛偽』，這些名稱將跟隨他們永生永世。由於他們與光明作對，因此他們的肖像與姓名將以新鮮墨汁畫在紙上，還要再依著他們被長槍刺中的模樣雕塑成小人像，然後將紙貼在人像上加以踐踏後，再丟入火中。如此，這三名罪犯便能真正地在人世間與冥世間銷聲匿跡了。」

*　　*　　*

凱姆送去毒藥，準備讓西莉克斯自行了斷時，她的貼身女僕說，主人在得知自己與其他共犯的汙名之後不久，便氣絕了。「虛偽」因最後一次歇斯底里發作而身亡，屍體仍予以火化。

美鋒被關在由蘇提將軍統帥的軍營裡；牢房四面牆壁慘白，他只是不斷地轉圈，雙眼死盯著警察總長放置在牢房中央的那瓶毒藥。「貪婪」不願意服毒自盡，他實在太害怕了，當他一聽到開門的聲音，第一個想到的就是撞倒來人，趁機逃命。

可是一見到出現的人，他就像被釘在原地不能動彈。

身上畫滿了戰爭圖案的豹子，右手持短劍，左手拿著一個皮袋，她的眼神叫人心驚。美鋒慢慢地往後退，最後整個背都貼到牆壁上去了。

「坐下。」

美鋒乖乖地照做。

「既然你很貪婪，吃吧！」

「毒藥？」

「不是，吃你最喜歡的食物。」

她把劍架在美鋒脖子上，強迫他張開嘴巴，然後把袋子裡的東西往他嘴裡倒，原來全是一些希臘銀幣。

「盡量吃吧，貪心鬼，吃到你撐死為止！」

* * *

覆蓋著土拉白色石灰岩的齊阿普斯大金字塔，經夏天豔陽一照射，整座建築轉變成一束強光，刺得人眼睛都睜不開來。

雙腳浮腫又駝背的巴吉，舉步維艱地跟在拉美西斯身後，帕札爾則走在最後面。他們三人從大金字塔的入口，走進一條往上爬升的通道。巴吉有點喘不過氣來，越走越慢，爬上大廳的這段路更是折磨人呀，到底什麼時候才到得了盡頭？

他冒著閃著腰的危險彎低身子進入了一間寬廣的石室，四面牆上空無一物，天花板則是由九塊巨大的花崗岩構成。最裡邊，躺著一副空石棺。

「這就是你千方百計想要得到的地方。」拉美西斯說：「你那五名褻瀆了聖地的同黨都遭到制裁了，而你，最懦弱的一個，你就好好看看我們國家的能量中心，自己去解開你想據為己有的祕密吧。」

巴吉猶豫著不敢行動，深怕是個陷阱。

「去啊。」法老喝道：「去見識一下全埃及最神祕的領域。」

巴吉於是鼓起了勇氣，沿著牆走過去，他像個小偷似的四處搜索，卻找不到任何刻文或隱藏寶藏的祕穴。最後他來到石棺前，探身一看：

「怎麼……是空的！」

「你的同黨不是偷過裡面的東西嗎？仔細看清楚。」

「沒有……什麼都沒有。」

「因為你瞎了。你走吧。」

「走？」

「離開金字塔，再也不要出現了。」

「你要放我走？」

法老沒有回答。於是巴吉連忙衝進又低又窄的通道，然後走下了大廳。

「帕札爾首相，朕並沒有忘記他的死刑。對懦夫而言，越劇烈的毒藥越是光明的象徵，他出了金字塔自然就會遭受到毀滅性的懲罰了。」

「這個聖殿不是只有陛下才能進入的嗎？」

「你已經是朕的心腹了，帕札爾。來，到石棺這兒來。」

他二人將手放在這個埃及的基石之上。

「朕，拉美西斯，光明之子，詔令今後此棺不再置放任何有形軀體。治國所需之創造能量將自空棺中衍生。看吧，埃及首相，仔細看看另一世，務必心懷恭敬。當你伸張正義之時，切不可忘了冥世的存在。」

法老和帕札爾一走出大金字塔，全身立刻灑滿了柔和的夕陽光，在巨大的石塔內，一點也感覺不到時間的流逝。而許久前獨自離開的巴吉，一走出這座淨化殿堂便遭雷擊斃，守衛也早就將他焦黑的屍體搬走了。

* * *

蘇提氣得不斷跺腳，明知道這個典禮的重要性，豹子竟然還是遲到了。雖然她一直不肯透露身上畫滿戰爭圖案的用意，不過他知道也只有這個利比亞女子，才能以如此殘酷的手段讓貪婪的美鋒伏法。既然死刑犯已經死了，凱姆便依程序將他火化，其餘的也就不再多問了。

所有的朝臣都到了卡納克，拉美西斯將為帕札爾，也就是全國人民都稱頌不已的首相，舉行封賞儀式，因此誰也不願錯過這場盛會。最前排站在凱姆身邊的，正是盛裝出席的北風、勇士和剛剛晉升為隊長的殺手，個個神氣十足。

慶典結束後，蘇提就要出發到大南部去重建失落之城，並修復金銀礦區。在沙漠裡，他便能盡情地欣賞美不勝收的日出景象了。

她終於來了，在項鏈與天青石手鐲的裝扮下，再遲鈍的人也不得不發出讚嘆，她那一頭猶如猛獸毛色的金髮，更是叫在場女性又嫉又羨。在她的左肩上則乖乖地坐著奈菲莉的綠猴小淘氣。有幾個深為蘇提將軍的風采著迷的女子，雙眼緊盯著他不放，最後當然也逃不過豹子憤恨的眼波。

法老出現時，大家都肅靜下來，他捧著一段金手肘，走向充滿陽光的庭院，然後朝並肩站在庭院中央的帕札爾與奈菲莉走去。

「你拯救了埃及，使她免於動亂與苦難。收下這個具有象徵意義的金手肘吧，讓它成為你人生的目標與命運。它代表了瑪特，代表了衍生出所有正義行為的堅固磐石。但願真理女神能永遠守護你的心。」

* * *

法老為布拉尼塑造了新的雕像，設置在神廟的祕密角落，與其他得以置身於此聖殿的賢人像放在一起。布拉尼被雕塑成一個老書記官的模樣，雙眼注視著一張攤開的紙張，上面寫著一段儀式用語：「見到我的人啊，請向我的護衛靈致意，並為我念出奉獻的語句；請你澆水以祭，將來必得同等回報。」布拉尼的眼睛閃耀著生命的光輝：石英製成的眼皮、大水晶的眼白與眼角膜、黑曜岩的瞳孔，組合成一種永恆的眼神。

奈菲莉和帕札爾抬頭看著卡納克上方的夏夜，星空閃爍。在天穹拱頂，誕生了一顆新星，那顆星飛越過天空，直奔北極而去。布拉尼的靈魂得到安息，將從此與眾神同在了。

此時，尼羅河畔響起了一首古老的歌謠：「上下埃及兩地的居民放寬心吧，幸福的日子已經來臨，因為正義已重返人間。真理驅除了謊言，貪者受到唾棄，違抗律法者也躓仆在地，眾神喜樂，我們也將過著美好的生活，充滿喜悅與光明。」

〈後記〉

克里斯提昂·賈克的小說藝術：懸疑的營造與人物的塑造

對於被拉美西斯委以首相重任的帕札爾而言，在美鋒露出猙獰面目後，如何洞悉其計謀，保住法老拉美西斯的神聖地位，是一大挑戰。因為美鋒位高權重，官至掌管全國經濟的白色雙院院長，此外，手中又握有一張王牌中的王牌——眾神遺囑，也就是法老權力的合法來源。

美鋒露出狐狸尾巴後，作風更加明目張膽，有恃無恐，利用其全國最高經濟長官的職位與權力，試圖從各方面一步步地逐漸拖垮拉美西斯，其計畫之周詳縝密、策略之運用純熟，不禁讓人嘆為觀止。首先，他在經濟方面採取一連串的措施，企圖擴大他對埃及經濟的控制：從國庫運出許多貴金屬，藉口是為了滿足利比亞、巴勒斯坦、敘利亞、赫梯、黎巴嫩等附庸國及友邦國王的需求，維持與這些國家的友好關係以維續和平；與黎巴嫩從事違法的木材交易，從中牟利；深知神廟在埃及經濟所扮演的重要角色，藉由更改地籍資料，控制並削減神廟的資產。其次，他要一些小動作擾亂民生：控制貨品，製造通貨膨脹，導致民怨，並使首相成為眾矢之的；破壞水庫，製造水荒；和奈菲莉唱反調，以支出龐大為由，拒絕在外省加蓋醫院；控制藥品供應；大幅徵調神廟工人，擾亂工作秩序。此外，他試圖以高官厚祿攏絡各省省長與一些官員，說服他們贊成他的觀點，並接受他的政策。他也採取了一些卑鄙的手段，破壞拉美西斯與帕札爾的名譽，讓他們喪失民心：散播謠言，中傷帕札爾，說他「缺乏經驗，狂熱控制不當，嚴苛近乎荒謬，能力不足」等等；要塔佩妮以特殊交易品（增強性欲、對抗性無能的藥物）的交易為餌，破壞帕札爾的名譽；散布謠言，讓民眾相信拉美西斯已經一蹶不振；運送劣質、易斷裂的黃金給亞洲國家以換取產物，造成彼者對法老不滿，破壞法老在亞洲的名譽。極盡惡毒之能事之餘，還三番兩次試圖勸服帕札爾與他合作，但總是為帕札爾斷然拒絕。

面對美鋒排山倒海般的強勢攻擊，帕札爾仍然能夠反制成功，發掘並粉碎陰謀，其一貫的毅力與決心固然是關鍵，旁人的協助也是重要的因素：法老的充分授權與信任、太后圖雅的從旁協助、凱姆與狒狒警官的忠心與誓死護衛、好友蘇提自始至終的支持、豹子的慷慨獻金，當然，還有他摯愛的妻子——奈菲莉精神上及實質上無怨無悔的扶持。歷經千辛萬苦將美鋒的伎倆一一擊破的帕札爾，卻發現美鋒背後另有他人，換言之，美鋒並非主謀，而此人正是前首相巴吉。形象佳，一向頗受法老信任與人民愛戴的巴吉，對法老忠心耿耿，盡忠職守，不辱所托，直到美鋒出現。陰險、詭計多端的美鋒為他勾勒美好的未來，他禁不住權力與物質的誘惑，因而與惡勢力掛勾。老謀深算的他躲在後面，一切則交由美鋒執行。因此，美鋒只是聽命行事罷了，實際上在幕後操縱的是真正擁有眾神遺囑這項足以讓法老退位的祕密武器的巴吉。然而，仔細分析推論後，我們可以大膽地說，美鋒絕不會甘於長期受巴吉操控的。美鋒找上巴吉，主要是因為當時他位居一人之下，萬人之上的首相職位，手中握有許多行政資源，同時透過他，自己較容易在官場中步步高陞（後來官至掌管全埃及經濟的白色雙院院長），當然美鋒的胃口不僅於此，首相的位子更是他所覬覦的，只是天不從人願，讓帕札爾捷足先登，壞了他的大計。其實，法老的地位才是他的最終目標：屢次力圖勸服帕札爾與他合作時，他一再保證，將來推翻拉美西斯取得權力後，帕札爾可以繼續擔任首相。足證他想要的正是至高無上的法老權力，首相的職位並不能滿足貪婪的他。巴吉縱然因握有眾神遺囑而能合法取代拉美西斯，當上法老，對於野心勃勃的美鋒而言，這個通往權力頂峰之路的障礙，只是暫時的，遲早他總會將巴吉除掉，取而代之：為了權力，即使共同生活數十年最親密的髮妻，他都不惜拋棄了，還有什麼事他做不出來的呢？

前首相巴吉涉案的確出乎意料，令人費解，因為他向來一絲不苟，執法嚴苛，即使對家人也不例外（曾讓工坊把自己的兒子開除，只因為兒子偷懶）。此外，「他雖然位極人臣，卻並未因而變得富有。他總是把工作放在第一位，生活倒是其次。」這麼一位恪遵職守、律己甚嚴的人物，實在很難想像會是這項奪權陰謀的策畫者，而且似乎沒有露出蛛絲馬跡，足見他的陰沉與詭詐：他以首相工作繁重，感到不勝負荷為由，請拉美西斯解除他的職務，讓他在市區的小屋安享餘年，其用意無非是要凸顯他的淡泊、無欲與廉潔，自然就不會招來絲毫懷疑；他主動向帕札爾獻計，對付美鋒，而且在被美鋒收買的文書總監、情報總長與農地總監嚴辭批評帕札爾時，反應激烈，憤而離席，演技堪稱一流。最令人驚訝的是，布拉尼的死竟然是他的傑作。因為他深知即將任卡納克神廟大祭司的布拉尼對帕札爾將是一股莫大的助力，務必將之除去，才不致於阻擾奪權計畫的進行，而行刺的兇器竟是偷自西莉克斯的貝殼針，目的是混淆視聽，讓帕札爾以為是女流之輩所為，因而調查方向有所偏差，足見他心思之細密，心機之深沉。

讀者對帕札爾的調查結果感到驚訝是可以理解的，因為似乎完全沒有任何跡象顯示巴吉就是幕後操縱者。其實，賈克在第一部曲《謀殺金字塔》及第二部曲《沙漠法則》裡神不知鬼不覺地埋下了伏筆。在第一部曲裡，時任法官的帕札爾，經一番調查，開庭控告亞舍將軍瀆職、叛國與謀殺之後不久，巴吉在普塔赫神廟祕召帕札爾，向他明示，控告亞舍將軍的嚴重性，表面上原因是後者是重要人物，實際上是擔心一直為他們所利用而不知的亞舍洩露機密。而不在首相府召見帕札爾，乃是為了避人耳目，免招干涉司法之嫌。在第二部曲裡，帕札爾準備了亞舍、戴尼斯、謝奇和喀達希的完整檔案，前往拜訪首相巴吉，以門殿長老的身分請他開庭。不久，陰謀分子即召開緊急會議，因為他們得知帕札爾已經把檔案交給巴吉了，個中原因不言而喻。另一個伏筆乃是，帕札爾對於拉美西斯頒大赦令，使得犯強姦罪被判死刑的喀達希獲釋（陰謀者為救出喀達希發匿名信給拉美西斯，威脅他要將聖物失竊一事公諸於世，迫使他頒大赦令）表示極端不滿，憤而辭去門殿長老的職位後，巴吉親訪帕札爾，要他注意言行。巴吉以首相之尊親自造訪，足見事態嚴重，表面上是糾正帕札爾言行的不當，以維護法老神聖不可侵犯的地位與尊嚴，骨子裡都是憂心帕札爾壞了他們的計畫，大赦令被撤銷，喀達希畏罪供出內情。

從最初的亞舍將軍、運輸商戴尼斯，到後來的白色雙院院長美鋒，乃至前首相巴吉，賈克在懸疑、詭異的氛圍中，不斷製造出驚異與嘆息，隨時扣緊讀者的心弦，讓我們不得不讚嘆其情節與伏筆鬼斧神工般的巧妙安排。克里斯提昂·賈克透過對外型與個性深刻細膩的描寫，塑造出不同性格典型的人物，姑且不論其道德性，各個個性鮮明、其中部分人物儘管角色未若主人翁帕札爾與奈菲莉那般吃重，然由於賈克的用心著墨，深深地吸引著讀者，受讀者喜愛的程度不下於故事中的主角，個性上屬於定型的人物類（※註1）的豹子，即是其中一個例子。

豹子是蘇提征戰亞洲時所俘虜的利比亞女子，她憎恨埃及，因為埃及人掠奪他們的村子，父親腦部受傷，成了戰俘。然而，她卻瘋狂地愛上了蘇提，因而當蘇提讓她恢復自由身時，她卻選擇留下來。性情奔放狂野的她，經常與蘇提翻雲覆雨，玩著性愛遊戲，以現代女性主義的觀點而言，身體及情欲完全自主，充分得到解放，克里斯提昂·賈克每每對她與蘇提的極盡挑逗的、煽情的、火辣辣的性愛場面有露骨的描寫，以烘托其野性、奔放與熱情的性格。

豹子一向敢愛敢恨，當她得知蘇提為了調查布拉尼謀殺案而與紡織工廠負責人塔佩妮上床時，「一怒之下，便朝情夫衝了過去，由於力道猛烈，蘇提整個人被緊緊地壓靠在牆上，幾乎不能呼吸」。之後，聽蘇提說到因要打聽消息而必須與塔佩妮結婚的當兒，簡直失控，「她摔破了好幾個碗，還把一張用稻草填塞的椅子給拆了，整個人像發了瘋似的」。儘管蘇提強調與塔佩妮結婚只是形式，然而，當蘇提為了逃避亞舍的指控，而加入礦工行列前往沙漠採礦之後，豹子日夜思念，魂不守舍，對帕札爾表示，甚至可以為蘇提犧牲生命。因此，在帕札爾告知蘇提的去處後，毅然決然前往酷熱的沙漠尋情夫，快被亞舍和手下折騰死的蘇提，因而撿回一條命。後來，蘇提與她被塔佩妮告通姦，分別被判一年徒刑與即刻驅離出境，永遠不得再踏上法老的領地，否則將處以重刑。豹子不但沒有回到家鄉利比亞，反而冒著被處以重刑的危險，前往努比亞堡壘救出遭監禁的情夫，儘管路途遙遠，危機重重。

長久以來，豹子一直夢想著有一天能住大宅院，過富裕生活，有一大群僕人伺候，成為一個「受人敬重並可為所欲為的貴婦人」。然而，她與蘇提找到了失落的黃金之城，獲得無盡的財富，終於可以實現她的夢想的當兒，她卻同意將金子捐出來，以拯救她始終視為仇敵的埃及。這樣的舉動，固然與她對蘇提的愛不無關係（因救了埃及也就等於救了蘇提），其豪氣干雲的本色與寬大的胸懷並未因而有絲毫的減損，依然教人打從心裡激賞與佩服。原本就對豹子魔鬼般的胴體與性愛的狂野銷魂，因而與她的關係要建立在肉欲上面的蘇提，這會兒恐怕不得不對她刮目相看，肅然起敬，也因此真正了解豹子對他的愛有多麼執著和刻骨銘心。

閱畢克里斯提昂•賈克的《埃及三部曲》，小說中的情節與人物依然深印腦海，久久揮之不去，再次說明了為何賈克的作品如此獲得讚者的青睞，值得一再咀嚼玩味。

劉順一　博士
・法國格勒諾勃大學語言學博士
・曾任國立中央大學法文系系主任，現為國立中央大學法國語文系副教授

※註1：根據《小說與戲劇》的作者蔣伯潛與蔣祖怡的看法，小說與戲劇中的人物，依個性可分作定型與不定型。「定型的人物，自開始以迄於末了他的個性始終是倔強地不變的；而不定型的人物如浮萍一樣，他能因環境的改易而移變的性情。定型的人物表現一個性格如何去應付各種不同的環境，而不定型的人物表現各個不同的環境如何影響於人物而使他形成適合於此環境的性格。」

克里斯提昂・賈克系列作品

埃及三部曲系列（全新封面，改版上市！）

紀錄：法國暢銷一百五十萬冊，並長踞法國文學類暢銷書排行榜！

簡介：

一樁凶殘的暗殺事件，為何牽繫埃及王朝的覆國命運？一段真摯的愛情和友情，如何解救身陷危機的正義之使？作者穿梭埃及現場，試圖剖開這些迷團……

沒有月亮的夜晚，酷寒籠罩著撒哈拉沙漠，五個黑影沿著吉薩高地而行。衛兵長站在石像兩爪間，突然一個裸身的女子出現在他眼前。一細繩索已悄悄地從背後纏上衛兵長的脖子……

剛調到孟斐斯的法官帕札爾，就在一份待簽的文件中，他發現了某個不可告人的玄機，隨著帕札爾偵察的腳步，案件關係人一個個被殺。這究竟只是一件單純的意外，還是一樁陰謀的殺人事件呢？

一部文壇的代表佳作，縝密的懸疑情節，緊扣每位讀者心弦，如同身歷其境，感受到埃及人追求正義與真情的偉大情操，及古代社會文化的真實面貌，一股引爆全球的埃及熱潮；橫跨歐亞，風靡各國，實為近年僅見的閱讀奇觀。

克里斯提昂・賈克系列作品

光之石四部曲系列（全新封面，改版上市！）

簡介：

故事就發生在法老王拉美西斯統治的最後幾年，一個底比斯的野心官員莫希因發現三十個真理聖地的工匠從事某項不朽的驚人祕密，而不禁深深覬覦著……只見他稍稍潛行至陡峭的山上窺視著整座禁城，赫然發現法老王陵寢前散發出奇異光芒的神秘之石。感惑於這些光石，他當下決定不惜任何代價都要據為己有，進而借其神奇的力量統治整個大埃及。

在努比亞人索比克和其部隊的保護下，城內有一群男女默默將他們的終生獻給法老王而盡心工作和生活著。其中，有一位長老的兒子——沉默的尼菲因未曾聽過眾神的旨諭而決定出遊世界尋找天啟。在探詢的途中遇見勇敢且具魅力的年輕女子卡萊兒，並為其陷入瘋狂的戀情中。之後一個農家子弟阿當因緣際會救了他一命，對方並跟尼菲表示其一生的願望就是去真理聖地一探究竟。於是兩人合作拆穿莫希同夥背後為了奪取光之石的龐大陰謀，只是這群年輕人最後究竟能不能及時突破萬難而將身處危險中的法老王搶救出來？

賈克此次要告訴讀者的輝煌故事，再次充了曲折離奇、錯綜複雜、引人入勝的冒險歷程，書中有關法老王的命運、佞臣的陰謀、工匠的智慧、人性的熱情無數繽紛情節，無不近乎藝術化地被深刻描述著，只見一幅幅古埃及風貌彷若眼前重現，既熟悉又神秘，同時佈滿未知的懸疑力量，賈克以其炫人耳目、筆力萬鈞的手筆，將整個埃及時空的浩瀚場景，又一次從大想像中被釋放出來……。

莫札特四部曲內容簡介：

故事開始在孩子七歲的時候。當時他早已走遍布拉格、維也納、法蘭克福等地巡迴表演了……他有個祕密的慰藉，就是他心中有個幻想的國度——陸肯納；在那裡，他就是君王。

那是一個畫在一張卡片上的漂亮國度，這張卡片莫札特永遠隨身攜帶。但是一七六三年的八月二十五日，當他與父母正要上車時，他忽然發現卡片不見了！他到處都找不到……這時突然有個男人走過來，手裡正拿著這張珍貴的卡片。孩子問他：「這張卡片你在哪找到的？」「就在那兒。」男人回答，指著地上，靠近馬的地方。

這個孩子名叫沃夫岡・阿瑪迪斯・莫札特。小小年紀的他，已經會彈姐姐的羽管鍵琴了，他說他是在「找尋彼此相愛的音符」。幫他剪起卡片的不是別人，正是底比斯伯爵塔摩斯，來自上埃及。他此行的目的是為了尋找「大魔法師」——一個剛在西方出生的嬰孩將拯救全人類免於毀滅。

自此之後，塔摩斯和莫札特便再也沒有分開過。從維也納到布拉格，從米蘭到巴黎，經歷歡樂、痛苦、拒絕、背叛，莫札特的創作從未停息。面對挫敗、妒忌、教會與當權者的壓迫，還有一心只想毀滅他的喬瑟夫・安東，多虧有塔摩斯一直陪伴著莫札特度過這一切。塔摩斯一直是莫札特的保護者兼引導者，讓他得以有力量創作出《女人皆如此》、《費加洛婚禮》與《魔笛》等作品；這些偉大的歌劇作品照亮並開啟了西方社會的未來。